Читайте романы
примадонны иронического детектива
Дарьи Донцовой

Дарья Донцова

*В*ставная челюсть
Щелкунчика

роман

Москва
2016

УДК 821.161.1-312.4
ББК 84(2Рос=Рус)6-44
Д67

Оформление серии *В. Щербакова*

Иллюстрация на обложке *В. Остапенко*

Донцова, Дарья Аркадьевна.
Д67   Вставная челюсть Щелкунчика : роман / Дарья
Донцова. — Москва : Издательство «Э», 2016. —
320 с. — (Иронический детектив).

ISBN 978-5-699-85359-5

Виола Тараканова — председатель жюри конкурса
«Девочка года»! Ее издатель, который приветствует любой пиар автора Арины Виоловой, радостно потирал
руки. Во время финала между тремя претендентками
на Гран-при назревал конфликт. Вернее, его разжига-
ли матери Марины и Сони и бабушка Алисы, Галина
Сергеевна Петрова. Обе мамаши набросились на нее
с обвинениями: Петрова поила внучку запрещенным
средством для похудания. Галина Сергеевна, решив
доказать, что в ее витаминном отваре нет ничего запрещенного, выпила его и... умерла. Мать Марины
призналась: она подлила в отвар слабительное, чтобы
избавиться от конкурентки дочери — Алисы. Но от слабительного не умирают! Разобраться в этой запутанной
истории Виоле помогает новый приятель Степан Дмитриев. Однако Виоле все время кажется: она уже когда-
то была с ним знакома...

УДК 821.161.1-312.4
ББК 84(2Рос=Рус)6-44

ISBN 978-5-699-85359-5

Глава 1

Хотите узнать, как выглядит изнутри гигантский муравейник, в котором живут сумасшедшие насекомые? Загляните в самом конце года в любой торговый центр.

Вот уже несколько лет подряд я даю себе обещание, что в ноябре займусь приобретением сувениров для всех друзей, тщательно составляю список подарков, кладу его в кошелек и... вспоминаю о нем тридцатого декабря, когда орды таких же непредусмотрительных людей, как я, Виола Тараканова, штурмом берут прилавки.

Я остановилась посреди галереи, ох, зря сравнила магазин с муравейником, думаю, трудолюбивые мурашки не носятся по родному дому, толкая перед собой тележки, доверху набитые всякой ерундой.

— Наталья! Давай быстрее в отдел электротоваров! Там скидки на аэробруки, — заорал стоявший рядом со мной мужчина.

— Петя, а че это за фигня такая? — спросила его спутница. — Аэробруки эти зачем? Что с ними делать надо?

— Не знаю. Отстань с глупыми вопросами, — зарычал муж, — без тебя мозг вскипел. Слышишь, что говорят? Семьдесят пять процентов минус. Почти даром отдают. Купим один аэромрук или аэропрук твоей матери, второй моей — и гора с плеч.

— Аэробрук, — поправила супруга. — И что они с ними делать будут, Петя?

— Не знаю, — фыркнул Петр, — не моя забота. Я внимание проявил, подарил, а они пусть разбираются, куда лабуду девать.

— Нельзя им одинаковое дарить, — возразила жена, — твоя мать обидчивая, как подросток. Узнает, что ей со сватьей одно и то же под елку сунули и...

— Захлопнись, Наташка, — приказал супруг, — твоя мать геенна огнедышащая, она с моей мамулей из-за вредности характера не общается, не узнает никогда, что им всучили.

— Моя мама святая! — возмутилась Наталья. — А твоя — змея в мармеладе. Всем улыбается, а потом...

Петр пнул тележку ногой и убежал куда-то в глубь стеллажей, забитых товаром. С воплем «Правда глаза колет» жена бросилась за ним.

— Внимание! В отделе спорттоваров девяностовосьмипроцентная скидка на ласты, — загремело с потолка, — тотальная распродажа. Купившему три пары четвертая в подарок. Модная расцветка «розовый желток», нанотехнологическая застежка, они безразмерные, прекрасный подарок для всей семьи. Папа, мама, бабушка и дедушка, ласты надевайте, весело гуляйте. Только один час! Только у нас. Очень выгодно. Вы экономите девяносто восемь процентов. Джингл беллс, джингл беллс! Новый год приходит к нам, ласты он приносит вам!

Я замерла с открытым ртом, ощутила толчок в спину, обернулась и увидела потную красную женщину, которая, бормоча себе под нос:

— Ласты, ласты, ласты, — неслась вперед.

Я рванулась за ней, почти добежала до спортивного отдела и притормозила. Вилка! Очнись. Зачем тебе в разгар зимы приспособление для плавания, да еще цвета «розовый желток»? А нанотехнологическая застежка скорее всего обычное, маленькое крепление. Я впала в гипнотическое состояние, заразилась от толпы желанием купить абы что по дешевке.

— Джингл беллс, джингл беллс, — понеслось с потолка, — хеппи Новый год, всем подарки он несет. В отделе игрушек телескопический ластик. Скидка семьдесят девять процентов. Оригинальный дизайн, вкус клюквы в сахаре. Лучший новогодний подарок детям.

Я, скинув с себя оцепенение, вызванное рекламой ласт, снова впала в каталепсию. Ластик со вкусом клюквы в сахаре? Вроде им стирают следы карандаша. Или кто-то пьет чай вприкуску с «резинкой»? Все перед приходом Деда Мороза сошли с ума?

— Мама, хочу праздничные уши, — произнес тоненький детский голосок.

Я повернула голову и увидела семейную пару с тремя детьми: мальчиком лет тринадцати, очень высокой девочкой, примерно на год постарше, и дошкольницей, одетой в ярко-розовый свитер с надписью «Barbie» и темно-синие джинсы.

— Мама, — ныла малышка, — праздничные уши! У всех есть! А у меня нет. Хочу-у-у!

Мать, перебиравшая на полке кружки, оторвалась от увлекательного занятия.

— Где их берут?

Дочка показала пальцем на контейнер, из которого торчали ободки с прикрепленными к ним на длинных пружинах двумя большими разноцветными кругами с пришитыми по краям бубенчиками.

— Вот! Хочу.

— Леша, возьми ей пару, — попросила женщина мужа, который стоял, опершись о набитую всякой всячиной тележку.

Супруг перевел взгляд на ценник.

— Четыреста рублей?! Да никогда.

Губы крошки начали кривиться, ее глаза наполнились слезами.

— Хочу-у-у...

— Желание развивает характер, — отрезал отец, — можешь оборотаться, Светка, но ты их не получишь.

Капризница села на пол и зарыдала. Девочка постарше закатила глаза и отошла в сторону, мальчик остался около родителей.

— Леша, — зашипела жена, — тебе жалко четыре сотни? Это цена нашего спокойствия. Если Светка сейчас эту дрянь не получит, она будет рыдать, изведет всех, в конце концов ты сам ей что угодно дашь, лишь бы замолчала.

Алексей выпрямился:

— Катерина! Четыреста целковых с неба в рот не падают. Я нефть у народа не ворую, деньги у пенсионеров не тырю.

— Ой, перестань, — отмахнулась жена, — подумаешь, четыреста деревянных.

— Хочу-у-у, — рыдала Светлана, — а-а-а-а!

Мальчик наклонился к сестре:

— Пошли, куплю тебе ушки.

Сестренка засучила ногами по полу.

— У тебя дене-е-е-ег не-е-ет!

— Есть, — возразил подросток, — целых пять тысяч.

— Так, — грозно произнес отец, — и где ты их взял? У матери из кошелька спер? Отвечай, Никита.

— Заработал, — пояснил сын, — я чищу по утрам Майоровым и Елкиным машины от снега, осенью мыл их тачки. Вот и насобирал.

— Во богатые сволочи! — возмутился Алексей. — Самим лень, так детей нанимают. Ну я им все скажу.

— Не надо, папа, — испугался Никита, — я заработка лишусь.

— Об уроках думать надо, а не о деньгах! — разозлилась в свою очередь мать. — Попроси у меня, я тебе дам.

— Просил, а ты не даешь, — возразил мальчик, — говоришь, отец копейки зарабатывает, ты о шубе сто лет мечтаешь и никак ее не получишь.

— А-а-а-а, — завизжала Светлана, — у всех уши-и-и-и-и...

Брат взял из контейнера один ободок с ушами на пружинах.

— Двигаем на кассу.

Малышка живо вскочила и ринулась вперед.

— Кит, лови сестру скорей, — велела мать, — еще потеряется, ищи ее потом!

— Не смей покупать ерунду, — заорал отец, — нельзя поощрять капризы, Светка и так у нас на голове сидит. Запрещаю тебе брать эту хрень!

Никита, успевший отойти на некоторое расстояние, обернулся.

— Ты не можешь приказывать, как мне распоряжаться собственноручно заработанными деньгами. Я не у тебя рубли беру, сам их заслужил. Тебе жалко Светке барахло купить, а мне нет. В чем проблема? Не вижу ее!

— Ты не видишь проблемы, потому что дурак, — вскипел родитель. — Ты обязан старших слушать. Я умнее. Значит...

— Папа, кем работает палочник? — неожиданно спросил Никита.

Алексей снял с себя куртку и бросил ее в тележку на гору товара.

— Ну ты спросил! Палочник делает палки, ежу понятно.

Подросток рассмеялся:

— Папа, палочник нигде не работает. Это насекомое, еще его называют листовидкой. Палочник — домен: эукариоты, царство: животные, тип: членистоногие, подтип: трахейнодышащие, надкласс: шестиногие, класс: насекомые, подкласс: крылатые насекомые, инфракласс: новокрылые насекомые, отряд: привиденьевые.

Отец застыл, а мать разозлилась.

— Умный слишком. К чему ты нам все это говоришь? Не на уроке ботаники находишься.

— Биологии, — поправил сын, — папа сказал, что я обязан его слушаться, потому что он умнее.

— Да, — прошипела Екатерина, — тот, кто пока ни фига не знает, обязан разума у умного человека набираться.

— В моей голове намного больше информации, чем у отца, — парировал Никита, — я разговариваю на трех языках, победил на всех олимпиадах в этом году. А папа с ошибками слово «корова» пишет. Так кто у кого разума набираться должен?

Екатерина уперла руки в боки, а Никита быстро нырнул в толпу покупателей и исчез.

— Твое воспитание, — заорал Алексей, — отдала парня в школу для гениев, и вот результат. Отцу хамит! Старших не уважает. Ты хреновая жена, тупая хозяйка и дура-мать. Алиска двоечница, Никита себя умнее всех считает, младшая избалована до крайности. Зачем нам Светка ваще нужна была? А? За каким хреном ты ее родила! Все. Хватит. Разбирайся с бардаком сама! Я ушел!

— Куда? — испугалась Екатерина. — Лешенька, успокойся.

— Да куда хочу, туда и иду, — заорал супруг, схватил куртку и пошел по центральному проходу вперед.

— Лешенька, оставь кошелек, — попросила жена.
Муж обернулся:

— Во! Все, что тебе от мужика надо! Деньги!
Остальное не колышет! В квартире грязь, обеда нет,
дети от рук отбились, теща мозг съела! Муж уходит,
а ты про рубли беспокоишься. Ну и кто ты после этого?

— Завтра Новый год, — залепетала Екатерина, —
подарков детям... маме... полная тележка... мне на
кассе нечем расплатиться... Не сердись.

— Вечно ты мной недовольна, что ни сделаю, все
плохо, ты мне жить не даешь, — отрезал муж и исчез
в толпе.

— Лешенька, — кинулась вдогонку Екатерина,
споткнулась о колесо тележки, упала и заплакала.

Я в этот момент выбирала чашки с изображением
елок, увидела упавшую женщину, подошла к ней, помогла подняться и сказала:

— Успокойтесь.

— Он меня бросил, — заливалась слезами Екатерина, — наговорил гадостей и ушел. То, что он
сказал, — неправда. Я хорошая хозяйка, дома чисто,
в холодильнике полные кастрюли. Деньгами эконом-
но распоряжаюсь, ни копейки зря не потрачу. Никита меня шубой попрекнул. Ну, прав он! Хочется мне
норку, светлую, такую... колокольчиком... вон как
у той бабы. Видите? Красивая шубка, да?

Я покривила душой.

— Очень.

Екатерина вытерла нос.

— Оглянитесь вокруг, все в мехах, а я в убогом
пуховике. Неужели не заслужила хоть полушубок из
норочки? Крохотулечный, до талии?

Я попыталась утешить расстроенную женщину:

— Манто не главное в жизни, я вот в обычной
куртке и прекрасно себя чувствую.

— Вы сколько лет замужем? — спросила Катя. — Детей много?

— Совершенно свободна, — ответила я, — ни супруга, ни наследников.

— Тогда вам можно оборванкой ходить, — вздохнула Катя, — а я солидная дама, многодетная. Разве красиво Алексей поступил? Оставил меня без денег. А я есть хочу, мы тут уже три часа ходим.

У собеседницы в сумке затрезвонил мобильный, она его вытащила. Я покосилась на трубку. Похоже, не все у Кати так уж плохо, такой телефон не всякий себе позволить может.

— Никита! Вы где? Ага. Ага. Ну... ладно. Хорошо. Не знаю. Где-нибудь похожу.

Екатерина положила телефон в карман.

— Кит, конечно, слишком собой гордится и за словом в карман не лезет, но он добрый, учится в школе для особо одаренных детей, гений. Ему тринадцать, а он уже в одиннадцатом классе. Купил Свете уши и повел ее в игрогородок, сказал, что они там часок побегают. Алиска, как всегда, обиделась и куда-то заныкалась. Ну почему они так со мной поступают? Вечно мать во всем виновата. Лешик психанул, но дети-то и правда капризничают. Неужели не понятно? Светка, конечно, избалованная, но наказали, получается, меня! Голова кружится, кофе выпить надо, а муж ни рубля не оставил. Почему бы ему не подумать, что я устала и мне надо где-то посидеть? Никита сейчас сестру развлекает, Алиска постоянно губу оттопыривает, дуется, и ко мне с претензиями: «Киту купили ботинки, а мне? Светке дали мороженое, а мне?» Я просто больше не могу! Устала от них. Вы еще Галину Сергеевну, мою мать, не видели, она с нами в магазин увязалась. Хорошо, что отошла за журналами. Мать меня до сих пор воспитывает, все я не так делаю: не за того замуж вышла, неправильно с детьми себя веду. Я, по мнению родных, самая плохая, глупая, ленивая, поэтому мне даже шубка не положена, коротенькая...

Катя всхлипнула и начала вытирать ладонью слезы, катившиеся по щекам.

Я показала на небольшое кафе.

— Давайте чаю попьем!

Катя всхлипнула:

— Хорошо бы, но Леша кошелек унес.

— Я приглашаю вас, — улыбнулась я, — одной как-то не хочется сидеть.

— Неудобно, мы же незнакомы, — пробормотала Екатерина.

Я протянула ей руку:

— Виола Тараканова. Пришла купить сувениры на Новый год. С наступающим вас! Давайте отметим предпоследний день декабря вкусным напитком с пирожными. Сегодня я вас угощаю, а на будущий год вы меня в это же время в кафе позовете.

Катя мигом повеселела:

— Спасибо! Согласна. Я Екатерина Горюнова.

Глава 2

— Ой, какие красивые пирожные. Вы очень много заказали! — смутилась Катя, когда на столе появилось большое блюдо с десертом.

— Скоро ваши дети начнут разыскивать вас, прибегут сюда и доедят то, что мы не осилим, — засмеялась я.

— Ну, тогда постараюсь налечь на эклерчики, — потерла руки Горюнова.

Официантка налила в чашки чай, и мы принялись болтать. Катя оказалась открытым, бесхитростным человеком, она тут же начала рассказывать о своей семье.

Браку Горюновых пятнадцать лет, и состоялся он по залету. Когда Катя забеременела, ей исполнилось двадцать два года, а Алексей едва справил двадцати-пятилетие. Пара встречалась всего месяц — и вдруг такой сюрприз. Узнав о том, что ей предстоит стать матерью, Катя обрадовалась. Алеша ей нравился: высокий, красивый, хорошо танцует, рассказывает анекдоты, в любой компании сразу становится цент-ром внимания, Кате все подружки завидуют. Ну чего еще надо для счастья?

А вот у Катиной мамы было полярное мнение, когда дочь привела в дом парня и представила его как своего жениха, будущая теща не бросилась вы-ставлять на стол все самое вкусное из холодильника. Нет, она усадила юношу на кухне и, даже не налив ему чаю, устроила Леше настоящий допрос. Когда он, ответив на ее вопросы, убежал, Галина Сергеевна, поджав губы, заявила:

— Дочь! У твоего принца нет квартиры, денег, ро-дителей, высшего образования и престижной работы. Он нищий бомбист, зарабатывает извозом. Мне та-кой зять не нужен. Пока до греха не дошло, пошли его подальше.

Катя покраснела, мама ошибалась, до греха дошло. Галина увидела пунцовые щеки дочери и охнула:

— Да ты беременна! Дура! Жизнь себе испортить решила? И что теперь делать?

Катюша, зная суровый характер матери, сильно перепугалась. А ну как она отправит ее на аборт, а Катя хотела ребенка. Большинство ее подружек уже обзавелись младенцами, взахлеб рассказыва-ли, как они счастливы, как их обожают мужья... Катерина считала себя неудачницей, у нее личная жизнь не складывалась, в частности, еще и потому, что маме не нравился никто из ее ухажеров. Галина Сергеевна мечтала о богатом зяте с большим домом, машиной, солидным счетом в банке, без бывших жен-детей, молодом, и чтобы он любил-уважал тещу. И в каком заповеднике водятся подобные особи? В бедный район покосившихся пятиэтажек, где живет Катя, райские птицы не залетают, и львы в золотых попонах на фирму, где девушка работает скромным бухгалтером, не забегают. Хорошо хоть Алексей туда заехал, если она лишится Леши, рискует остаться старой девой. И Екатерина впервые в жизни решилась поступить по-своему, она храбро сказала матери:

— Аборт не сделаю. Я выхожу замуж.

— Ладно, — хмыкнула мать, — а жених-то в курсе, что ты под венец собралась?

И снова Галина Сергеевна оказалась права. Алексей ничего не знал о планах Кати. Известие о том, что он скоро станет отцом, шокировало Горюнова. Он не планировал вешать себе на шею ярмо брака, Катя была всего лишь одной из многих, с кем парень весело проводил время.

Алексей попытался уговорить Катю избавиться от ребенка, но она была непреклонна, хотела свадьбу, машину с лентами и куклой на капоте, белое платье, гостей, подарков... Ну, чтобы все как у людей. И пришлось Алеше покупать скромное колечко с горным хрусталем, который издали вполне можно было принять за бриллиант.

Галина Сергеевна, обозвав жениха нищебродом, раскошелилась и оплатила свадебный пир в кафе. Мать злилась, а Катюша была счастлива.

Поселились молодые у Кати, думаю, не стоит рассказывать, что скандалы начались наутро после похода в загс. Галина Сергеевна безостановочно делала Алексею замечания, упрекала зятя за неумение заработать, тот огрызался, орал на жену. Алиса родилась слабенькой, постоянно болела, плакала по ночам, не давала родителям спать, девочке требовалась одежда, качественная еда, игрушки. Катя была в декрете, Галина Сергеевна получала пенсию, а Леша зарабатывал извозом. Стабильного дохода он не имел, в кармане у него всегда свистел ветер. Представьте, как «обрадовался» и он, и мать, когда выяснилось, что Катя на пятом месяце?

Мать и муж, впервые объединившись в команду, налетели на нее с упреками. Катюша рыдая, оправдывалась:

— Не понимаю, как это получилось, месячных-то еще не было после родов и я грудью кормлю, значит, предохраняться не надо, так все подруги утверждают.

— Надо к врачу ходить, а не идиоток слушать! — заорал Алексей. — Куда нам второй спиногрыз? И Алиска-то не нужна!

Аборт Кате никто не взялся делать. Одна из подружек дала ей какие-то таблетки, сказала, что они стопроцентно вызовут выкидыш, но лекарство не сработало. Галина, узнав, что дочь пьет пилюли, надавала ей пощечин и завопила:

— Дура! Родишь урода, всю жизнь потом с ним мучиться будешь. Если появится дебил, сразу от меня съедете, не хочу перед соседями позориться.

Жизнь казалась Кате беспросветной, она плакала с утра до ночи. Но тьма сгущается перед рассветом, птица удачи наконец-то решила к ней прилететь.

Под их пятиэтажкой «поплыл» фундамент. Несколько месяцев здание изучали разные комиссии, и в конце концов его признали аварийным. И тут следует отдать должное уму Галины Сергеевны. Она живо прописала в квартиру нелюбимого зятя, разделила лицевой счет, и двушка стала юридически считаться коммуналкой. В ней теперь жили молодая семья Горюновых и одинокая Галина Сергеевна Петрова. Катя терялась в догадках, почему мама так поступила. Но потом дочь оценила ее хитрый план. Через год дом начали расселять. Молодая пара тогда уже имела двоих детей: Алису и Никиту, поэтому им, учитывая разнополых отпрысков, выделили просторную трешку в новостройке.

Первые месяцы после переезда Катя не спала по ночам, ходила по хоромам и не могла нарадоваться. Господи! У нее пятнадцатиметровая кухня, большая прихожая, гостиная, спальня, детская, два санузла, лоджия, кладовка! На полу паркет! Мебели, правда, нет, а вместо люстры с потолка на проводе свисает простая лампочка. Но ведь диваны-кресла дело наживное, можно пока и на надувном матрасе поспать. Главное, есть свои стены, а на кухне Катя полноправная хозяйка. И была еще неописуемая радость: Галине Сергеевне дали уютную норку в другом доме, который стоял у метро. Во время совместного проживания мать ежесекундно делала дочке замечания, без стука распахивала дверь в комнату, где жила молодая пара. Ни одного дня не проходило без скандала, инициатором которого почти всегда являлась госпожа Петрова. Но теперь, когда Галина Сергеевна оказалась на расстоянии, пусть и совсем небольшом, она потеряла возможность измываться над зятем и дочерью. Нет, Катя любит маму, старается ей помочь, постоянно навещает ее, но беспредельно счастлива в своей собственной квартире.

Избавившись от опеки Галины Сергеевны, Горюновы стали жить дружно, у них прекратились скандалы. Алиса перестала болеть, ходила в садик. Никита тоже рос и поражал всех вокруг своим умом. В три года мальчик сам научился читать. Как он выучил буквы, Катя не знала, просто в один день Кит вдруг взял глянцевый журнал и бойко прочитал:

— Астрологический прогноз для Тельцов.

— Леша! — ахнула мать. — Нет, ты послушай!

Дальше — больше. Сыну исполнилось четыре года, когда он дернул в магазине Катю за кофту и сказал:

— Тетя посчитала неверно.

— Не мешай, — отмахнулась мать, — не отвлекай меня на кассе.

Но Никита не отстал, он, держа в руке чек, начал показывать пальцем на покупки, которые Екатерина еще не успела убрать в сумку.

— Это стоит сто рублей, вон то семьдесят, мыло двадцать четыре, шампунь сто, мясо двести тридцать восемь. Итого получается пятьсот тридцать два. Ты дала тыщу, сдача составляет четыреста шестьдесят восемь рублей. А тетя вернула триста пятьдесят. Мама! Где шампунь? Ты его не брала. В бумажке он есть, а тут его нет!

Катя сначала не поверила своим ушам, но потом налетела на бабу за кассой. А та, ошеломленная математическими способностями мальчика, который едва доставал матери до колен, безропотно вернула зажуленную сдачу и деньги за шампунь.

В младшей группе детского сада Кит продержался неделю, его сразу перевели к самым старшим детям. В пять лет мальчик пошел в школу. Он был намного умнее старшей сестры. Алиса стала школьницей в семь лет и получала одни тройки. И с деньгами у Горюновых по-прежнему не ладилось. Леша несколько раз устраивался на постоянную работу в разные фирмы, но они быстро прогорали, ему опять приходилось заниматься извозом. Потом Горюнову вдруг повезло. Когда старшим детям исполнилось восемь и семь, один человек предложил ему купить автомастерскую, денег он не требовал, хотел участвовать в прибыли. Алексей согласился, но едва он подписал все бумаги, как Катя забеременела в третий раз. Едва жена заикнулась об интересном положении, Алексей взвился ракетой.

— Нет! Двух спиногрызов мне более чем достаточно. Третий не нужен. Только-только голову из дерьма высунули, ты на работу вышла, я надеялся, что ты хоть на оплату коммуналки заработаешь и перестанешь у меня на губную помаду клянчить. И что? Опять в декрет? Записывайся на операцию!

— Аборт поздно делать, — всхлипнула Катя.

Алексей опешил, потом налетел на жену.

— Мерзавка! По одной схеме действуешь? Женила меня на себе по залету, потом живо Никиту сделала и молчала, пока живот на нос не полез. А теперь опять? Хочешь, чтобы я всю жизнь пахал на желторотых? Дома сидеть нравится? Ни фига не делать? Ищи врача где хочешь!

Разразился мощный скандал, Кате стало плохо, перепуганный Алексей вызвал «Скорую». Врачи намерили высокое давление, узнали о беременности, уложили Горюнову в больницу. Речь об аборте больше не заходила. И в положенный срок родилась Светлана. Катя сразу полюбила ее больше всех детей и стала нещадно баловать.

Два года назад директор гимназии, где учился Никита, сказал матери:

— У вас необыкновенный мальчик. Гений. Наше учебное заведение хорошее, но оно для обычных детей. Советую обратиться в «Архимед», это частный центр, но плату за обучение там не берут, попасть туда трудно, в классах не более четырех человек занимается, ребят отбирают тщательно посредством жесткого тестирования. Многие родители мечтают пристроить туда отпрысков, да пройти вступительные экзамены трудно. Но, полагаю, у Никиты проблем не будет.

Кит блестяще справился со всеми заданиями и очутился в «Архимеде». Со стороны казалось, что судьба щедро одаривает Горюновых за прежние трудности, все у них теперь ладится, да еще в придачу сын-гений. Но нет мира под оливами. Алиса в отличие от Никиты училась плохо, учителя ставили ей неуды, которые превращались в тройки после того, как Катя притаскивала педагогам подарки. Старшая девочка росла ревнивой, шпыняла Свету, вечно жаловалась на младшую сестру. Никита хорошо относится к малышке, но после поступления в «Архимед» он постоянно демонстрирует всем свой незаурядный интеллект, считает родителей и Алису идиотами. Светлана капризна без меры, закатывает истерики по любому поводу, Алексей упрекает Катю в том, что та плохая мать, отвратительная хозяйка, ругает ее за расточительство. После приобретения автомастерской супруг стал патологически жадным и истеричным. Родная мать пилит Катю за то, что она нарожала прорву детей и не способна достойно содержать ее...

Страстный рассказ Кати прервал телефонный звонок.

Глава 3

Горюнова вынула трубку.

— Алло! Алло! Никита! Алло! Ну что такое! Киту администрация школы за победу в математической олимпиаде подарила новый айфон, он мне старый отдал, который за доклад на конференции от устроителей получил, а тот постоянно глючит!

Мобильный снова зазвонил.

— Алло! Алло! — надрывалась Катя. — Не слышу тебя, Кит! Я в кафе на первом этаже, прямо напротив места, где ты ободок с ушами Светке брал. Эй! Вот черт! Опять завис!

— Попробуйте позвонить мальчику с моего телефона, — предложила я, протягивая Екатерине сотовый.

— Спасибо, — воскликнула она и начала тыкать пальцем в экран.

— Мама, — раздался сзади голос, — мама, мы тут.

— Фу, — выдохнула Екатерина, — ты меня услышал!

— Да, — кивнул Никита, держа за руку Светлану.

— Где Алиса? — опомнилась мать.

— Не знаю. Она с тобой осталась, — ответил Кит.

— Хочу это! — заявила малышка, показывая пальцем на пирожные.

— Садись, — предложила я.

— Нет! Буду есть стоя, — закапризничал ребенок.

— Разве ты лошадка? — улыбнулась я. — Только она на ходу ест.

— Да! — обрадовалась Света, скидывая на пол куртку. — Я лошадь!

Я вздохнула: совсем не умею обращаться с маленькими детьми. Думала, Светлана сейчас ответит: «Нет» и спокойно усядется на стул.

Девочка тем временем с воплем «И-го-го! И-го-го!» стала носиться между столиками, уронила на пол чью-то сумку, подскочила к матери, схватила с блюда эклер и целиком запихнула его в рот.

— Света! — возмутилась Катя. — Нельзя брать еду немытыми руками!

Я опустила глаза. Отличная реакция. На мой взгляд, следовало сделать замечание ребенку: «Так себя не ведут. Сядь и вежливо спроси: «Можно взять пирожное?»

Светлана хотела что-то сказать, открыла рот, недоеденный эклер вывалился на ее платье.

— Неряха, — укорила мать, схватила малышку за руку и повела к туалету.

— Нет, нет, нет, — завопила Света, тормозя пятками, — не туда! Хочу-у-у назад!

— Надо вымыть ручки, отряхнуть платьице... — завела Катя.

— Нет, ты плохая, фуу, какашка, — заныла дочь.

Мать закатила глаза.

Света вскарабкалась на стул, схватила корзиночку с кремом и начала жадно ее есть. Катя вздохнула:

— Доченька, аккуратнее.

Девочка показала матери язык, вытерла руки о скатерть, взяла мою чашку с недопитым чаем и с хлюпаньем опустошила ее.

— Она еще очень маленькая, — смущенно забормотала Екатерина, — не понимает, что хорошо, а что плохо.

— Воспитывай ребенка, пока он лежит поперек лавки, а когда он лег вдоль лавки, уже поздно, — назидательно сказал Никита, — русская пословица. Мама, с детьми надо построже. Тобой все вертят, и Алиса...

— Она хорошая, — прошептала Катя, — очень красивая! Прямо загляденье, а не девочка.

— Двоечница, — отрезал Кит.

— Дорогой, твоей старшей сестре учение трудно дается, — объяснила мать, — так всегда получается, Господь либо ум, либо внешность дарит.

— Нет. Ей лень задания выполнять, — скривился мальчик. — Сядет вроде как уроки делать, а сама журнал про моду читает. И вечно жалуется, что голова у нее болит, кружится. Врет! А ты веришь и предлагаешь: «Посиди дома, раз заболела». Лентяйке только этого и надо. С Алиской надо построже. Голова болит? Умойся и на занятия дуй.

— Девочка родилась слабенькой, — начала оправдывать старшую дочь Катя, — первый год постоянно болела...

— Мама, ты Алиске своей опекой только хуже делаешь. И Светке иногда полезно по затылку зафигачить.

Кит не успел договорить, Светлана схватила чайник, попыталась поднять его и уронила, крышка свалилась, темная жидкость потекла по скатерти.

— Ах ты господи, — запричитала Катя, вскакивая, — Светонька, ты не ошпарилась? Сейчас промокну лужу.

— Хочу-у-у пить, — заныла девочка.

— А-а-а, все в кафе сидят, а меня не позвали, — раздался за моей спиной обиженный голос.

Я обернулась и увидела Алису.

— Без меня все съели? — продолжала та. — А мне фигу? Очень красиво.

— Доченька, — зачастила Катя, — Виола нас угощает, папа кошелек унес.

— Почему мне не позвонили? — гнула свое Алиса. — Я всегда в пролете. Мне ничего никогда не достается.

— Деточка, это неправда, — укорила ее Катя.

— Никите сегодня купили плеер, Светке куклу, подарок с конфетами, набор «Парикмахер», плюшевую собаку, — перечисляла Алиса. — А мне? Мне что? Где мои подарки, а?

— Они непременно под елкой будут, — заверила Катя, — завтра их найдешь.

Но Алиса не успокоилась, она ткнула пальцем в брата.

— Ему Дед Мороз ничего не притащит?

— Почему? — удивилась мать. — Все получат подарки.

— И Светка? — не успокаивалась старшая сестра.

— Конечно, — заверила Катя, — ты очень хорошая девочка, переживаешь за младших, боишься, что им ничего не достанется? Не волнуйся.

— Это нечестно! — топнула ногой Алиса. — Им сегодня кучу подарков накупили, а мне фигу! У них и сейчас полно всего, и завтра еще получат. А мне? Мне что? Почему мне меньше их достается?!

Екатерина на секунду растерялась.

— Тебе туфли купили!

— Это не считается, — заявила Алиса, — обувь — необходимость. Мне что, по-твоему, босой рассекать?

— Чего трубку не берешь? — раздалось сбоку.

Я повернулась и увидела Алексея, который с сердитым видом приблизился к столику.

— Хочу пи-и-ить! — завопила Света. — А-а-а.

Отец стукнул кулаком по спинке стула, на котором сидела Катя.

— Молчать! Надоели. Расселись тут! Катька, откуда деньги на гульбарий?

— Пи-и-ить, — завизжала Светлана, сползла на пол и заколотила пятками по полу.

— Вы тут не одни, — выразила недовольство дама за соседним столиком, — не мешайте отдыхать. С невоспитанным ребенком надо дома сидеть.

— Заткни ее, — прошипел Алексей.

— Мне ничего не купили, — всхлипнула Алиса.

— А-а-а, — выводила Света.

— Официант, — крикнула соседка, — решите проблему, или мы уйдем, не сделав заказ.

Катя опустила голову и заплакала.

Никита схватил Свету и поволок к выходу из кафе, Алексей дернул Алису за рукав.

— Захлопнись. Че? Бабкиной любимицей неожиданно стала? Она тебе мозг рассказами о том, как ты великой манекенщицей станешь, запудрила? Крышу тебе снесло от того, что отобрали в конкурсе красоты участвовать? А ну как я тебе запрещу глупостями заниматься! Шляешься в тряпках перед озабоченными мужиками. Да все эти «мисс» — шлюхи. Хочешь, чтобы я тебе наподдал? Думаешь, я бабки побоюсь?

Алиса покраснела.

— Не смей меня бить!

Отец опешил.

— С ума съехала? Я тебя пальцем не тронул.

— Мама! Ты видела, как отец меня сейчас по руке треснул? Со всей дури! — взвизгнула Алиса.

— Не было такого, — обомлел Алексей, — я тебя за кофту взял легонько.

Девчонка задрала рукав.

— Вот! Вот!! Вот!!! Синяк растет. Отец меня ненавидит, вы любите только Светку и Никиту! Я повешусь! Из окна выпрыгну! Заплачете у моего гроба, но поздно будет!

Алиса выбежала из кафе, за ней с криком «Доченька» ринулась мать.

— Блин, — буркнул отец семейства и тоже ушел.

Я уставилась на залитую чаем скатерть. Официантка положила на край стола кожаную папочку.

— Счет, пожалуйста.

Я взяла сумку, и тут затрезвонил мобильный.

Глава 4

— Виола Ленинидовна? — спросил приятный женский голос. — Беспокоит Анюта Королева. Напоминаю вам про финал конкурса «Девочка года» по версии журнала «Красавица», который состоится второго января. Вы же будете?

— Конечно, — заверила я, — не волнуйтесь, непременно приеду.

Но Анюта не отставала.

— Без вас никак. Вы у нас председатель жюри.

— Помню, — ответила я, — от меня еще нужен личный приз.

— Да, да, — подтвердила Королева, — небольшой подарок для той, кто вам больше всех понравится. Сувенирчик. Материалы на всех участниц конкурса я только что выслала вам на почту. Обратите внимание на наш девиз «Лучшая девочка из лучшей семьи». Да, мы будем выбирать наиболее красивую, но в финале конкурсов много, среди них есть интеллектуальные, участницам придется проявить смекалку. И поинтересуйтесь сведениями об их семьях. При прочих равных условиях предпочтение лучше отдать девочке с хорошими родителями.

— Богатыми, знаменитыми? — усмехнулась я.

— Конечно нет, — возразила Анюта, — нам все равно, привезли девочку на «Порше» или она на метро прикатила. Важно другое. Родные победительницы не должны быть пьяницами, наркоманами, приветствуется наличие полной семьи — отец и мать. Если есть бабушки-дедушки, братья-сестры, прекрасно. Но коли отец участницы сидит в тюрьме, это не годится. Журнал «Красавица» не должны ассоциировать с уголовниками. Можете сейчас открыть почту?

Я вынула из сумки айпад.

— Да, конечно. Вижу ваше послание.

— Отлично, — обрадовалась Анюта. — Второго числа последний день конкурса, осталось десять участниц, это финал. Вначале их было несколько тысяч, основная масса отсеялась в первом туре, остальные в следующих. Вы назовете трех победительниц. Девушка, которая получит Гран-при, подпишет контракт с лучшим рекламным агентством и улетит в Нью-Йорк.

— Девочкам всего четырнадцать лет, — удивилась я.

— Да, конечно, потребуется разрешение родителей. Но большинство успешных моделей именно в таком возрасте выходило на подиум, — зачастила Анюта. — Давайте поговорим об участницах финала. В фаворитах Марина Григорьева, Софья Яковлева и Алиса Горюнова. Они с первого тура лучше всех себя проявили, каждая набрала большое количество баллов. Предположим, что жюри их отобрало, Марина, Соня и Алиса одинаковы по всем параметрам, прекрасно танцуют, великолепно показали бальные платья, а это сложно. Но первое место одно, кому отдать корону? И вот тут надо посмотреть на родителей. У Григорьевой дедушка поет в хоре, бабушка вышивает картины, сама Марина отличница, идет на медаль. Ее отец пожарный, герой, некоторое время назад вынес из огня парализованного человека, мать — бухгалтер в благотворительном фонде. Старший брат девочки на последнем курсе юридического, средний учится в Питере, он станет капитаном дальнего плавания. Понимаете, какая прекрасная семья? Теперь о Соне Яковлевой. Отца нет, мать — секретарь у крупного бизнесмена, Софья в школе успевает средне, с четверки на тройку перебивается, она часто участвует в конкурсах, но выше второго-третьего места не поднимается. Девочка с большими амбициями, очень высокого о себе мнения. Кстати, у Марины Григорьевой такой же характер, и она тоже вечно на втором месте. И Марина, и Соня с юных лет участвуют в конкурсах красоты, стабильно попадают в финал, но ни та ни другая пока ни разу не получили корону. Замыкает тройку лидеров Алиса Горюнова. Ее отец частный предприниматель, владелец автомастерской, мать — домашняя хозяйка. Девочка плохо успевает, едет на тройках. У Алисы есть брат-вундеркинд Никита, он обучается в центре «Архимед», туда попадают лишь особо одаренные дети. Мальчику тринадцать лет, а он уже заканчивает школу, получил приглашение поступать в Оксфорд. Младшая дочь Светлана ходит в сад. Бабушка — пенсионерка. И что у нас получится, если мы оценим домашнюю обстановку конкурсанток? Безусловно, первое место у Марины, второе у Алисы, несмотря на ее тройки, и замыкает группу Софья.

— Алиса Горюнова, — пробормотала я, проглядывая текст, — брат Никита, сестра Светлана, мать Екатерина, есть бабушка Галина Сергеевна.

— Плюсов Алисе придают брат-гений и то, что она из многодетной семьи, — пояснила Анюта. — У Григорьевой и Горюновой есть и отец, и мать, а Софья живет с одной мамой. Алиса впервые участвует в конкурсе красоты, в отличие от Марины и Софьи не имеет опыта в подобных соревнованиях, но попала в тройку лидеров. У нее непростой характер, она на все обижается, но у Алисы такая бабушка! У Галины Сергеевны железный характер, это танк, а не женщина, она внучку в узде держит и твердой рукой ведет ее к победе. Мать Лисы я ни разу не видела, но поняла, что в семье верховодит Галина Сергеевна.

Я сообразила, что господин Случай столкнул сегодня в торговом центре председательницу жюри с одной из фавориток конкурса.

— Виола, вы меня слышите? — забеспокоилась Анюта. — Почему молчите?

— Читаю биографии школьниц, — соврала я.

Наверное, не стоит рассказывать Королевой, как я познакомилась с Горюновыми. Наше общение с Катей и ее малопривлекательным семейством было поверхностным. Но мы сидели бок о бок в кафе, Екатерина рассказала мне много о своей семье. Председателю жюри нужно быть объективным, поэтому он не имеет права заводить личное знакомство ни с участницами, ни с их родителями. Если Анюта узнает о том, как мы с Катей вместе лакомились пирожными, она может лишить меня председательского статуса. Я не особенно расстроюсь по этому поводу, наоборот, даже обрадуюсь, потому что не испытываю ни малейшей радости от того, что придется целый день сидеть в душном помещении и смотреть на девочек, которые ходят по сцене в разных платьях. Я бы провела второе января иначе, села бы писать новую книгу, а то у меня вот уже неделю на столе лежит чистый лист бумаги, на котором написана одна фраза: «Наступила осень». Все. Дальше я пока не продвинулась. Но, если меня попросят из жюри, мой издатель разозлится и устроит скандал. Иван Николаевич Зарецкий не оставляет надежды сделать Арину Виолову (под этим псевдонимом я пишу криминальные романы) круче самой Смоляковой. Я отлично понимаю: мне Миладу никогда не догнать, она пишет романы с нечеловеческой скоростью, и все они раскупаются читателями, как горячие пирожки с мясом, которые морозным зимним утром бесплатно раздают на платформах Курского вокзала. Но Иван наивно считает, что мелькание Арины Виоловой в разных телепрограммах обязательно приведет к увеличению тиража моих произведений. Поэтому Зарецкий предпринимает массу усилий, чтобы поставить меня перед камерами, и не всегда его затеи оканчиваются хорошо. О своем участии в одном телешоу я до сих пор вспоминаю с дрожью[1]. И вот теперь мне предстоит возглавлять жюри конкурса «Девочка года». Мероприятие организует журнал «Красавица», он очень популярен, поэтому на финал, грохоча камерами, приедут представители разных телеканалов. Не знаю, что Иван пообещал владелице издания, но ему удалось усадить меня на трон председателя жюри в тот день, когда будут вручать корону победительнице.

— Виолочка, прочитали? — спросила Анюта.

— Да, да, — опомнилась я, — но, на мой взгляд, дети за родителей не отвечают. И, если не ошибаюсь, некоторые всемирно известные модели вышли из крайне неблагополучных семей.

— Виолочка, дорогая, — зашептала Королева, — такова позиция владелицы журнала «Красавица» Аллы Константиновны Мироновой. Я не могу с ней спорить.

— Ладно, — пробормотала я.

— Вы умничка, обожаю вас, — затараторила Анюта, — сейчас зачитываюсь вашей новой книгой «Лапти-скороходы». Прекрасно написано! Ничего не понятно! Кто убийца? Я прямо дрожу от восторга. Ждем вас второго января с нетерпением.

---

[1] Виола вспоминает события, которые описаны в книге Дарьи Донцовой «Магия госпожи Метелицы», изд-во «Эксмо».

Я положила телефон на стол. Навряд ли фраза «ничего не понятно» может служить похвалой писателю. Но в панегирике Анюты есть еще одна неувязочка. Детектив «Лапти-скороходы» написала Милада Смолякова. Королева перепутала авторов. Ладно, сделаю вид, что мне не обидно, совсем даже не обидно, категорически не обидно, я весела, бодра, и, в конце концов, возглавить жюри пригласили меня, а не Миладу. Надо думать о своих успехах, они повышают самооценку.

Я убрала телефон в сумку и открыла кошелек, чтобы расплатиться по счету. Вилка, перестань себя утешать. Пожелай Смолякова потерять целый день зря, восседая во главе судейской бригады, устроители мероприятия пришли бы в восторг. Просто Миладе ничего этого не надо. Лежащий около вазочки с салфетками мобильный затрезвонил, я взяла его.

— Слушаю.

— Кто вы ваще? — спросил женский голос.

— А кто вам нужен? — осведомилась я.

— Это моя трубка, — закричала тетка, — украла мой мобильник и рада? А ну оставь, где взяла!

Я опешила, глянула на телефон и только сейчас поняла, что он чужой, свой айфон я пару секунд назад убрала в сумку.

— Воровка, — бушевала незнакомка, — сейчас тебе по рукам надают! Немедленно верни спертое!

Мне стало смешно.

— Кому?

— Мне!

— Как вас зовут?

— А тебе какое дело?

Я постаралась не расхохотаться.

— Девушка, трудно вернуть телефон, если не знаешь его владельца. И я не крала ваш сотовый, он лежал на столике. Подходите в кафе на первом этаже, оно расположено напротив отдела посуды у стеллажей с новогодними кружками.

— Ага, сиди смирно, сейчас полиция приедет! — завизжала собеседница.

Я отсоединилась и стала ждать, когда в зале появится официантка, которая унесла в кассу мою кредитку. Время шло, я заерзала на стуле. Наконец девушка вернулась к столику.

— Простите за задержку, проблема со связью, хозяин никак не купит новый терминал.

— Ничего, я никуда не тороплюсь, — ответила я. — Девушка, кто-то из посетителей оставил...

Договорить мне не удалось, я ощутила на своем плече чью-то руку, обернулась и увидела Алексея, мужа Екатерины, рядом с ним стояла немолодая женщина, одетая в добротную старомодную шубу из бобра.

— Вона как! — возмутился Горюнов. — А я-то понять не мог: с чего это Катьку пирожными угощают! Твой план ясен. Пока дура эклеры жрет, ты ее телефон тыришь!

Я показала на трубку, лежащую на столе.

— Звонившая пару минут назад женщина была очень груба. Я и представить не могла, что общаюсь с Екатериной, которая мирно пила со мной чай. Подумала: что кто-то из прежних посетителей забыл трубку, а мы с Катей не заметили ее. Хотя глупо было это предполагать, оставленный мобильник должна была унести официантка, которая перестелила перед нашим приходом скатерть. Я от шума и гама в магазине перестала соображать. Алексей! Если вор уносит мобильный, он выбрасывает симку и никогда не станет отвечать на звонки. Ваша жена просто забыла айфон.

— А ты по нему бесплатно потрепаться решила? — не сдавался Горюнов. — Родственникам в Ка-
захстан позвонить? Наболтала на бешеные тыщи? Со
всем аулом погутарила?!

— Леша, — дернула скандалиста за рукав его
спутница, — дай скажу на ухо, наклонись.

— Потом, Галина Сергеевна, меня уму-разуму
поучите, — огрызнулся муж Екатерины.

Но теща поднялась на цыпочки и что-то жарко зашептала ему на ухо. Он округлил глаза, поджал губы
и молча ушел.

— Уж извините его, — сладко запела бабушка
Алисы, заглядывая мне в глаза, — мужчины любят
покричать. Я объяснила ему, что вы женщина обеспеченная, с дорогой сумкой, в недешевом свитере,
в ушах серьги дорогие. Зачем такой богатой красивой
даме чужой телефон? Простите нас. Дочь вам наха-
мила не со зла, она просто очень распереживалась,
а зять — дурак. Извините меня.

— Вы ни в чем не виноваты, — улыбнулась я, —
Алексей и Катя тоже. Перед Новым годом в магазине
суета, из-за нее я сама поглупела.

Глава 5

Распрощавшись с Галиной Сергеевной, я напра-
вилась в отдел игрушек, нашла там симпатичного
мишку в розовом платье, с короной на голове, подумала, что он будет прекрасным сувениром для победительницы конкурса, и пошла к кассе. И тут меня
остановил парень в зеленом костюме и красном кол-
паке, на котором поочередно вспыхивали разноцветные лампочки. Он быстро заговорил:

— Новогодняя елка предлагает вам сыграть в бес-
платную викторину, весь сбор от которой пойдет на

подарки для детей из неимущих семей. Очень плохо, если Дед Мороз ничего малышу не принесет. Я не обманщик, мы благотворительный фонд, вот документ. Видите? «Общество «Рука счастья».

— И где ваша елка? Далеко к ней идти? — поинтересовалась я.

— Елка — это я, — потряс головой парень, — я в лесу росла, зимой и летом стройная зеленая была. Сам к вам пришел.

Я достала кошелек.

— Нет, нет, — возразила «елка», — я задам вам вопрос. Если ответите правильно, получите в подарок миниатюрную портативную картофелечистку в форме Кремлевской стены. Вот она!

Я посмотрела на трехсантиметровую пластмассовую копию Спасской башни и захихикала:

— Ну это не вся стена. А как ею картошку чистить?

Парень осторожно повернул верхнюю часть, из нижней высунулась маленькая терка.

— Берете клубень и обтериваете его, — пустилась в объяснения «елка», — если чистить ножом, все вкусное в очистки уйдет.

— Дома у меня много ножей, — возразила я. — Зачем мне портативная терка?

— Вдруг невмоготу поесть захочется на улице, а клубень как сварить? Грязным в воду бросать?

— Сомнительно, что стану разгуливать по городу с сумкой картошки, — отбивалась я от приставучего юноши, — и плиты на улице нет.

— Вещь полезная, ею можно что угодно обтеркать, например грязные сапоги! — не отставала «елка». — Все налипшее отвалится.

— Давно придуманы губки для обуви, возьмите сто рублей, и расстанемся друзьями, — предложила я.

— Нет, нет, — испугался парень, — я не имею права брать наличку в руки. Схема такая: мой вопрос — ваш ответ. Ошибетесь? Даете сотню.

— Вам же запрещено к купюрам прикасаться, — хихикнула я.

«Елка» повернулась боком:

— Видите на поясе жестянку? Это наша копилка. Сами в прорезь деньги сунете, без моего участия. Итак, вопрос! Где живет ореофаг?

Меня охватило удивление.

— Это кто такой?

Парень погрозил мне пальцем:

— Нет! Спрашиваю я.

— Не знаю ничего про ореофага, — призналась я.

«Елка» показала на жестянку:

— Стольничек детям, плиз.

Мой кошелек стал легче на одну ассигнацию.

— Сыграем по новой? — прищурился сборщик.

— Ну уж нет, — фыркнула я, — ваша викторина чистый обман.

— Наш фонд заботится об обездоленных детях, — обиделась «елка». — Копилка закрыта, ее только попечитель открыть может. Намекаете, что я жулик? Мол, наберу деньжат и в ресторан жрать пойду? Я волонтер, бесплатно работаю.

— Я имела в виду, что на заданный вопрос нет ответа, — уточнила я.

— На всякий вопрос непременно найдется ответ, — уперся парень.

— И каков он? — полюбопытствовала я.

— Хорошо, сыграем иначе. Вопрос задаете вы, тот самый, про ореофага. Если я не отвечу, то спою вам новогоднюю песню, а если говорю, где он живет, даете еще стольник на подарки сиротам, — предложил юноша.

— Так нечестно! — пробормотала я. — Вы же в курсе местожительства этого субъекта.

— А вы хотите узнать ответ? — прищурилась «елка». — Удовлетворите свое любопытство всего за стольник, и он на хорошее дело пойдет.

— Ладно, — сдалась я. — Где живет ореофаг?

— В Ореофагии, — не моргнув глазом, ответил мошенник.

Я молча сунула в жестянку купюру, поспешила в паркинг, села в машину и порулила домой. Задумавшись, проехала на красный свет и тут же была остановлена бравым гаишником.

— А я вас узнал, — весело сказал он. — Эх, нехорошо-то как! Известная писательница, а нарушаете. Моя теща вашими романами зачитывается, сидит с книгой и молчит. Красота. Чего так мало пишете?

— Быстрее не получается, — улыбнулась я, — могу дать автограф для тещи, как раз сегодня мне авторские экземпляры нового романа дали. Под запрещающий сигнал светофора проехала случайно, у меня день тяжелый был. Не отнимайте права, пожалуйста, я без машины как без ног.

— По магазинам шарились, подарки покупали? — предположил сержант.

— Точно, — согласилась я, — устала как собака! Народу в каждом отделе тьма! Хочу скорей домой попасть.

— Сейчас неприятную новость сообщу, — объявил гаишник.

— Отбираете права, — вздохнула я.

— Нет, — возразил он, — я припомнил: вы на перекресток въехали, и тут желтый вспыхнул. Вынужденно продолжили движение.

— Спасибо, — обрадовалась я и взяла книгу. — Как зовут вашу тещу? И что за неприятное известие у вас припасено для меня?

— Нина Сергеевна она, — ответил дорожный полицейский. — У вас права заканчиваются через неделю, менять надо.

— Ну и ну, — удивилась я, — только что их получила.

— Уже куча лет прошла, — вздохнул патрульный, — мне тоже кажется, что я молодой, а сегодня утром глянул в зеркало и не понял: что за кабан оттуда смотрит? У тещи мы ночевали, у нее ванная с окном, а у нас нет. Дома-то я в зеркале хорошо выгляжу, а у Нины Сергеевны при дневном свете прямо мрак. Седой боров.

— Вы на редкость хорошо выглядите, — утешала я полицейского, — для своих сорока лет огурчик.

— Мне тридцать два, — вздохнул гаишник.

Я смутилась, а сотрудник ДПС продолжал:

— Не тяните с обменом документов. Если срок действия прав закончится, придется вам заново экзамены сдавать. Правила дорожного движения хорошо помните?

— Не особенно, — призналась я, — ведь их часто меняют.

— Вот! — кивнул сержант. — Поэтому действуйте быстро, справки соберите, сейчас с этим строго, надо психологическое тестирование пройти.

— С ума сойти, — удивилась я.

Сотрудник ДПС махнул рукой:

— А толку? Не заметил я, чтобы идиотов на дорогах меньше стало.

— Здрассти, — пропел тихий голос.

Из-за спины гаишника появилась худенькая девушка в зеленом комбинезоне, на голове у нее был красный колпак, украшенный разноцветными лампочками.

— Мы собираем деньги для детей...

— Спасибо, — перебила я незнакомку, — уже пообщалась в магазине с другой «елкой», знаю и вопрос про ореофага, и ответ на него.

— Хорошо, что вам условия викторины известны, — обрадовалась девица, — у меня другой вопрос. Сыграем?

— Нет, — отрезала я.

— Ступай отсюда, — разозлился сержант, — вы давно тут шастаете, глаза намозолили. Сейчас елками бегаете, в сентябре были учебниками, в мае в военной форме ходили, в марте цветами нарядились. Тошнит уже от вас.

— Из-за таких, как вы, в России сироты голодают, — агрессивно заявила девица, — мы собираем деньги для самых обездоленных детей. Работаем бесплатно. Чем я вам мешаю?

— Всем, — отбрил сержант, — здесь проезжая часть, а ты не участник движения. Для пешеходов «зебра», вот по ней и разгуливай. Или по тротуарам бегай. На дорогу не суйся.

— В новогоднюю ночь где-то горько зарыдает малыш, которому не досталось кулечка конфет из-за жадного, вредного, толстого гаишника, который прогнал меня прочь! — выдала «елка» и, гордо вскинув голову, удалилась.

Сержант посмотрел ей вслед:

— Документы легко на компьютере сварганить. Мошенники они!

— Понимаю, что в основном эти люди нечисты на руку, — вздохнула я, — если хочешь помочь детям, отдай средства в солидный фонд, где вся бухгалтерия прозрачна. Но в душе живет сомнение: а вдруг они и правда для обездоленных ребят стараются? Сто рублей не пробьют брешь в моем бюджете. Вот это «а вдруг» и заставляет раскошеливаться.

— Вон она уже кого-то подцепила, — неодобрительно заметил сержант, — мужика разводит. Тут где-то их мини-вэн должен стоять, темный такой. Вы с ними никогда не играйте. Знаете, что они делают? Выискивают в толпе лохов.

Мне стало смешно.

— Таких, как я?

— Нет, — серьезно возразил сержант, — у вас лицо не жадное, поэтому они на жалость вас взяли, предложили загадочку решить, стольничек для бедных деток пожертвовать. Психологи, блин, вроде цыган. Вычисляют, кто от бабла фанатеет, и дают ему выиграть: сто, двести, тыщу, три... Глаза у лошары горят, азарт прет. И тут они предлагают: «А хотите сыграть суперигру? Там можно миллион откусить». Если идиотка соглашается, ее сажают в микроавтобус, и, прикиньте, «лимон» дура-баба получает. Во радости! Тот, кто в автобусе ее разводит, чуть не плачет: «Я разорен. А вы можете пять миллионов отгрызть. Ставьте на кон выигрыш и еще деньги. Дома-то есть заначка?»

— Можете не продолжать, — вздохнула я, — наслышана о таких историях. Главарь мошенников владеет навыками гипноза, а игрока душит алчность. Человека везут на его квартиру, и он отдает ценности, все, какие есть: деньги, драгоценности. Но почему вы эту девчонку не задержали, если знаете, чем она занимается?

— На каком основании мне ее задерживать? — пригорюнился сержант. — Документы от фонда при ней, ничего дурного она не сделала. Серега Семенов поймал одного из этих, в обезьянник сунул. А мошенник кому-то позвонил, примчался адвокат. Такой лай поднялся! Начальнику нашему главный шеф по самые уши вломил за задержание. Отпустили паскудника с извинениями. Прикрывает их кто-то наверху. Иначе б давно с улиц турнули, с кем-то они делятся. С наступающим вас!

— И вас, — улыбнулась я, — еще раз спасибо, хорошего Нового года, исполнения всех желаний!

Патрульный двинулся к машине, но потом обернулся:

— И вам удачи! Права поменять не забудьте.

* * *

Около одиннадцати вечера неожиданно раздался звонок в дверь. Я посмотрела на домофон, увидела женщину в куртке с низко надвинутым капюшоном и слегка заволновалась.

— Вы к кому?

Незнакомка подняла голову.

— Простите, что поздно. Мне нужна Виола Тараканова.

Я узнала тещу Алексея Горюнова, которую днем видела в кафе торгового центра, очень удивилась и соврала:

— Она тут не живет, квартиру сдает, уходите, пожалуйста.

— Виола Ленинидовна, не прогоняйте, — взмолилась дама, — у меня к вам разговор. Помогите Христа ради. Не бойтесь. Я пенсионерка, ничего плохого вам не сделаю. Адрес в Интернете нашла, вы его не скрываете.

Я нажала на кнопку.

— Входите.

* * *

— Спасибо огромное, — зачастила Галина Сергеевна, стаскивая верхнюю одежду, — вы очень добрый, хороший человек, замечательный писатель, я восхищаюсь вашими книгами...

Слушая панегирик, я провела гостью в комнату, подождала, пока она сядет на диван, и спросила:

— Зачем я вам понадобилась?

— Сейчас объясню, — пообещала Петрова и завела обстоятельный рассказ про невыносимую жизнь своей дочери.

Сначала она поведала, какой ей попался никчемный зять, заставил жену родить подряд двух детей. Едва Катя ребят подрастила и вышла на работу, как Алексей приказал супруге забеременеть в третий раз, и на свет появилась Света. Екатерина мужественно справлялась с оравой детей, но муж постоянно был ею недоволен.

Гостья жаловалась и жаловалась, в конце концов я не выдержала:

— Галина Сергеевна, я не психотерапевт. Зачем вы рассказываете о личных проблемах Екатерины? Что хотите от меня?

Глава 6

Петрова порылась в сумке, достала небольшой альбомчик и показала мне фото.

— Это Алиса. Снимок сделан профессионалом. Внучка попала в финалистки конкурса, если она получит Гран-при, то поедет в Нью-Йорк.

— И вы не побоитесь отпустить девочку? — спросила я, рассматривая снимок. — Просто не верится, что это ваша старшая внучка. Передо мной девушка лет двадцати, она мало похожа на школьницу, которую я видела днем в магазине.

— Модели начинают рано, — вздохнула Галина Сергеевна, — но век их недолог, лет в двадцать пять ее турнут с подиума. Это на самом деле Алиса, просто с ней поработал профессиональный визажист, косметика творит чудеса. Мне Лиса никогда не казалась красавицей, но я не профессионал в фэшн-мире. Знаете, как год назад у нас это началось? Мы с внучкой пошли в магазин, я денег собрала, хотела ей платье купить. Нехорошо в этом признаваться, но Алиса моя любимица. Девочка надела какую-то вещь, вышла из кабинки в зал, давай передо мной туда-сюда сновать, спрашивая: «Бабушка, ну как?», и тут к нам подходит женщина. Теперь-то я знаю, что их скаутами зовут, они выискивают перспективные лица для модельного бизнеса, но тогда я понятия ни о чем не имела. Незнакомка сказала: «Не хотите девочку привести на съемку? Денег ей не заплатят, но подарят красивую одежду и игрушку». Я сначала отказалась, ехать далеко следовало, но женщина мне визитку сунула. А меня осенило: у Лисы с учебой плохо, с одноклассниками не дружит, обидчива очень. Другие ребята подуются пять минут, забудут, что поскандалили, и опять вместе играют. Лиса же затаится и будет злость копить, сначала вида не покажет, а потом попросят у нее, допустим, ластик, а она в ответ: «Год назад ты меня на перемене толкнул и дурой обозвал. Иди вон, ничего не получишь».

— С таким характером трудно обзавестись большим количеством друзей, — отметила я.

— И я о том же, — подхватила мать Кати, — непросто девочке. В школе она последняя, отдавали ее в спорт, в танцы, в самодеятельный театр... отовсюду пришлось забрать, преподаватели в один голос твердили: неперспективная, ленивая, упорства нет. Дома внучка тоже изгой. Никита гений, им постоянно восхищаются, Света маленькая, капризная, она все внимание матери на себя перетягивает. А Лиса что? Ее не замечают, не хвалят, потому что успехов нет. Я подумала, вдруг съемки самооценку девочки поднимут, она сможет в школе похвастаться, и после этого хоть одна подруга у нее появится. И отвезла внучку по указанному адресу.

Галина Сергеевна сложила руки на груди.

— Все отрицательные качества Алисы в тот день обернулись положительными. Много девочек туда явилось, из них отобрали всего пять, внучка попала в число счастливиц. Дальше удивительный поворот. Четыре участницы мигом ощутили себя звездами и стали соответствующе себя вести. Принесли им пять платьев. Одно, прямо скажем, не очень удачное, сочетание вертикальных и горизонтальных полосок, к нему туфли без каблука. Стилист попросил одну девочку надеть его, та отказалась, другая тоже... Дошла очередь до Алисы, она безропотно натянула платье. Подготовка к съемкам была долгой, девочек причесывали, макияж накладывали, четверка «звезд» раскапризничалась, Лиса же сидела тихо. Дали обед, Алиса его спокойно съела, остальные кривлялись: невкусно, гречку не едим, компот не пьем. Когда фотограф за дело принялся, Лиса покорно его указания выполняла, остальные спорили, они, оказывается, не первый раз в роли моделей выступали. Матери капризниц в процесс вмешивались: свет, мол, неверно поставили, причесали плохо, румян мало... А я-то деревня, лохушка, ничего не понимаю, поэтому молчу в тряпочку.

Галина Сергеевна тихо рассмеялась:

— Понятия не имела, как для журналов снимают, думала — заглянем на полчасика, чик-брык — и домой пошли. Куда там! Вернулись около одиннадцати вечера, совсем не простое занятие оказалось. Но не зря мучились, Алиса получилась красавицей. Девочку не обманули, туфли-платье ей подарили, мишку огромного вручили.

Бабушка протяжно вздохнула:

— Но в одном я ошиблась. Когда Алиса принесла в школу журнал со своими фото, ни дети, ни учителя ей не поверили, обозвали вруньей, заявили: «Девочка на тебя слегка похожа, но она красавица». Алиса домой в слезах примчалась. На следующий день я взяла полученные ею вещи, отправилась к классной руководительнице и устроила той головомойку. Учительница детям объяснила, что на снимках Горюнова, просто она с макияжем. Думаете, одноклассники начали восхищаться Алисой? Такая агрессия из них попёрла, в особенности из девочек. Учтите, класс у нас для отстающих. С Алисой учится двадцать человек, все неуспевающие. Те, кто четверки-пятёрки имеет, их всячески обзывают: дебилы, идиоты. И тут вдруг Горюнова в журнале! Лису прямо возненавидели! Даже учительницы от зависти прыщами пошли. Понимаете, как девочке плохо?

Я устала слушать Галину Сергеевну, поэтому демонстративно посмотрела на часы.

— Что вы от меня хотите?

— Виола, вы лучший писатель на свете, я вас обожаю, — вновь принялась мести хвостом бабушка, — прочитала все-все, что издано под именем Арины Виоловой. Сейчас читаю «Лапти-скороходы». Очень умный роман, конспектирую его.

Я постаралась не измениться в лице. Так, меня во второй раз за день спутали со Смоляковой.

— Впереди финал конкурса «Девочка года», — тараторила Галина Сергеевна, — сам Господь меня с вами в кафе случайно свел. Вы видели, какая чудесная Алиса, замечательная просто, помогите ей получить Гран-при. На этих соревнованиях такая коррупция. У Алисочки ни спонсора, ни покровителя нет. А ей так нужна победа! Но если главный приз ей не достанется, то нас устроит и второе-третье место.

Я не перебивала незваную гостью. В письме, которое Анюта сбросила мне на почту, есть данные о семьях всех финалисток. В досье Горюновой рассказано о ее семье. На первый взгляд все замечательно: папа, мама, бабушка, трое детей, Никита — вундеркинд. Никто из старшего поколения не пьет, не употребляет наркотики, не имеет приводов в полицию. Отличная ячейка общества, но я, случайно познакомившись с Екатериной, поняла, что Алиса завистлива и вздорна, Никита считает всех вокруг идиотами и крайне гордится собственным умом. Светлана истерична, патологически капризна, Алексей, похоже, совсем не любит жену и детей, терпеть не может тещу, Катя же находится в глубокой депрессии, у нее в душе такое количество обид на жизнь, что она готова вылить их на голову любому, кто проявит к ней хоть каплю внимания и сочувствия. Я сказала ей простую фразу, что-то вроде: «Не расстраивайтесь, все будет хорошо», и получила в ответ подробный отчет о ее жизни. Не все ладно в Датском королевстве. Собирая информацию о конкурсантках, сотрудники журнала «Красавица» на самом деле ничего о семьях девочек не узнали, они просто выяснили анкетные данные. Вполне вероятно, что за закрытыми дверями квартиры Марины Григорьевой, основной претендентки на Гран-при, происходят ужасные вещи. Вероятно, ее родители вовсе не белые ангелы, возможно, самая лучшая семья у Софьи Яковлевой, дочки матери-одиночки.

— Христа ради, подсобите Алисе, — пела Галина Сергеевна, — проявите милосердие по отношению к девочке. Марина Григорьева в вуз попадет, она на золотую медаль нацелилась, Софью Яковлеву отец поддержит. Знаете, кто у нее папочка? В анкете у девочки прочерк. Да мне случайно узнать довелось. Мать Сони давно состоит в любовной связи со своим боссом Иннокентием Крошкиным, хозяином сети бензоколонок. У него законная жена есть, да мадам Яковлеву наличие штампа в паспорте мужика не смутило. Соня неуклюжая, ей прыщи пятью слоями тонального крема замазывают. На конкурсе были намного более красивые девочки, по какой причине нескладная Яковлева попала в тройку претенденток?

— В финале десять участниц, — напомнила я.

Галина Сергеевна постучала ладонью по ручке кресла.

— Разве вам не объяснили, что основная борьба развернется между Мариной и Софьей? Отец последней щедро платит за свою девочку, вот она и появилась в финальной группе. Я уверена, что второго числа всем членам жюри от бензоколонщика подарки принесут.

Галина Сергеевна протянула ко мне руки:

— Виола! Хотите, я на колени встану? Марина со своей золотой медалью далеко пойдет. Софью отец-богатей в зубах по жизни пронесет. А у моей бесталанной, необеспеченной внучки победа в финале — единственный шанс. Умоляю! Сделайте Лису первой! Хорошо, если главной победительницей ей не быть, то хоть дайте призовое место! Второе! Молиться за вас буду!

Я встала.

— Уважаемая Галина Сергеевна! Я прослежу, чтобы жюри судило честно. Дальнейшее зависит только от Алисы. Простите, время позднее, завтра Новый год, хочется сегодня пораньше спать лечь.

Петрова спохватилась:

— Уметаюсь. Виола, дорогая, в конкурсах красоты всегда побеждают либо большие деньги, либо связи, либо... путь на экран лежит через диван. Марина Григорьева, например, прекрасно сию истину усвоила.

— Перестаньте нести чушь, — рассердилась я, — девочке всего четырнадцать! О каких диванах может идти речь? До свидания.

Мать Кати, тяжело вздыхая на каждом шагу, вышла за порог и зло сказала:

— Во-первых, Григорьевой пятнадцать по паспорту, а на вид все двадцать. И мне известно, почему ее отец повышение по службе получил. Очень уж его доченька одному человеку в просторном кабинете нравится.

Я захлопнула за ней дверь и, испытывая гадливое чувство, пошла мыть руки. Не надо было соглашаться сидеть в жюри.

Глава 7

Второго января около часа дня Анюта Королева привела меня в просторную комнату с тремя туалетными столиками и радостно объявила:

— Девочки и мамочки! Это писательница Арина Виолова, самый популярный автор детективных романов. Вы, конечно, ее сегодня уже видели, когда получали оценки за первое соревнование. А теперь имеете счастье познакомиться со звездой поближе.

— Здрасти, — нестройно произнесли присутствовавшие.

— И еще одно чудесное известие, — суетилась Анюта. — Татьяна Григорьева, Вера Яковлева, Галина Сергеевна Петрова, наложите макияж, поправьте прически. Вас вместе с девочками будет снимать пресса на фоне нашего баннера.

Одна из женщин сразу схватилась за пудреницу. Галина тоже взглянула в зеркало и начала взбивать волосы.

— Ма, ты чего сидишь? — возмутилась одна из девочек, которую я, если б не знала, что она школьница, легко могла бы принять за студентку. — Давай, очнись и накрасься.

— И так сойдет, отстань, Марина, — отмахнулась мать.

— Сойдет? — разозлилась дочь. — Ты на мымру похожа, испортишь снимок. Выглядишь отстойно, наложи тональный крем. Посмотри, какая у тети Веры чудесная помада, цвет сезона «Малиновые губки». Купи себе такую.

— Денег нет, — протянула мать.

Марина без спроса схватила тюбик.

— Мама, она копеечная, фирмы «Сюзанна», не «Шанель» и не «Ланком». Но никто не поймет, сколько она стоит, если намажешься.

— У меня лихорадка выступила, — вяло засопротивлялась Татьяна, — от помады ее по всему лицу разнесет. Я сегодня даже не пудрилась, косметичку дома оставила.

Другая женщина, как я поняла, Вера Яковлева, вспыхнула и сердито сказала:

— Марина, не смей брать чужое без спроса. Не твое дело, сколько моя косметика стоит. И если у кого-то герпес, то надо дома сидеть, а не в общественные места ходить, чтобы других заражать.

Анюта захлопала в ладоши:

— Так, так! Не стоит ссориться.

— Вы сапог где-то поцарапали, — неожиданно сказала Галина Сергеевна, — жалко как! Очень красивая обувь.

Анюта наклонилась, чтобы посмотреть на царапину, потом резко выпрямилась, расстегнутый воротничок ее блузки съехал набок, и я увидела на шее Королевой довольно большое родимое пятно в форме отпечатка кошачьей лапы. Анюта поймала мой взгляд и быстро вернула воротник на место. Но невус закрыть ей полностью не удалось. Странно, что я, беседовавшая сегодня с Анютой, не заметила ранее пятно.

— Я выходила из машины и напоролась на кусок льда, — вздохнула Королева, — исцарапала нос у «казаков».

— Не повезло, — посочувствовала я, — очень красивые сапоги, сама хотела купить такие, но в магазине был только тридцать пятый размер. Продавщица сказала, что другие в Москву не завезли.

— У кого такая маленькая нога? — удивилась Татьяна.

— У меня, — улыбнулась Анюта.

— Вы прямо Золушка-красавица, — не упустила возможности подлизаться к помощнице владелицы холдинга Галина Сергеевна.

— Пить охота, — сказала симпатичная девочка, сидевшая в кресле.

— Вам воду не принесли? — встрепенулась Анюта. — Сонечка, у тебя нет бутылки?

— Вон она стоит, — ответила девочка, встала, взяла со столика емкость, ловко открыла ее и... уронила на пол прямо к ногам Марины.

— Блин! — закричала Татьяна. — Ты испортила Маришке дорогие туфли! Капли попали на замшу, останутся некрасивые следы. Косорукая коза!

— Не смей оскорблять мою дочь! — тут же возмутилась мать Сони.

— Остановитесь! — велела Королева. — Таня, не устраивайте истерик. Где замша? У Марины кожаные шпильки, с ними ничего от воды не случится, и, между прочим, на них ни капельки не попало. Понимаю, у всех нервы натянуты, но давайте держать себя в руках. Не позорьтесь перед писательницей. Ох! Совсем из головы вылетело! Один из спонсоров нашего конкурса, фирма «Доли», прислала всем, кто будет участвовать в полуфинале и финале, подарки. Вот.

Королева открыла большой пакет, который, войдя в гримерку, поставила у стены, достала оттуда коробочки, перевязанные ленточками, и подала девочкам.

— Кольцо! — взвизгнула Марина, открывая презент. — Вау! Шикарное! Можно в нем на сцену?

— Ну, конечно, дорогая, — улыбнулась Анюта, — поэтому бижутерию и подарили, чтобы вы ее надели.

— Браслет! — пришла в восторг Соня. — О! О! О!

— У меня самое крутое, — объявила Алиса и вытянула вперед руку. — Наладошка!

Я не сразу поняла, о чем говорит Горюнова, но она начала вертеть кистью, и я увидела на ней странное украшение. Оно напоминало браслет, но надевалось не на запястье, а на основание пальцев. С тыльной стороны кисти шла плоская ярко-желтая пластинка, а со стороны ладони ее украшали разноцветные цветочки из эмали, их было видно только тогда, когда Алиса разжимала пальцы. На мой взгляд, более дурацкий и неудобный аксессуар придумать трудно. Но в глазах Марины и Сони зажглась откровенная зависть.

— Почему Алиске самое лучшее досталось? — с обидой воскликнула дочь Григорьевой.

— Ей наладошку, а нам фуфлятину, — надулась Соня, — это нечестно.

Анюта сдвинула брови:

— Ну хватит. Кому что досталось, то и хорошо. За подарки надо сказать «спасибо».

— Спасибо, — уныло повторили недовольные девицы, потом Соня язвительно добавила: — Большое спасибо.

Королева решила не обращать внимания на реакцию девушек и затараторила:

— Дорогая Виола, следующий конкурс — выход в незнакомом платье. Все честно, никаких подвохов нет. Девочкам завяжут глаза, они вытащат из коробки номер наряда и узнают, что...

— А почему тогда на самом красивом голубом платье висит бирка «Яковлева»? — перебила ее Татьяна. — Откуда известно, что Софья в нем пойдет?

Глаза Королевой расширились.

— Кто вам сказал про табличку?

— Я пошла искать, где наряды спрятаны, — не постеснялась признаться мать Григорьевой, — нашла их в одном кабинете, его не заперли. И... бирку увидела.

Королева моргнула:

— Госпожа Григорьева, ваше поведение недопустимо. За такие штучки-дрючки Марину могут снять с конкурса.

— При чем тут я? Не отвечаю за действия матери. Сижу здесь, нигде не шастаю, — возмутилась дочь.

— Обе хороши, — сказала Яковлева.

— Ой, а вы, Вера, прямо белый лебедь, — скорчила гримасу Татьяна, — у вашей Сони волосы нарощенные, это запрещено.

— Вранье! — закричала девочка в розовом халате и потрясла головой. — Все у меня свое.

— Как же, — не утихала Таня, — я только платье поглядеть хотела, и моя Маринка вся натуральная. А с остальными участницами беда. Анюта! Разве можно с шиньонами выступать?

— Нет, — незамедлительно ответила Королева, — надеюсь, никто из финалисток такой глупости не совершил, за это сразу удаляем с соревнований.

— Софью выгонят? — обрадовалась Галина Сергеевна, сидевшая у туалетного столика.

— Да, — уже не с прежней убежденностью подтвердила Королева.

— Мама! — испугалась Соня. — Что они несут?

— Это из зависти, — прошипела Вера, — у тебя свои роскошные локоны, а вот у доченьки Татьяны силиконовые сиськи и в губах гель.

— Враки, — взвилась Марина.

— Хочешь сказать, что у тебя четвертый размер сам вырос, — засмеялась Соня.

— Если кое у кого вместо груди грецкий орех, то это не значит, что у других так же, — топнула ногой Марина и показала пальцем на Алису, — вот у нее вообще пустыня.

— У меня второй размер, — надулась Лиса.

— В мечтах, — заржала Соня, распустила волосы, потрясла ими и предложила: — Анюта, посмотрите, где капсулы, которыми пряди крепятся?

Королева начала изучать ее прическу.

— Их нет.

— Ага! — торжествующе воскликнула Вера. — Пусть Танька извинится, а ее Маринка нам сиськи покажет. Сразу видно, у нее резиновые клизмы.

— Обе вы прелестны, — язвительно заметила Галина Сергеевна, — три волосины Софье от природы достались, тут даже спорить не о чем, у девочки на макушке проплешина. Но ресницы у нее не свои. Вживленные.

— Я не лысая, — со слезами на глазах парировала Соня. — А вот ваша Алиска дура, уржаться можно над ее умом.

— И она жирная была, вы ей «Анталазин» даете, чтобы похудела, — кинулась в атаку Татьяна. — Анюта, можно лекарства употреблять, чтобы жир растрясти?

— Упаси бог, — испугалась Королева, — этот препарат давно запрещен к применению, он расшатывает нервную систему, гробит почки, печень, желудок, превращает девушку в развалину, истеричку, скандалистку. В особенности эта гадость опасна для подростков. И прекратите спорить. Татьяна, вы были в помещении костюмера Антонины, там висят платья для финального выхода, а не для второго тура. Конечно, они подготовлены адресно. Если бы вы порылись в вешалках, увидели бы другие вещи с бирками «Марина» и «Алиса». Секретные наряды заперты в кабинете самой Аллы Константиновны.

Но Татьяна не потеряла боевого задора, она бесцеремонно показала пальцем на старшую Горюнову.

— Говорите, «Анталазин» под запретом? А Галина Сергеевна им Алиску потчует. Ее внучка имела лишний вес. Когда нас с первого тура на второй пропустили, Алисе при всех Миронова сказала: «Не потеряешь семь кило, не будет шансов даже в тридцатку войти». И что? Горюнова прямо таять начала, за неделю в тростинку превратилась. Можно исхудать нормальным путем за семь дней? Да никогда. Без «Анталазина» тут не обошлось.

— Брехня! — побагровела Галина Сергеевна. — Внучка села на жесткую безуглеводную диету.

— Расскажите, цветы золотые! — засмеялась Таня. — Не смешите народ.

— Девочка по утрам и вечерам бегает, — продолжала Галина, — по два часа. Ничего не ест, ограничивает жидкость. И вот результат.

— С трудом верится, — подхватила Вера. — Сонечке требовалось всего-то кило потерять, она никогда такой сарделькой, как внучка Горюновой, не была...

— Сами вы колбаса в синюге, — вскочила Алиса, — я честно худела.

— ...И мы вес шесть суток сгоняли, — договорила Вера.

— У Алисы все симптомы применения «Анталазина», — заявила Татьяна, — слезливость, обидчивость, истеричность, есть она целый день не хочет, зато в туалете по часу сидит.

— Точно, — пропищала Соня. — Чего на унитазе сидеть, если голодаешь?

Из глаз Алисы хлынули слезы.

— Лиса, — кинулась к ней бабушка, — не слушай злобных тварей, они специально тебя перед выходом доводят, чтобы главную конкурентку разволновать.

Две матери и обе дочки расхохотались.

— Она нам не ровня, — снисходительно заметила Марина, — за первое-второе место мы с Софьей сражаться будем. А третье под вопросом. С чего вы взяли, что оно Алискино? Десять человек за призовые места борются. Горюновой ваще ничего не светит.

Алиса зарыдала.

— Вот-вот, — обрадовалась Татьяна, — все анталазинщики по любому поводу сопли льют.

— Конечно, — согласилась Вера.

— Кто-нибудь видел, как Алиса глотала таблетки? — взвизгнула Галина.

— А ну прекратите базар, — вышла из себя Анюта, — как вам не стыдно! Хоть бы председателя жюри постеснялись!

Вера взглянула на меня:

— Судите честно! Моя Соня натуральная. А Алиска лекарства жрет.

Татьяна скривилась:

— Бабка ей «Анталазин» каждый день дает.

— Вы видели? — заорала Галина. — Наблюдали, как я внучке таблетки скармливаю? За клевету я могу в суд подать. Заплатите Лисе миллионы. Нынче не так, как раньше, теперь за свои слова отвечать надо.

— У вас не пилюли, — заявила Таня, — а раствор. Вон баклажка стоит, темненькая.

— Точно, — ахнула Вера, — Алиска из нее в раздевалке прихлебывает. И как я раньше не догадалась? Соня один раз взяла ее в руки, а бабка как заорет: «Не трогай, не твое!»

Галина Сергеевна отодвинула фляжку подальше.

— Постыдились бы глупостями плеваться. Там витаминный настой: шиповник, клюква, облепиха, лимон. Я утром готовлю его, наливаю свеженький во флягу, иду к метро, мы там с Алисой встречаемся в вестибюле. Как увижу ее, сразу приказываю глотнуть чаек. Алиса им тонизируется, и он хорошо влияет на цвет лица.

— Чего тогда так пугаться, что Сонечка к бадейке прикоснулась? — уколола Петрову мать Яковлевой.

— Неизвестно, чем твоя дочка больна, — огрызнулась Галина, — с герпесной мамашей в одной квартире живет. Я тут намедни в «Желтухе» прочитала, что Иннокентий Крошкин опоясывающий лишай подцепил, это герпес такой. Может, он и у Сони есть?

— Мама, что она несет? — не поняла «тонкого» намека младшая Яковлева. — При чем тут твой начальник?

— Давай объясни ей, — ухмыльнулась Галина. — Чего молчишь? Думаешь, тебе одной можно людям гадости говорить? Если живешь в стеклянном доме, нечего булыжниками в прохожих швырять. Не хочу я, чтобы Алиса заразилась невесть чем от невесть кого.

— Нет, там раствор «Анталазина», — подала голос Татьяна, — поэтому вы и отпихнули Соню от баклажки. Я уверена.

— Неправда! — выкрикнула Петрова.

— Правда, — вякнула успевшая прийти в себя Вера.

— Нет, — заспорила Галина.

— Да, — топнула ногой Татьяна.

— Замолчите, — велела Анюта.

— Рот нам не заткнете, — заявила Таня. — Требуем сделать Алисе анализ крови! Бойкотируем ваш конкурс, если лаборатория не приедет.

Королева растерялась и забубнила:

— Дорогие, успокойтесь.

— Богом клянусь, — закрестилась Галина, — я воцерковленный человек, врать не стану.

— Три ха-ха! — засмеялась Таня.

— Анекдот, — в тон ей добавила Вера.

— Докажите, что в питье ничего нет, — потребовала Таня.

— Как? — спросила Петрова.

Татьяна показала на фляжку.

— По нашему мнению, здесь раствор «Анталазина».

— Да, поэтому Алиска его по крохотному глоточку отпивает, — заявила Вера.

— Во фляге примерно четыреста миллилитров, — сказала Татьяна. — Что случится, если все разом опрокинуть?

— Блевать начнешь, — хмыкнула Вера, — незамедлительно, потом в туалет побежишь.

— Вот, вот, — радостно подхватила Татьяна, — и я о том же! Всем известно, что дневную норму «Анталазина» за один мах принимать нельзя, тебе сразу подурнеет и понос прошибет. Его надо по чуть-чуть глотать, чем Алиса и занимается. Галина Сергеевна, если, как вы уверяете, во фляге полезный чай, то прямо на наших глазах опустошите-ка ее всю до донышка. Четыреста миллилитров — это полторы кружки, в вас влезет. Увидим, как вы отреагируете: Если вас не начнет наизнанку выворачивать, я первая за свои слова извинюсь. Ну? Вперед, бабуля!

Петрова растерянно смотрела на мать Марины, а та ехидно заулыбалась.

— Да, Вера, правы мы с тобой! Не желает старуха себя травить. Для внучки «Анталазин» бережет.

— Смотрите! — заорала Галина Сергеевна, отвинтила пробку и начала пить.

— Во дает! — восхитилась Таня. — Чтоб на вранье не попасться, здоровьем рискнуть готова.

— Может, там правда шиповник и прочее? — дала задний ход Вера.

Галина Сергеевна выдохнула:

— Ну? Почему меня не тошнит? Пустая фляжечка. Да потому...

Петрова замерла, сделала судорожный вдох, пошатнулась и рухнула на пол.

— Мы правы! — завопила Вера.— «Анталазин»!

— Бабушка! — кинулась к Галине Сергеевне Алиса. — Что с тобой?

— Отлично! — ликовала Яковлева. — Девчонку снимут с конкурса.

Алиса заплакала.

— Да заткнетесь вы или нет, — вышла из себя Анюта. — Лиса, прекрати сопли лить. Никто тебя не выгонит. А вы, мамаши... слов прямо нет. Какой пример своим детям подаете! Устроили базар-вокзал.

Я наклонилась над упавшей Петровой:

— Галина Сергеевна, вам плохо?

— Что с ней? — испугалась Татьяна. — Почему она не встает?

Я выпрямилась:

— Похоже, у Горюновой сердечный приступ. Анюта, уведите всех в другое помещение, а сами вернитесь.

— Мы не хотели, — забормотала Татьяна, — не всерьез лаялись, так на конкурсах принято. Типа как на турнирах по боксу, когда перед началом боя спортсмены друг друга матерят.

— Идите отсюда, — скомандовала Анюта, — живо! Сидите в холле. Софья, Марина, Алиса! Сейчас конкурс начнется. Хотите его пропустить?

— Честное слово, мы не задумывали ничего плохого, — оправдывалась Таня, не двигаясь с места.

Королева схватила ее за плечо, вытолкнула в коридор, вслед за Татьяной из комнаты удалились все остальные, включая Алису. Похоже, внучка больше беспокоилась о финале соревнований, чем о состоянии бабушки. Девочка не стала просить разрешить остаться около нее.

— Надо вызвать «Скорую», — перевела дух Анюта.

— Полицию, — поправила я, — и нужно немедленно предупредить Аллу Константиновну.

— Зачем? — удивилась Королева.

— Галина Сергеевна умерла, — сказала я.

Анюта отшатнулась:

— О! Нет! Алла Константиновна придет в ярость. В зале полно гостей: скауты-иностранцы, пресса. Хозяйка меня на лапшу нарежет. Нельзя сюда звать полицию.

— Предлагаете оставить тело тут на целый день, пока в зале будет идти действо? — уточнила я.

— Нет, — прошептала Анюта, — то есть да! Ужасно, что Галина Сергеевна умерла. Но Алла Константиновна рассвирепеет, конкурс ежегодный, это же скандал! Нет, нет! Полицейских сюда не надо. Они мигом желтой прессе настучат. Виола, дорогая, я кажусь вам дрянью?

Я предпочла не отвечать на этот вопрос.

— Нельзя полицию, нельзя! Невозможно! Что делать? Как быть? Помогите мне, умоляю! — заплакала Анюта. — Меня уволят! Миронова такая... ей надо всегда виновного найти! Знаете, сколько я пыталась в холдинг на работу попасть? Столько усилий приложила, мне никто не помогал, ни отца, ни матери, ни мужа у меня нет, сама из дерьма выплывала. Господи! За что мне это! Алла Константиновна предыдущую помощницу за ерунду турнула, а сейчас такое! Я окажусь на улице...

Анюта замерла, потом рухнула передо мной на колени:

— Виола! Дорогая! Любимая! У вас же наверняка есть знакомые в полиции! Попросите их приехать, по-тихому тело увезти. Я скажу Алле: «Случилась беда, но я способна с любым форс-мажором справиться, мне все по плечу. Организовала тайный вывоз тела. Никто ничего не узнал». И тогда меня не выгонят. Виола! Родненькая! Спасите! Умоляю! Я вам еще пригожусь.

Королева обняла меня за колени и стала целовать мои джинсы. Я смутилась, попыталась поднять Аню, но та намертво вцепилась в мои ноги и твердила как безумная:

— Помогите, помогите, помогите.

Я поняла, что истерику можно остановить только одним способом, и встряхнула Королеву:

— Вы не даете мне возможности достать телефон.

Анюта перестала рыдать.

— Поможете, да?

Я вытащила из кармана трубку, набрала номер Платонова, поговорила с Андреем и сказала Королевой:

— Мой близкий друг сейчас не в Москве, я не знала, что он улетел в командировку, но такая уж у него работа, могут отправить в любой момент на другой конец страны.

Анюта прижала руки к груди, ее глаза снова наполнились слезами.

— Но Платонов отправит к нам своих подчиненных во главе с Владимиром Савченко, — быстро договорила я, — он организует вывоз тела так, что никто из посторонних этого не заметит.

Глава 8

— Что там за шум? — спросил Владимир, входя в просторный холл.

Я не успела ответить, в комнату ввалилась группа людей. Несколько девушек, одетых в вечерние платья, рыдали в голос, остальные были веселы, как юные птички.

— Нас осталось всего шестеро, — радостно воскликнула одна из них, наряженная в нечто невообразимо блестящее, — остальных слили!

— Ага, — не очень весело откликнулась другая, в голубом парчовом костюме, — у Григорьевой и Горюновой по триста пятьдесят баллов, у Яковлевой триста сорок, у меня двести девяносто, а у тебя вообще на десятку меньше.

— И что? — не смутилась «блестящая». — Впереди последний тур, я всех сделаю!

Продолжая беседу, девочки сели на диван, и тут появилась стройная дама в элегантном костюме от «Шанель», она воскликнула:

— Дорогие мои! В программе дня небольшое изменение. В связи с тем, что к конкурсу проявили интерес иностранные телекомпании, к нам едут каналы «Фэшн Европа» и «Фэшн Америка». Оцениваете перспективы?

— Меня зарубили в финале, — захныкала большеглазая блондинка. — Мне по барабану, кто сюда прикатит. Хоть президент земного шара. Для меня уже ничего не изменится.

— Не надо отчаиваться, Саша, — менторски произнесла дама.

— Хорошо вам, Алла Константиновна, так говорить, — сказала одна из мам, — а нас зарубили.

Владелица холдинга села около Саши и обняла ее.

— Надо учиться принимать удары судьбы и извлекать уроки из неудач. Никогда нельзя складывать лапки. Помни, поражение вмиг может стать победой. Проиграть одну битву не значит проиграть всю войну. Про нападение Наполеона на Россию в тысяча восемьсот двенадцатом году знаешь? Вы в школе эту тему проходили?

Саша кивнула.

— Кутузов сдал Москву, но вскоре русские солдаты поставили свои палатки в Париже на Елисейских Полях, — продолжала Миронова, — вытри слезы и успокойся. У вас будет финальный выход, все пройдут по сцене, и победительницы, и те, кто им уступил.

— Ага, — обиженно протянула девочка, — одна в короне, а остальные, как дуры.

— Да, сегодня тебе королевой не стать, — жестко сказала Алла, — но финал будут снимать фэшн-каналы, а в зале сидят скауты. Если ты появишься на сцене с кривой спиной, побредешь кое-как, никто из охотников за перспективными девушками-моделями на тебя не взглянет. А вот если прошагаешь триумфально, хорошо подашь себя, тогда кое-кто может и контракт предложить. Скаутам все равно, сколько и каких корон на голове, они оценивают тебя по своим меркам. Ты воспринимаешь финал как праздник победительницы, она вкусное жаркое. Остальные гарнир, картофельное пюре. Измени свое мнение, смотри на последний выход иначе, думай: как хорошо, что судьба подарила мне шанс пройтись сейчас перед камерами и скаутами. У тех, кого отсеяли в первых турах, его нет, я счастливица, меня заметят.

Саша схватила владелицу журнала «Красавица» за плечо:

— Мой козырь ноги! Они лучше, чем у всех. Можно надеть на финальный выход короткое красное платье? Оно меня в самом выигрышном свете представит.

Алла встала.

— На завершающем общем дефиле каждая из вас имеет право выбрать наряд по своему вкусу. Сейчас часовой перерыв, потом последний рывок. Шестерым финалисткам готовиться предстать перед жюри, остальным не унывать, всем помнить про телевидение, скаутов и про шанс получить билет на лучшие подиумы мира. Обед в столовой. Поскольку сегодня последний день нашего марафона, родителей тоже кормим. После завершения финала состоится банкет, и вот тогда я разрешаю девочкам съесть по куску торта. По одному!

— Ура, — закричали участницы, а мамы зааплодировали.

Алла Константиновна махнула рукой:

— Потом ликование устроим, а сейчас займитесь делом.

Участниц конкурса и родительниц словно ветром унесло.

— Вы настоящий психолог, — сказала я, когда хозяйка «Красавицы» подошла к нам с Савченко.

Алла дернула плечами:

— Не первый конкурс устраиваем, и всякий раз одно и то же. Вот не знаю, стоит ли разрешать мамам находиться около девочек. С одной стороны, они нервничают, а родительницы у них вместо менеджеров, они по идее должны бы успокоить дочерей. Но! Чаще всего матери ведут себя хуже детей. Правда, пару раз с конкурсантками приезжали папаши, и это вообще караул. Поэтому отцам вход закрыт. А мамы сегодня, как обычно, довели всех организаторов до трясучки. М-да. Простите, что выплеснула наболевшее.

Алла Константиновна окинула взглядом стоящего молча Владимира:

— Добрый день, вы, наверное, муж Виолы?

— К сожалению, нет, — ответил Савченко, — счел бы за честь, если б на меня обратила внимание такая умная, красивая и талантливая женщина, как госпожа Тараканова. Я приехал на труп.

— Куда? — попятилась Миронова.

Полицейский вынул удостоверение.

— Чей труп? Какой труп? Почему труп? — растерянно забубнила владелица холдинга, разглядывая документ. — Вы не из районного отделения.

Я уставилась на Анюту, которая маячила за спиной начальницы. Ну и ну! Помощница еще не доложила Мироновой о произошедшем?!

В ту же секунду Королева, захлебываясь словами, начала рассказывать, как она, для которой нет невозможного, организовала приезд суперпрофи, которые тайно увезут тело в морг и никто из посторонних о форс-мажоре не узнает.

— Потом расскажешь, какая ты умелая, — процедила сквозь зубы Миронова. — Объясни, что случилось? Отчего я не в курсе?

Королева опять затараторила, Алла молча выслушала ее и обратилась ко мне:

— Уважаемая Виола, несмотря на сказанное Анютой, я понимаю, что вы, использовав свои связи, пришли нам на помощь. Не могу найти слов, чтобы выразить вам свою беспредельную благодарность.

Потом Миронова повернулась к Королевой:

— Пока слух о неприятности не распространился, немедленно предупреди Григорьевых и Яковлевых: если они намекнут хоть кому-то на происшествие, не видать им призовых мест. И Алисе то же самое объясни. Я велю продлить перерыв до трех часов, прикажу, чтобы все ушли в столовую, а потом в комнаты отдыха, последние находятся в противоположном от гримерок крыле. Объясни задержку ожиданием представителей телевидения. Вы же здесь не один?

Последний вопрос относился к Савченко.

— Со мной несколько человек, — подтвердил Владимир. — В связи с деликатностью ситуации постараемся работать оперативно. А сейчас нам надо осмотреть место происшествия.

Анюта вынула из кармана ключ.

— Пожалуйста, пару часов в этом коридоре никого не будет, вход в него я блокирую, и с улицы никто войти не сможет, у двери дежурит охранник Павел. Он очень преданный человек, его дочь Людмила наша сотрудница. Я уже сказала Григорьевым, Яковлевым и Алисе, как надо себя вести. Алла Константиновна, вы только подумаете о чем-то, а я уже это сделала, и на отлично!

* * *

Когда тело Галины Сергеевны тайком вынесли из здания, приехавшая вместе с Владимиром хорошо мне знакомая эксперт Лена вдруг спросила:

— Вилка, ты же тут была, когда все произошло?

Я кивнула.

— И кто еще здесь присутствовал? — нахмурилась Елена.

— Татьяна и Марина Григорьевы, Софья и Вера Яковлевы, — перечислила я, — Алиса, Галина Сергеевна, Анюта Королева и твоя покорная слуга.

Лена сунула мне план комнаты.

— Поставь крестики, где кто находился. Покойная опустошила фляжку и упала? Сразу?

— Ну, может, через полминуты, — пробормотала я, — она успела сказать пару фраз вроде: «Ну, почему меня не тошнит...» и все.

— Из какой баклажки она пила? — продолжила задавать вопросы Лена.

— Она одна здесь такая, вон та, у зеркала, — пояснила я.

— И что в ней содержалось? — не отставала эксперт.

— Галина уверяла всех, что витаминный настой из шиповника, клюквы и чего-то еще. А обе матери обвиняли бабку, что она поит внучку лекарством для быстрого снижения веса. «Антрацитин» вроде, — пояснила я.

— «Анталазин», — поправила Лена.

— Точно! — кивнула я.

Елена взяла открытую баклажку и понюхала.

— Не могу точно назвать причину смерти. В принципе у пожилой женщины от стресса, вызванного участием внучки в конкурсе, мог случиться инфаркт, или тромб оторвался, или у нее была аневризма. Петрова взяла фляжку, выпила, и бумс! Подробности смогу сообщить только после вскрытия. Время смерти известно точно, бедолага скончалась у тебя на глазах.

— Но у тебя же есть свое мнение по поводу произошедшего? — спросил Савченко.

— Без протокола, — отрезала Лена, — исключительно, как бла-бла. Думаю, ее отравили.

— И что навело тебя на эту мысль? — тут же поинтересовалась я.

Елена подняла бровь:

— Гримаса на лице трупа, кое-какие другие признаки, но главное, фляжка!

— А с ней что? — не понял Савченко.

Лена повертела в руках емкость:

— Она идеально чистая. Баклажку вымыли, судя по аромату, использовали гель с запахом лаванды. Терпеть такой не могу, но многим он нравится.

— Туалет находится рядом с этой гримеркой, — воскликнула я, — если не ошибаюсь, там, в диспенсере, лавандовое жидкое мыло, я хорошо это запомнила, тоже не в восторге от запаха, поэтому пришлось ополаскивать руки просто водой.

— Так, — протянул Владимир.

— Но в комнату никто не мог войти, — продолжала я, — от раздевалки есть один ключ, у Королевой. Когда присутствующие при несчастье девочки и женщины ушли, Анюта тщательно заперла дверь. Ключ она унесла с собой, сказав при этом: «Сюда никто войти не сможет. Яковлевых, Григорьевых и Алису устроят в другом месте, надо только отнести туда их вещи». Я сказала: «Нет. В комнате надо оставить все так, как было в момент кончины Петровой».

— Молодец, — похвалил меня Володя, — правильно.

Я приободрилась:

— Через некоторое время я села за стол в жюри, конкурс шел своим чередом, а когда ты сбросил сообщение: «Приедем через пятнадцать минут», я переслала его Анюте. Ни один человек не проникал в гримерку, где лежал труп. Девочки находились на сцене, их мамаши сидели в зале. Окон в гримерке нет. Как можно туда попасть?

— Странный вопрос, — усмехнулся Володя, — отмычки придумали в незапамятные времена. Егор, нука позови наших красавиц и их шебутных мамашек в холл.

Опер, приехавший с Савченко, молча вышел.

Глава 9

— Уважаемые, у кого из вас есть ключ от гримерной? — сурово спросил Владимир, когда женщины и девочки очутились в холле.

— Нам его не давали, — ответила Татьяна.

— Да, да, да, — подтвердила Вера.

— Спрошу иначе, — продолжал Савченко. — Кто из вас вымыл в туалете фляжку Галины Сергеевны?

— Зачем мне это? — удивилась Вера.

— Галина выпила настой и упала, — поежилась Татьяна, — я сразу ушла. Мыть баклажку? Жуть! Никогда!

Савченко повернулся к Алисе.

— Я убежала вместе со всеми, — пролепетала девочка, — и у меня обычный лак на ногтях, не гель, он от мытья посуды облупиться может.

— Егор, принеси сумки, — приказал Савченко, — которые они с собой забрали.

— Мы все в гримерке оставили, — возразила Таня.

— Хорошо. Тогда выворачивайте карманы, — приказал Савченко.

— Что?! — возмутилась Григорьева. — С какой стати?

— Не имеете права обыск производить, — покраснела Вера.

— Ладно, — согласился Савченко, — тогда я задержу вас, а перед тем как человека посадить в КПЗ, его всегда тщательно досматривают.

— Это произвол, — взвилась Яковлева, — я напишу жалобу.

— Пожалуйста, — пожал плечами Володя, — но сейчас вы и девочки поедете в отдел.

— У нас финальная часть конкурса, — возмутилась Марина, — мне корону дадут!

— Почему тебе? — разозлилась Соня. — Гран-при мой!

Савченко встал:

— Награда достанется другим, вы задержаны для выяснения личности. Паспорта у вас с собой?

— Нет, — хором ответили матери.

— У меня есть права, — быстро добавила Яковлева.

— Не пойдет, — отрезал Владимир, — основной документ гражданина паспорт, советую всегда иметь его при себе.

— Мой в сумке у бабушки, — сказала Алиса, — карманов в платье нет. Если надо, все вещи свои вам отдам, проверяйте.

— Хорошо, — мягко произнес Владимир, — Горюнова остается здесь, она выйдет на сцену и, похоже, в отсутствие своих соперниц получит Гранпри.

— Мама! — закричала Соня. — Немедленно покажи ему, что у тебя в карманах.

— Доченька, полицейский не имеет права на обыск, — завела Вера, — я не собираюсь подчиняться глупому приказу.

— Участниц конкурса просят пройти в их раздевалки, — просипело радио, — через полчаса финал.

Марина вскочила и ринулась к двери. Егор преградил девочке путь.

— Сядьте.

— Нас зовут, — занервничала девушка, — мне надо одеться, поправить грим, прическу, тридцать минут еле-еле хватит. Опоздавшие не допускаются на конкурс.

— Отсюда никто, кроме Алисы, не выйдет, пока я не увижу, что имеют при себе Татьяна и Вера, — отрубил Савченко.

— Ваше поведение возмутительно! — закричала старшая Яковлева. — Думаете, что управы на вас нет? Ошибаетесь! Сейчас позвоню, и сюда приедет лучший московский адвокат.

— Отлично, — согласился Владимир, — думаю, часа за три он по пробкам доберется. Егор, отведи

Яковлевых в свободную раздевалку и запри их там, они будут ждать своего юриста.

— Мама! — завопила Соня. — Ты о...... а! Я потеряю Гран-при! Немедленно сделай, что этот... хочет!

— Доченька, нельзя позволять себя унижать, — засопротивлялась Вера.

Софья одним прыжком очутилась около матери и прежде, чем та успела ойкнуть, вывернула карманы ее жакета. На пол спланировал маленький ключ.

— Опаньки! — вскинул брови Володя. — Лена, проверь.

Эксперт подобрала ключ и ушла.

— Нам можно уйти? — обрадовалась Марина. — Вы знали, что есть еще один ключ, поэтому грубили нам? Нашли то, что хотели? Я побежала одеваться.

— Мама, — простонала Соня, — откуда у тебя это дерьмо?

— Дверь им отпирается и закрывается, — сообщила эксперт, возвращаясь.

— Мы помчались! — подпрыгнула Таня. — Марина, вперед.

— Стоп! — скомандовал Савченко. — Вы покинете комнату после того, как я проверю, что у вашей мамы при себе имеется.

— Муся, скорей, достань все, — попросила Марина.

Таня поджала губы.

— Мам, не тормози, — потребовала дочь, — я должна победить. Ну? Давай!

Татьяна вывернула боковые карманы джинсов и сердито загудела.

— Глупо думать, что в скинни, облегающих тело, как вторая кожа, можно что-то запихнуть. И в пуловере ничего нет, он совершенно гладкий. Хотите, сниму его, пороетесь в моем лифчике, вдруг там граната.

Татьяна взялась за край свитера и слегка задрала его, как будто собираясь стянуть его.

— У вас красивые джинсы, — сказала я, — если не ошибаюсь, от Франка Дирелли.

— И что? — фыркнула Григорьева. — Это запрещено?

— Отличное качество, я ношу такие же, но у них, на мой взгляд, два отрицательных качества. Первое — цена, уж больно она высока. А второе, внутренний кармашек спереди справа узкий, длинный, собирается гармошкой при ходьбе. Я его отрезала. А вы как поступили? — спросила я.

— Тоже отчекрыжила, — живо отреагировала мать Марины.

— Нет, — возразила я, — секунду назад, делая вид, что хотите снять свитер, вы приподняли его край, и стала видна прикрытая ранее часть брюк. Скинни сильно обтягивают вас, поэтому я увидела, что внутренний карман на месте и в нем что-то лежит.

— Мама, — топнула ногой Марина, — быстро вытащи.

Татьяна потупилась:

— Это интимная вещь. Не при детях.

— Вытаскивай! — повторила дочь. — И уйдем.

— Там упаковка презервативов, — выдавила из себя старшая Григорьева.

— Вы всегда носите кондомы при себе? — прищурилась Елена. — Вдруг подходящий случай подвернется?

— Как вы смеете? — побагровела Татьяна. — Я замужняя женщина, налево не заруливаю.

— Тогда по какой причине у вас под рукой презервативы? — поинтересовался Егор. — Вашего супруга рядом нет. С кем планируете сексом заняться?

— Мама! — хихикнула Марина. — Ну ваще! Отдай им презики, и валим отсюда.

— Не стесняйтесь, Татьяна, — заявил Савченко, — что естественно, то не стыдно. Вы же не хотите, чтобы дочь опоздала к началу конкурса.

Татьяна запустила руку за пояс, вытащила что-то блестящее и швырнула на пол.

— Подавитесь, сволочи!

— Вот и второй ключ, — констатировал Владимир, — Елена, проверь.

Марина уставилась на мать:

— Где ты его раздобыла? Зачем он тебе?

Татьяна села на диван и закрыла лицо руками.

— Хороший вопрос, — кивнул Савченко. — Зачем вам ключи, женщины?

Вера молчала, Таня залилась слезами.

— Алиса, ступай переодеваться, — скомандовал Владимир, — а то еще опоздаешь.

Горюнова бросилась к двери. Соня вскочила и кинулась за ней.

— Стоп, — скомандовал Егор, — Яковлева, тебя не отпускали.

— Мама, — захныкала девочка, — если все не расскажешь, я пролечу мимо Гран-при, ...!...!

— Софья, — перебила я матерящуюся школьницу, — сомневаюсь, что девочкой года может стать та, кто виртуозно владеет ненормативной лексикой.

Яковлева прикусила губу.

— Я же не при всех! Только тут выражалась.

— Отличное оправдание, — вздохнула Елена.

— Вера, где вы взяли ключ? — повысил голос Савченко.

Яковлева молчала, вместо нее ответила Григорьева:

— Неделю назад, в последний день третьего тура... Девочки на сцене стояли, родители в зале сидели, а у меня живот прихватило, я побежала в туалет, гляжу, на раковине ключ лежит. Я сразу поняла, что его Анюта забыла, но решила проверить, вдруг он от другой комнаты...

— А где наши финалистки? — спросила Алла Константиновна, входя в холл. — Девочки! Почему вы еще не готовы?

— Нас тут насильно держат, — со слезами в голосе пожаловалась Соня.

— Вы можете остаться и послушать, — предложил Мироновой Владимир. — Продолжайте, Татьяна.

Григорьева всхлипнула:

— Ключ подошел к двери раздевалки, и я подумала: вот у меня живот прямо скрутило на нервной почве. Очень за Марину нервничала, вдруг ее в финал не пропустят? Так в сортир потянуло, что я вынуждена была убежать из зала. Если у Алиски понос начнется, она же тоже удерет, так?

— Вероятно, — согласился Володя.

Татьяна шмыгнула носом:

— Я ключ схватила и живо в торговый центр сносилась, он тут в пяти шагах, заплатила мастеру за оперативность, мигом получила дубликат ключа, а оригинал в туалет на рукомойник вернула.

— Так, — протянул Савченко, — дальше.

— Марина тут ни при чем, — каялась Григорьева, — она ничего не знала.

— Не знала, — эхом повторила девочка.

Таня скрючилась в кресле.

— Сегодня, когда начался первый тур, я вышла из зала, открыла гримерку и подлила во фляжку Горюновой слабительное. Оно сладкое и действует быстро, сама его давно принимаю, срабатывает безотказно. Галина постоянно Алиску отваром поила, я знала, что она ей его перед вторым выходом точно даст. Но начался скандал, и бабка сама настой выхлебала.

— Отлично, — кивнул Савченко. — Что дальше?

Татьяна сцепила пальцы в замок.

— Когда Галина Сергеевна упала, я очень испугалась, что ей стало плохо из-за слабительного. Подумала, наверное, Вера права, Петрова Алисе «Анталазин» давала. Ну с чего ее внучка на глазах таяла? Два размера за семь дней не потеряешь. Вдруг желудочные капли соединились со средством для потери веса и получилось... то, что инфаркт вызвало... Ну... очень мне страшно стало... И... и... и...

Таня вытерла лицо ладонями.

— Когда все ушли на второй тур, я прибежала в раздевалку. Думала, Галину Сергеевну «Скорая» в больницу увезла, открыла дверь! А она на полу! Я сразу поняла: бабка мертвая! Я чуть сама не скончалась от страха! Вот жуть! Но пришлось идти мимо тела, чтобы фляжку взять. Я ее в туалете гелем для рук помыла, скрутила кусок бумажного полотенца, запихнула внутрь, потрясла, чтобы высушить, на место ее водрузила и убежала. До сих пор ноги от страха трясутся. Все. Честное слово! Я ни в чем не виновата. От слабительного умереть нельзя.

— Можно, — не согласилась Елена, — если есть непроходимость кишечника или аллергия на препарат, то влегкую.

— Отпустите Марину, — взмолилась Татьяна, — она ни в чем не виновата, я одна все придумала. И вот еще что! Когда я фляжку вымытую на место поставила и дверь заперла, мне плохо стало.

— С чего бы это? — фыркнула Лена.

— Это вы трупы каждый день видите, вам по барабану, — обозлилась Таня, — а я настоящий шок испытала. Полетела в сортир, меня вывернуло там наизнанку, умылась я, хотела выйти, дверь приоткрываю, слышу шаги и в щелочку вижу, как Верка мимо сортира чапает. Потом слышу: трык-трык. Сразу догадалась: Яковлева раздевалку отпирает, ключ у нее есть.

— А ты видела, как я это сделала? — зашипела Вера.

— Нет, — честно ответила Таня, — но мне хватило, что ты мимо тубзика в левый конец галереи унеслась. Там одна дверь всего, вход в гримерку. Я подождала немножко и убежала, а Яковлева осталась в комнате. Спросите у нее, чего она там делала?

— Спрашиваю, — кивнул Владимир. — Вера, зачем вы в гримерку ходили? И где ключ взяли?

Яковлева демонстративно отвернулась.

Савченко улыбнулся:

— Марина, твоя мама рассказала, как обстояло дело, можешь идти готовиться к конкурсу. А Софья останется здесь.

Дочь Григорьевой молча выскользнула в коридор.

Глава 10

— Мать! — застучала кулаком по спине Веры Соня. — Я не успею. Хватит сопли жевать. Рассказывай! Или я от тебя уйду! Навсегда!

Вера потерла лоб рукой.

— Анюта нам сама дверь раздевалки открывает. И это очень неудобно. Если первая приедешь, надо Королевой звонить, а она не сразу трубку берет. Или потребуется что-то срочно днем взять, а створка на замке, ищи Анюту. На втором туре я решила облегчить себе жизнь, купила брикет слепочной массы, подстерегла момент и сделала оттиск, когда ключ без хозяйки остался. Королева его часто забывает, положит на столик у зеркала, уйдет, а потом назад несется: «Ой, ой, потеряла!» Я получила возможность в течение дня сама в гримерку заруливать. Соня не в курсе, я ей ничего не рассказывала. Сегодня, когда первый тур шел, я потихоньку из зала выскользнула и пошла... вот... ну... в гримерку.

Яковлева замолчала.

— И зачем? — поинтересовался Владимир.

Вера перевела дыхание.

— Колготки участницам прямо в раздевалках кладут. Я рассчитывала, что их уже приготовили, и не ошиблась, у каждой на кресле по две пары висело. Я их спреем Перкинса[1] обпшикала. Хотела, чтобы они обе на втором туре проиграли.

Алла Константиновна вскочила.

— Господи! Надо скорее у Марины и Алисы колготки поменять.

Хозяйка «Красавицы» убежала.

— Что это за дрянь? — не понял Савченко.

— Раздражающее кожу средство, — пояснила Лена, — продается в Интернете как прикол. Точный состав не назову. Запаха, цвета, вкуса не имеет. При нанесении на одежду не оставляет следов, высыхает мгновенно. Им обпшикивают внутренности шапок, если хотят подшутить над лысым человеком, колготки, нижнее белье, изнаночную сторону одежды. Женщина натягивает, допустим, лосины и уходит на работу. Первые минут десять-пятнадцать она не ощу-

---

[1] Из этических соображений автор не дает истинное название средства. Название «Спрей Перкинса» придумано, в продаже есть препарат аналогичного действия.

тит дискомфорта, потом начнется почесуха, которая перейдет в неудержимый зуд. Если бедолага догадается стащить с ног колготки, легче не станет. И мытье в душе не очень поможет. Чесотка продлится более суток, люди иногда в кровь раздирают тело.

— Хорошая шуточка! — возмутилась я.

— Ах ты сволочь! — заорала Татьяна, вскакивая. — Решила свою уродливую дочурку королевой сделать?

Егор схватил Григорьеву за руки.

— Сядьте!

— Сама такая, — вызверилась Вера, — разливалась тут соловьем, как слабительное одной Алиске во фляжку налила. Ага! Как же! Неужели только Горюновой понос организовать решила? Никогда не поверю! Куда ты, скотина, Сонечке лекарство набухала? А? Дрянь!

— Эвона, какая она, материнская любовь, могучая, — вздохнула Елена. — Ради победы дочерей очаровательные дамы на все готовы. Колитесь, Григорьева!

Татьяна отвернулась к окну и зашептала:

— У всех на столиках стояли бутылки с минералкой. Один из спонсоров конкурса, фирма «Пей до дна», девочкам бесплатно предоставляет свою продукцию. Алисе бабушка ни пить, ни есть ничего из того, что всем предлагали, не разрешала. Она говорила, что некоторые мамаши могут какую-нибудь гадость конкуренткам подсыпать. Поила внучку из фляжки и кормила только тем, что принесла из дома. А вот Сонька общественную воду пила. Я ей туда капли наплескала. Но Софья косорукая, захотев пить, уронила бутылку, и вода вылилась на пол.

— И кто разозлился? Татьяна. Она говорила, что вода попала на туфли Марины, мол, замша пойдет пятнами. Аня попыталась погасить ее истерику, воскликнула: «Лодочки у вашей дочки кожаные, и на них ни капли не попало», — не выдержала я. — Старшая Григорьева на секунду умолкла, но потом завелась еще сильнее, налетела на Галину Сергеевну, и уголек скандала раздулся до масштабного пожара.

— Пятнадцатиминутная готовность, — ожило радио, — членов жюри просят закончить обед.

— Пожалуйста, отпустите меня, — простонала Соня, — я не причастна к тому, что придумала моя мать.

— Иди, — кивнул Савченко.

Девочка опрометью бросилась в коридор.

Я встала.

— Шоу продолжается. Извините, я оставляю вас в тесной компании, пошла на председательское место.

* * *

После того как увенчанная короной счастливая победительница в сопровождении остальных финалисток, мужественно делавших вид, что они рады за ту, что стала королевой, отправились на банкет, я попыталась удрать домой, но была поймана в коридоре бдительной Аллой Константиновной.

— Виола, дорогая, вы куда?

— В туалет, — соврала я, показывая на удачно расположенную рядом дверь с табличкой «WC».

— Надеюсь, вы останетесь на праздничный ужин? — продолжала хозяйка «Красавицы».

— Конечно, — кивнула я, старательно изображая радость.

— У меня к вам есть предложение, — протянула Алла, — надеюсь, оно придется вам по душе. Зайдете в мой кабинет?

— Приду через десять минут, — пообещала я, вошла в сортир и, раз уж так вышло, решила им воспользоваться.

Многочисленные кабинки пустовали. Едва я захлопнула дверцу последней из них, как послышался стук каблуков, затем раздался сердитый голос Яковлевой.

— Сонюшка проиграла. Третье место. Да, да, да. Ты обещала! Поклялась, что моя дочь получит корону. И что? Григорьева огребла Гран-при! Дрянь! Страшилище с кривыми ногами! У нее зубы, как забор в деревне! Я подошла к Алке и поинтересовалась, почему Софья на низшей ступени. Не перебивать! Слушать! А эта жаба в «Шанели» ответила: «Марина набрала больше баллов». Нет, только оцени! Набрала больше баллов! Чего молчишь? Почему на мои звонки не отвечала?!! Дрянь! Спряталась? Затаилась?! ...! ...! Теперь прочитала эсэмэску? Я не шучу! Я очень серьезно настроена!!! Даже не представляешь, как тебе, ..., икнется проигрыш Сонечки! Вылетишь с работы с треском! Никуда не устроишься! Отправишься сортиры мыть! Что ты там лепечешь, паскуда? Заткнись! Я убью Таньку! Убью Таньку! ...! Больше баллов ее... набрала. Узнаешь скоро, ..., сколько баллов тебе влепят! ...! ...! Поговорить надо! На твои дела мне ...! Когда? Ладно! Приедешь ко мне домой. А когда мне надо, тогда и прилетишь ...! Время эсэмэской сброшу. В отличие от тебя, которая ничего сделать не способна, только брехать о своей значимости, у меня ответственная работа, ...! Сиди жди, когда тебе велят явиться! ...!

На короткое время возникла тишина, затем снова прорезался голос Веры, но сейчас она запела как соловушка.

— Милый, привет. Можешь говорить? Спешу тебя порадовать. Сонечка стала призером одного из престижнейших конкурсов России «Девочка года». Да, да, ты прав, таких немало, но мы победили в том, который устраивал журнал «Красавица», издание с многомиллионным тиражом. Какая разница! Главное, она в лидерах. Ну... третье, бронзовая медаль. Ты сначала выслушай, что произошло, а потом ехидничай. Нет, трусы у нее из-под платья не свалились! Совсем не смешно! Ужас был! За пять минут до начала финального конкурса прямо перед Сонюшкой упала Галина Сергеевна Петрова, бабушка конкурсантки Алисы. Представляешь? Сонюшке выходить, а старуха ей под ноги рушится. Кошмар! Внезапная смерть! Инфаркт! Даже взрослый от такого вздрогнет, а что хотеть от ребенка! Сонюшка побелела и отказалась продолжать борьбу за корону, сказала устроительнице конкурса Мироновой: «Галина Сергеевна умерла, мне ее очень жалко, не могу я улыбаться и веселиться, это неправильно». Миронова предупредила: «Соня, если ты не примешь участия в соревновании, то Марина и Алиса останутся без наград. По условиям конкурса при самоотводе какой-либо девочки продолжение его невозможно». Ради подруг Сонечка совершила подвиг, отправилась на сцену, получила третье место. Это очень почетно! Перед жюри, в котором сидели выдающиеся, великие люди, такие, как обожаемая тобой писательница Милада Смолякова, дефилировало четыреста двадцать участниц. Учитывая стресс, Сонечкина «бронза» дороже «золота».

На какое-то время стало тихо, потом Вера принялась всхлипывать.

— Милый, как ты можешь так говорить. Сонечка во всех журналах! Она не лузер! Девочка самая популярная детская модель страны. Через неделю начнется конкурс «Юная красота», наша доченька успокоится, получит там Гран-при и контракт на поездку в Париж. Да, это совершенно точно. Вероятно, музыке нужно учиться в Лондоне, куда отправляется твоя законнорожденная дочь. А вот ворота в мир большой моды открываются исключительно в Париже. Ну да, ты прав, контракт в США тоже неплохо, но Соня изначально не хотела туда ехать. Дорогой, у нашей любимой доченьки удивительная душа, она мне сказала: «Мамочка, я признанная красавица, востребована всеми журналами. А Марина Григорьева никому не нужна. Пусть она получит «золото» и летит в Нью-Йорк, для нее это единственный шанс в жизни». Девочка благородно подарила победу уродине Маринке, а потом, чтобы приободрить Алису, у которой умерла бабушка, уступила Горюновой второе место! Ей надо подарок сделать! Дорогой! Малышка давно мечтает о бриллиантовом комплекте: серьги и подвеска.

Голос Веры прервался, раздались всхлипывания.

— Вот оно как! Значит, твоя дочь Надя получила от тебя за победу в музыкальном конкурсе скрипку Страдивари за такие деньги, что в глазах темно. А Соне пшик за ее золотую душу и победу в престижном соревновании? Несправедливо получается. Почему ты гордишься одной Надей? Отчего не восхищаешься Сонюшкой? Ах, Надя талантлива! Да ну? А Соня уродина? Просто у одной девчонки есть родной отец, влиятельный человек, поэтому у нее и скрипочка от итальянца, и платье бархатное от «Шанель», и Гран-при в лапах. А у другой только мама, никому не нужная-я-я... Я не плачу, я констатирую факт: мы с Сонюшкой сироты горькие... нам и дырка от бублика пряник... нас любой обидит, пнет, а мы лишь слезами умоемся... Ну ничего, я Таньке отомщу... всем расскажу, что Григорьева слабительное Сонечке подлила. А что слышал! Да, именно так! Но от тебя защиты ждать не приходится. Я бедная-я-я... несчастная... у других мужья рядом... а у меня-я-я никого-о-о... мы с дочкой одни, как цветы на ветру... такая уж моя доля, расплата за горячую верную любовь к тебе. Да, конечно... понимаю... бизнес, имидж, партнеры... Прости за истерику, забудь меня, тебе так лучше будет, проблем меньше. У твоей законной доченьки через неделю конкурс в Вене, я желаю ей успеха, не сомневаюсь, что твой талантливый законный ребенок опять станет первым. Прощай, дорогой, пойду пригляжу, чтобы Сонечка надела рейтузы. Сегодня мороз ударил, а нам до метро шагать и шагать. Машина? Она вчера сломалась. Старенькая уже, три года ей, эта марка для бедных, она долго не живет. Ничего, мы приучены к трудностям, мы и на маршрутке с водителем-таджиком прокатимся, заодно сэкономим. Конечно, в «Майбахе» с вышколенным шофером, который твою Надю возит, комфортнее, но всяк сверчок знай свой шесток. Спасибо, милый, что иногда присылаешь Сонечке бананы, помнишь о дочке, это очень приятно. И бананы прекрасные фрукты. До свидания, дорогой, нет, больше говорить не могу, деньги на телефоне заканчиваются. Почему тебе не сказала? Про машину и мобильник? Солнышко, ты ворочаешь многомиллиардным бизнесом, до нас ли тебе? Зачем волновать того, кого беспредельно любишь, так обожаешь, что готова следы его на асфальте целовать.

Раздался звук льющейся воды, шорох бумажного полотенца, смешок Веры и ее голос:

— Ля-ля-ля, ну, поглядим, как мой обожаемый пупсик теперь завертится. Ля-ля-ля. А я сама со свиньями разберусь! Убью Таньку!

Хлопнула дверь, я нажала на слив, хотела выйти, вновь услышала шаги и тихий плач. Больше сидеть в кабинке не хотелось, я вышла. У рукомойника, закрыв лицо руками, стояла Алиса.

Глава 11

Я подошла к умывальнику и обняла девочку.

— Мне очень жаль Галину Сергеевну. Она стала ангелом, смотрит на тебя сейчас с небес и переживает, что ты рыдаешь.

Алиса вывернулась из моих рук.

— Глупости. Бога нет. Если человек умер, то это навсегда. И я не из-за нее расстроилась. Бабушка уже старая была, и она мне жуть как надоела!

Меня удивили и покоробили слова девочки, но я решила, что Алиса, как все подростки, скрывает свои чувства под бравадой, и сменила тему.

— Устала?

— Нет.

— Расстроилась, что не получила Гран-при?

— Нет.

— Голова болит?

— Нет.

— Тебя кто-то обидел?

— Нет.

Я отстранилась.

— Алиса! Я хочу помочь тебе, но пока не узнаю, что случилось, не смогу ничего сделать.

— Не надо обо мне заботиться, все супер, — огрызнулась девочка.

— Если у человека хорошо идут дела, он не льет слезы в туалете, — возразила я. — Где твоя мама?

— Не знаю, — фыркнула Алиса, — дома, наверное.

Я насторожилась.

— Анюта сказала, что она позвонила твоим родителям, сообщила о несчастье с Галиной Сергеевной и попросила кого-нибудь из них сюда приехать. Твоя мать пообещала примчаться через час. Она здесь?

— Нет, — процедила Алиса.

— Вместо нее прибыл отец?

— Нет.

Я подумала, что ослышалась, и повторила:

— Папа за тобой приехал?

— Нет.

Я растерялась, посмотрела в окно, за которым сгустились январские сумерки, и не поверила Алисе.

— Солнышко, твой папа или мама точно здесь, просто они тебя не нашли. Наверное, постеснялись зайти в банкетный зал. Кто-то из родителей сейчас сидит внизу у гардероба. А ты туда не спускалась, вот и не знаешь, что тебя ждут.

Алиса скорчила мину.

— При известии о дармовой жрачке папахен не затормозит. Он бы на банкет давно припер и орал: «Я отец победительницы». Вы его не знаете, если он увидит, что в супермаркете еду бесплатно попробовать дают, всегда подойдет и все у промоутера сожрет. Одна домой поеду. Никто за мной не приехал.

— Это невозможно, — оторопела я, — уже поздно, на улице темно. Девочке твоего возраста нельзя ходить без сопровождения.

— Я не маленькая, — фыркнула Алиса.

— Но и не взрослая, — возразила я. — Назови телефон мамы.

— Зачем?

— Позвоню ей и попрошу забрать тебя.

— Она откажется, — скривилась Алиса. — Светку вообще нельзя дома одну оставить, орать и хулиганить будет. Один раз мать пошла за хлебом, мелкую дуру не взяла, всего-то пятнадцать минут отсутствовала. Вернулась, а под нашей дверью соседка с выговором стоит: «Что у вас в квартире происходит? Кто там дебоширит, вопит, камни в стены кидает?» Мать дверь открыла. Вау! Светка посуду из буфета побила, кафель на кухне разнесла.

— Маленькая девочка не могла расколошматить плитку, — поразилась я.

— Ха! Вы ее не знаете, — скривила губы Алиса, — наш кошмар взял кастрюли чугунные и ну их в стену швыркать. Ремонт делать пришлось. Теперь гнусного ящера одного не оставляют. Никогда.

— Свету можно взять с собой в машину, — пробормотала я.

— Ха! Мать не водит.

— Катя может сидеть со Светланой, а Алексей...

— Никогда он сюда не припрется, — хмыкнула Лиса. — Мать мне сейчас сказала: «Лузерша. Главной награды не огребла. Зря только бабушка на тебя год своей жизни потратила. Топай домой. Надеюсь, проездной на метро не потеряла? Иначе пешком попрешь».

Я онемела, Алиса шмыгнула носом и скорчила гримасу. Ко мне вернулся дар речи.

— Второе место почетно, в другой раз ты обязательно окажешься на верхней ступени пьедестала.

Алиса начала вытирать лицо бумажным полотенцем.

— Сказочки для дурочек! Чтобы победить, надо иметь или деньги, или папика. А у меня фига по всем направлениям.

— Никогда не надо отчаиваться... — начала я, но девочка не дала мне договорить.

— Да вы меня не утешайте. Я плакала сейчас не от горя, а от радости.

— Радости? — опешила я. — А-а-а! Молодец, ты получила награду, а корона от тебя не уйдет, еще будешь королевой.

Лиса бросила скомканный клочок бумаги в мусорницу.

— Мне по барабану Гран-при. Для бала любое место хорошо. Вот если б я ничего не получила, могла случиться беда, как с Егором Барским.

— О каком бале ты говоришь? — не поняла я.

Алиса вздрогнула.

— Чего?

— Ты только что сказала: «Для бала любое место хорошо, если б я ничего не получила, была бы беда, как с Егором Барским». Я не поняла, о чем ты, — уточнила я.

Алиса оторвала новое полотенце и аккуратно вытерла глаза.

— Вы не расслышали. Я сказала: «Для бабушки любое место хорошо». Не бал, бабушка. Ну, в смысле, бабка бы сейчас меня похвалила.

— Кто такой Егор Барский? — спросила я.

Алиса шмыгнула носом.

— Ну... мой одноклассник, он под машину попал. Бабушка очень напугалась и постоянно мне говорила: «Будь осторожна, а то беда, как с Барским, случится». Отстаньте! Чего примотались? Голова болит. Не знаю, что говорю. До свидания, мне домой пора.

Я схватила ее за руку.

— Подвезу тебя.

— Обойдусь, — отрезала Алиса, — и денег у меня нет вам заплатить. Отстаньте. Чего привязались?

Но я не отпускала девочку.

— Ты взрослый человек, поэтому спокойно подумай. На улице идет дождь со снегом. В машине тепло, уютно и радио играет. Я не подрабатываю таксистом, платы за проезд не беру, просто хочу тебе помочь. Не обижай меня, поехали вместе.

Дверь туалета открылась, показалась Алла Константиновна.

— Алиса! Вот ты где. Хорошо, что я догадалась сюда заглянуть, беги быстрее в мой кабинет, там Роза сидит.

— Кто это? — удивилась девочка.

— Представитель агентства «Подиум», ты ей понравилась, давай живенько, — поторопила она девочку.

— Нууу, — протянула Алиса, — ладно.

Владелица холдинга посмотрела вслед неторопливо ушедшей Алисе.

— Бедная девочка, надеюсь, встреча со скаутом слегка утешит ее горе.

Я навесила на лицо приветливую улыбку. Алла Константиновна полагает, что Алиса обрадуется встрече с дамой из агентства? Но у девочки внезапно скончалась бабушка. Лиса храбрится, пытается изобразить полнейшее равнодушие, но в душе-то переживает. Однако у нее странные родители. Не приехали за дочерью! Бросили ее одну в очень тяжелый день.

— Виола, у меня к вам интересное предложение, — загадочно улыбнулась Миронова. — Давайте поговорим в моем кабинете?

Глава 12

Мы поднялись на другой этаж и уселись в небольшом холле перед кабинетом хозяйки издания.

— В офисе Алиса со скаутом, — пояснила Алла, — не хочется их беседе мешать. Уж извините, что в приемной устроились.

— Здесь очень уютно, — вежливо ответила я.

— Идея проста, — тут же перешла к сути вопроса Алла, — вы пишете первую часть большого рассказа, мы ее публикуем на сайте и предлагаем читателям угадать, что случится дальше. Затем печатаем другую часть новеллы и так до конца. Тот, кто лучше всех поймет ход мыслей писательницы и назовет заранее имя убийцы, получит главный приз. Еще мы раздадим множество подарков, допустим «За самое оригинальное предположение», ну и так далее. Наш журнал выходит раз в неделю, акцию продлим до первого марта, восьмого устроим праздник, вручим грамоты, награды, в номере, который выйдет в первый весенний месяц, опубликуем отчет о мероприятии, большое интервью с вами, на обложке поместим ваше фото с победительницей конкурса. Ну как?

— Хорошая идея, — одобрила я, — но мне нужно посоветоваться с Зарецким, владельцем издательства «Элефант», если он согласится, мы составим договор.

Миронова встала и пошла к кофемашине, стоящей на подоконнике.

— Естественно, я очень рада, что...

Дверь в кабинет распахнулась, появилась Алиса.

— Меня приглашают в «Подиум», — сказала она, — я позанимаюсь там год и тогда могу поехать в Нью-Йорк.

Алла Константиновна изобразила бурную радость.

— Лиса, это прекрасно, сделай одолжение, ступай в банкетный зал, выпей чаю, мне надо обсудить с Розой Валерьевной кое-какие вопросы. Потом я найду тебя.

Девочка послушно удалилась, Миронова понизила голос:

— Виола, я прекрасно отношусь к Лисе, но у нее была очень категоричная бабушка. Родителей ее я никогда не видела, а вот Галина Сергеевна... Ох, очень тяжелый человек, она с окружающими людьми плохо ладила. У Горюновой имелось только одно мнение: свое, лишь его она считала правильным. У нас на конкурсах все матери с ума сходят, но Галина особый случай. Конечно, Татьяна и Вера совершили отвратительные поступки, одна слабительное всем налила, другая чесоточным спреем воспользовалась. Я их не оправдываю, но в некотором роде семена этих гадостей посеяла Петрова. Марина, Соня и Алиса были прикреплены к одной раздевалке. Петрова просто всех затоптала. Косметика у всех на столиках обязана стоять слева! Не иначе! Почему? Галина Сергеевна так решила, значит, так правильно. Если Яковлева палетку с тенями справа бросит, Галина ее передвинет. И так далее. Алису бабушка затюкала, ни одного доброго слова в адрес девочки от нее никто не слышал, только приказы и одергивания. Галина внучкой командовала, как сержант нерадивым солдатом. Некоторые полагают, что детей хвалить нельзя, этим их разбалуешь, испортишь. Петрова из их числа. Мне было очень жаль Алису. Я понимала, какую реакцию выдаст бабка, если внучка срежется на первом туре, обратила внимание на Горюновых еще на стадии отбора участниц. Матери своих девочек морально поддерживали, пели им в уши: «Ты самая красивая, тебя точно возьмут в конкурсантки». И вдруг слышу из угла общей раздевалки злой шепот:

— Жирная корова! Если не попадешь в группу отобранных, я тебе роскошную жизнь устрою. Ты обязана стать одной из трех победительниц. Или, честное слово, сдам тебя в интернат для дебилок, где тебе самое место. Это ты виновата во всем.

Лиса ей в ответ:

— Пожалуйста, не надо, я все сделаю, как ты хочешь. Да, да, я виновата.

Мне так девочку жалко стало. Уж не знаю, чем она провинилась, но так разговаривать с подростками нельзя.

Алла понизила голос до шепота:

— У Лисы хорошие данные, и, что греха таить, я лоббировала интересы Горюновой. На Гран-при она пока не тянет, однако второе место заслужила вполне честно. Я обрадовалась, когда Роза изъявила желание поговорить с Лисой. Нехорошую вещь сейчас скажу: теперь, когда Галины Сергеевны нет, на девочку никто не будет давить, и у нее пропадет то, что мешает ей стать первой, исчезнет комплекс ребенка, который, как бы он ни старался, всегда плохой. Но, похоже, Роза просто решила набрать учениц в свою платную школу моделей. М-да. И...

Дверь кабинета открылась, в приемную вышла сухощавая женщина лет тридцати пяти.

— Алла, неплохой материал, — произнесла она, забыв со мной поздороваться, — но не лучший. Работы с Алисой предстоит непочатый край. Двигается она отвратительно, осанка никуда не годится, но это поправимо. Плохо иное: в ней нет драйва, энергетики, харизмы, глаза пустые. Просто вареная макаронина.

— Девочка сказала, что получила приглашение от агентства «Подиум», — перебила я Розу.

Та сделала шаг назад, скользнула взглядом по моему платью, туфлям, сумке и уже другим, более любезным тоном осведомилась:

— Вы мать?

— Тетка, — лихо соврала я, — двоюродная.

— Розочка, разрешите вам представить писательницу Арину Виолову — председателя жюри, — пропела Миронова.

Губы Розы растянулись в дежурной улыбке.

— Рада встрече. Я сказала Алисе, что если она позанимается на курсах при нашем агентстве, то через год приобретет некоторые навыки и, вполне вероятно, сможет победить в нашем конкурсе «Путевка в Нью-Йорк». Обучение платное, не дешевое, но за год занятий лучшим студенткам представляется возможность заработать, их приглашают на показы.

— Лучшим студенткам, — повторила я, — понятно.

— Спасибо, Розочка, — защебетала Алла Константиновна. — Ты не забыла, что у нас договор: те, кто победил в конкурсе «Девочка года» по версии журнала «Красавица», имеют в «Подиуме» тридцатипроцентную скидку.

— Конечно, дорогая, — нежно пропела дама, — если родственники Алисы захотят выучить ее в лучшем агентстве Европы, откуда вышло множество русских моделей, покоривших мир, она, как обладательница второго места, будет платить меньше, чем остальные. До свидания, милая!

Миронова и гостья нежно расцеловались. Когда Роза ушла, Алла с досадой заметила:

— Вот какая! Лишь бы заработать! Лиса не разобралась, что к чему, и сейчас небось надеется, что ее бесплатно выучат и она в Нью-Йорк улетит. Придется Горюнову с небес на землю опустить. Очень жаль девочку. Галина Сергеевна при всей своей суровости к внучке поступила правильно, ориентировав ее на стезю фэшн-бизнеса. У Лисы проблемы с обучением. Читает она кое-как, текст заучивает с трудом, пару фраз приветствия, которые надо произносить в начале каждого конкурса, она еле зазубрила. Куда Горюновой после окончания школы податься? В торговлю? За прилавок? Но там непросто, надо товар отлично знать, деньги правильно считать. Я прекрасно понимаю ход мыслей Галины Сергеевны, она решила, если внучка станет моделью, пусть не самой крутой, то немного побегает по «языку» и удачно выйдет замуж. На показах всегда присутствует много мужчин, для которых супруга-манекенщица является показателем их успешности. Алисе следует родить детей, заняться домом, бытом.

— Возможно, родители, учитывая особенности развития дочери, согласятся оплатить обучение в «Подиуме», — заметила я.

— Дай-то бог, — вздохнула Алла, — Роза заламывает высокую цену, но дело знает, худо-бедно всех выпускниц пристраивает, она алчный, но ответственный человек. Виола, я очень вам благодарна за все, что вы для журнала сделали, в особенности за господина Савченко. Он крайне деликатно решил проблему.

* * *

— На машине лучше, чем пешком, — заявила Алиса, когда я припарковалась около длинного ряда гаражей.

— Рада, что тебе понравилось, — сказала я и открыла дверцу, — пошли.

— Куда? — насторожилась девочка.

— Сдам тебя на руки матери.

— Не надо, — возразила Лиса.

— Алла Константиновна просила рассказать Екатерине об агентстве «Подиум», — объяснила я.

— Родителям это не интересно, — отрезала Алиса, — им не надо знать, где я обучаться буду.

— Скрыть это от них не получится, — осторожно сказала я.

Алиса накинула на голову капюшон.

— Почему? Я даже от бабки много чего утаивала.

Мне очень не хотелось разрушить надежду девочки, думающей, что ей вскоре предстоит отправиться в Нью-Йорк. Сообщать Лисе о дорогом обучении и о том, что вполне возможно, что поездка в США никогда не состоится, я ни малейшего желания не испытывала.

— «Подиум» только мое дело, — продолжала Алиса, — от бабушки наконец-то я избавилась, теперь свободна и сама свою жизнь планировать буду.

Я вздрогнула. Вилка, как ты могла отважиться вести с Катей беседу? У нее внезапно скончалась мать, в доме траур. Хорошо, что я не успела совершить вопиющую бестактность.

— Спасибо, что довезли, — догадалась наконец сказать Алиса, — пожалуйста, не ходите к родителям. Светку спать уложили, она услышит чужой голос, орать заведется.

— Хорошо, — согласилась я, — но давай вместе до подъезда добежим, хочу видеть, как ты в подъезд войдешь.

— За минуту донесусь, — опять возразила девочка.

— Сделай одолжение ради моего спокойствия, — попросила я, — между гаражами темно, вдруг там злоумышленник спрятался.

— А вы его ба-бах и застрелите из бутылки с минералкой, — ехидно заметила Алиса.

Я открыла сумочку и вынула оттуда пистолет.

— На всякий случай всегда держу его при себе.

Алиса вытаращила глаза, потом молча вылезла из автомобиля. Я за ней. У меня нет оружия, то, что я продемонстрировала Лисе, на самом деле фонарик. Мне очень хотелось, чтобы девочка перестала наконец спорить, и я бы отвела ее до квартиры и спокойно уехала, зная, что с ней не случилось ничего дурного.

Узкая дорожка между грязными «ракушками» вела в небольшой двор, сплошь заставленный иномарками. Лиса показала пальцем:

— Вон мой подъезд.

— Беги, — разрешила я и стала смотреть, как Алиса резво шагает вперед.

Не успела она добраться до ступенек, ведущих к двери, как на втором этаже на балкончике появился мужчина в тренировочном костюме, в руках он держал короткую трубу.

— Хочу, — закричала маленькая девочка, выскакивая за ним, — дай! Хочу-у-у!

Алиса замерла, задрав голову, потом крикнула:

— Папа! Что ты там делаешь?

— Хочу, — визжала Света, — хочу!

Алексей отвесил малышке оплеуху, она упала на колени и тюкнулась лбом в пол.

Алиса засмеялась, а я машинально пошла вперед. Не спрашивайте, по какой причине я решила приблизиться к подъезду, объяснения этому у меня нет.

Светлана встала на четвереньки и отчаянно зарыдала.

— Вломил ей наконец-то, — весело произнесла Лиса, — получила от отца по наглой морде.

Алексей поднял трубу над головой, дернул за торчащую из нее веревочку, послышалось шипение, круглый предмет взмыл над балконом, на секунду завис в воздухе, потом разлетелся огненным шаром, заискрился сотнями разноцветных, брызгающих в разные стороны ручейков, послышались резкие хлопки...

— Ура, — завопил Алексей. — Ура! Свобода-а-а-а! Ура-а-а-а! Все! Ура-а-а-а!!!

— А-а-а-а-а, — рыдала Света, — а-а-а!

В доме начали открываться окна, кое-кто выскочил на балкон, со всех сторон неслись крики:

— С ума сошли!

— Вам тридцать первого декабря мало?

— Хватит бухать, уже второе число.

— Собака из-за вас заболела.

— Ребенка разбудили, уроды!

— Люди! — что есть мочи завопил Алексей. — Граждане! Праздник! Радость! Теща умерла! Совсем убралась! Ура-а-а-а! Свобода-а-а!

Алиса сгорбилась и шмыгнула в подъезд, на балкон выскочила растрепанная полуодетая Катя, вцепилась в плечи супруга, втянула его в квартиру и захлопнула дверь. Светлана осталась одна на балконе, она завизжала так, что у меня заложило уши.

— Хочу-у-у-у домой! А-а-а-а!

Мать снова вылетела на балкон, сгребла ребенка и скрылась в квартире. Во дворе воцарилась тишина, я поежилась и пошла к своей машине.

Глава 13

Третьего января около часа дня я вошла в поликлинику и сказала мрачной тетке в регистратуре:

— Мне нужна справка для получения водительских прав.

— Ступайте к психологу, — буркнула та, — кабинет двенадцать.

— Зачем? — удивилась я. — На вашем сайте написано, что этот медицинский документ можно купить. Вы не городское учреждение, а коммерческое. Просто скажите, какую сумму я должна отдать в кассу и кто выписывает справку.

— Так теперь нельзя, — насупилась администратор, — абы кому мы ничего не выдаем. У нас ответственные специалисты. Сначала вам надо пойти к психологу, пройдете тест, по его итогам Владимир Николаевич даст талон к врачу.

— У меня права не первый год, — попыталась сопротивляться я.

— И что? — разозлилась администратор.

— Я получила разрешение на вождение без посещения психотерапевта, — уточнила я. — Зачем он мне сейчас?

— Сегодня не вчера, — отрезала женщина, — таков нынче порядок. Время идет, может, вы опсихели? Раньше моложе были, получили документ, когда проблем с головой не имели, а теперь постарели, нейроны мозга усохли.

— За что тогда вы деньги берете, если по кабинетам бегать надо? — спросила я.

— Уж не за выпуск сумасшедших на шоссе, — отрубила тетка, — вон туда гляньте.

Я повиновалась.

— Народ видите? — продолжила администратор. — Семьдесят два человека, все к Владимиру Николаевичу. Он обстоятельный, с каждым долго занимается. Люди еще в начале декабря к нему записывались, это бесплатники. Те, кто за деньги хотят, без очереди пропускаются. Выбирайте. Или семьдесят третьей будете и где-то в марте на тестирование попадаете...

— В марте? — подпрыгнула я. — Почему?

— Психолог всего несколько человек в день принимает, он у нас не полную неделю работает, — объяснила администратор, — или в кассу марширует, деньги отдаете и во все кабинеты ногой дверь открываете. Никто не вякнет. За пару часов управитесь, и со свеженькой справочкой в ГАИ рысцой по морозцу.

Я достала кошелек.

Собеседница показала пальцем на соседнее окошко:

— Туда.

Через пару минут я снова обратилась к администратору:

— Вот квиток.

— Отлично, — обрадовалась тетка и протянула мне картонный розовый бейджик, на нем большими черными буквами было написано: «Цена три тысячи».

— Прикрепите на видном месте тела.

Мне стало смешно.

— Зачем?

— Дама, как бесплатники сообразят, что вы денежная? — рассердилась администратор. — Народ злой, пока вы в сумке ковыряться будете, пропуск на льготно-свободный прием искать, наслушаетесь всякого. На грудь пришпильте, и удачи вам.

Делать нечего, украсившись ценником, я дошла до нужной двери. Пациенты, сидевшие вдоль стены, молча уставились на меня. Мне стало неудобно.

— Извините, на ресепшен сказали, что я могу...

— Иди давай, — остановил меня толстый мужчина в черном свитере, — мы не к психологу, к главврачу на прием, у душеведа пусто.

— Да? — удивилась я. — Спасибо.

Владимир Николаевич оказался на вид юношей лет двадцати, он ради солидности посадил на нос большие очки в темной оправе.

— Что привело вас ко мне? — вкрадчиво поинтересовался он. — Я медицинский психолог, врач, мне можете все честно рассказать.

— Желание получить медсправку для ГАИ, — объяснила я.

— Отличненько, — потер руки лекарь, — присаживайтесь. Как вас зовут?

— Виола Тараканова, — представилась я.

— Прекрасно! — расцвел доктор. — Каждому справкополучателю надо пройти тестирование, суть его определить тип личности, желающей управлять транспортным средством. Результат исследования может вас удивить. Вы мечтаете стать трамваевожатой, а я вам скажу: «Нет, Виола Тараканова, забудьте о рельсовом транспорте, вам туда не стоит соваться».

— У меня малолитражка, — уточнила я, — любительские права меняю, не первый год за рулем.

— И что? — ласково пропел Владимир. — По тестам может выпасть несовпадение вашего психотипа с управлением легковушкой. Возможно, вам подходит «КамАЗ»! Или троллейбус.

Я не нашлась что сказать, а эскулап вытащил из стола папку.

— Не будем гадать на пуговицах, займемся конкретикой. Просьба отвечать на вопросы по сути, конкретно, кратко, да или нет. Вам понятны мои слова?

Я кивнула.

— Да или нет, — напомнил хозяин кабинета.

— Да.

— Чудесненько. Если вашего интеллектуального образования не хватает для понимания того или иного пункта, говорите: «Пропуск». Вам понятна моя речь?

— Да, — вновь ответила я.

— Не расстраивайтесь, если не сможете набрать нужное количество баллов, — продолжал психолог, — мы решим эту проблему. Вам понятна моя речь?

— Да, — сказала я и незаметно ущипнула себя за запястье.

Вилка, удержись от хохота, сделай серьезное лицо, сейчас живенько ответишь на глупые вопросы и переместишься в другой кабинет.

Владимир Николаевич положил на стол лист.

— Видите картинки?

— Да.

— Назовите изображенные на них предметы.

— Ммм, — промычала я.

— Испытываете трудности? Вам они не знакомы?

Я посмотрела на Владимира Николаевича:

— Вы просили отвечать «да» или «нет». А здесь нарисованы очки и деньги. И как сказать, что это, используя лишь утвердительный или отрицательный ответ?

— Можно говорить расширенно, а когда получается кратко, тогда «да» или «нет», — разрешил психолог. — Вам понятна моя речь?

— Да. Вижу очки и монеты.

— Отлично, назовите одним словом, что их связывает.

Я уставилась на картинки. Очки приобретают в оптике за деньги.

— Покупка!

— Неправильно, — расстроился Владимир Николаевич, — еще две попытки.

Я задумалась. Очки можно надеть в любом возрасте, но все-таки они ассоциируются с пожилыми людьми, с теми, кто получает пенсию. А ее выдают деньгами.

— Пенсионер.

— Второй минус, — покачал головой Владимир Николаевич, — вижу, вы нервничаете. Успокойтесь, Виола, сделайте вдох-выдох, фуу. Потрясите кистями рук, повертите шеей, сосредоточьтесь. Ну? Последняя попытка.

Я потерла лоб. Очки и монеты... покупка, пенсионер, ей-богу, больше ничего в голову не приходит.

— Ну? — протянул психолог. — Ну?

В моей памяти всплыла басня Крылова.

— Обезьянка! «Мартышка к старости слаба глазами стала...»

Психолог издал горестный вздох.

— Жаль. Но не могу поставить галочку. Ну ничего. Многие тестируемые нервничают, у них отключается от стресса мозговая деятельность. Встаньте, пожалуйста.

Я покорно поднялась.

— Наклонитесь вперед с идеально прямой спиной, положите ладони на пол, прижмите лицо к коленям, обхватите себя руками за лодыжки и скажите: «Я спокойна, как медведь зимой», — велел доктор, — представьте себя Михайло Потаповичем, визуализируйте образ, удержите его в течение тридцати секунд, выпрямитесь, садитесь.

Я попыталась выполнить упражнение, но потерпела сокрушительное фиаско. Едва начала нагибаться, как спина скрючилась, и поставить ладони на пол я не смогла, сильно заболело под коленями.

— Ничего, — приободрил меня Владимир, — какие ваши годы, еще научитесь. Продолжаем тестирование.

— Подождите, — попросила я. — А какой правильный ответ на первый вопрос?

Психолог постучал пальцами по столу.

— Обычно я не сообщаю эту информацию, она исключительно для служебного пользования, но чтобы настроить вас на боевой лад, сообщу. Катер.

— Почему? — подскочила я.

— Вам незнакомо слово «катер»? — прищурился психолог.

— Конечно, я знаю его, — засмеялась я, — грубо говоря, это лодка с мотором.

— Не совсем верно, но суть примерно схвачена, — согласился Владимир.

— Какое отношение очки имеют к судну? — растерялась я. — И при чем тут монеты?

— Это проверка ассоциативного мышления, — почти по слогам произнес Владимир, — нужно быстро выстроить в уме логическую цепочку. Вы хотите купить катер, надеваете очки, чтобы его хорошенько осмотреть, и платите некую сумму. Видите, как все просто. Очки и монеты.

— Это нечестно, — возмутилась я, — на картинках не было плавающего средства. Как догадаться, что речь идет о приобретении катера? Этак можно любое слово сюда подогнать. Например, мороженое, хочу его купить, нацепила очки, чтобы рассмотреть эскимо, потом рассчиталась.

— Нет смысла пользоваться очками, покупая эскимо, — заспорил Владимир.

— А если я слепая?

— Тогда очки точно не нужны.

— Хотела сказать, что я плохо вижу! — кипятилась я.

Владимир почесал бровь.

— На каждый вопрос существует правильный и неправильный ответ. В данном случае катер. Тест составлен академиками, докторами наук, виднейшими специалистами в разных областях знаний. Мы же не станем с ними спорить? Это неэтично. Давайте продолжим. Следующий вопрос задается в электронном виде.

Владимир положил передо мной айпад.

— Вам знаком предложенный предмет?

— Да, — процедила я.

— Прекрасно. Смотрим картинку.

Глава 14

Я глянула на экран, Владимир Николаевич прикрыл один глаз.

— На прохождение данного теста дается ограниченное время, он на скорость мышления. Если не успеваете, картинка меняется. Вам понятна моя речь?

— Да, — прошипела я.

— Начинаем, — торжественно объявил психолог и ткнул пальцем в экран.

Я увидела изображение обезьянки, потом появилась надпись: «Сосчитайте морды слева направо, нажимайте на каждую, посчитанная фигура исчезнет. Если идете не в том направлении, их количество увеличится».

Недолго думая, я нажала на рисунок мартышки, удивляясь глупости задания. Обезьянка-то одна, при чем тут слева направо? Но изображение вопреки моему ожиданию не пропало, оно раздвоилось. Я нажала на левую мартышку, зверушек стало четыре, затем восемь, потом еще больше, рисунки заполонили весь экран и неожиданно пропали.

— Я сосчитала их! — ликовала я.

— Нет, время закончилось, — возразил психолог, — ничего, у каждого бывает неудачный день. Следующее испытание.

Планшет продемонстрировал три чашки разных размеров.

— Можете прочитать задание вслух, — разрешил Владимир, — некоторым столь простой прием помогает активизировать ослабленную мозговую деятельность.

— Укажите с помощью правого пальца левой руки очередность сосудов для питья по мере уменьшения возрастания величины их объема наполняемой жидкостью, — четко произнесла я и притихла.

Это как? Где у меня правый палец левой руки? Каким из пяти надо нажимать на рисунок? Как понять «уменьшение возрастания величины их объема»?

Изображение исчезло.

— Не успели, — печально констатировал Владимир, забирая планшет, — не беда. Осталась завершающая часть. Изучите данный предмет и...

Владимир Николаевич выдвинул ящик, достал оттуда нечто, установил это на стол и завершил пассаж:

— ...Сообщите мне, что это такое?

Я втянула голову в плечи. Да уж! Не ожидала подобного, как говорила Раиса, конфуза.

— Ну? Какие предположения? — пропел Владимир Николаевич. — Вещь самая обычная, виденная вами тысячу раз.

— Нет, — смущенно пробормотала я, — столько раз точно не видела.

— Хорошо, — неконфликтно согласился психолог, — но все равно вы встречались с этим предметом. Да?

— Да, — кивнула я.

— Ну и как вы его назовете?

Я набрала полную грудь воздуха.

— Это то, что мужчины считают самым дорогим для себя.

Владимир наклонил голову набок.

— Вам это напомнило кошелек?

— Для вас самым ценным является портмоне? — хихикнула я. — Кое-кто с вами не согласится.

— А что еще? — удивился Владимир Николаевич. — Деньги нелегко даются, я, между прочим, хочу писать кандидатскую диссертацию по теме «Конвергенция психологического восприятия коллективного субъективизма на фоне личностного осознания отдельным индивидуумом общего социума», а вместо чтения необходимой литературы ерундой тут занимаюсь. Простите, наболело.

— Хотите, поговорим об этом? — предложила я.

Владимир глянул на часы.

— С удовольствием бы, но необходимо завершить ваше тестирование. Назовите предъявленный предмет. Подскажу, хоть и не должен. Его форма слегка изменена, это проверка вашей способности видеть хорошо знакомое в не совсем стандартном виде. Если я накрашу губы, вы меня узнаете?

— Да, — кивнула я.

— Ну здесь то же самое, небольшой макияж, мысленно уберите его и... и... что у нас на столе? Виола! И...

— Фаллоимитатор, — заявила я, — простите, конечно, но вы сами его на стол водрузили.

Владимир Николаевич бурно покраснел.

— Это пирамидка, детская игрушка, малыши ее разбирают и снова складывают.

— Да? — усомнилась я. — Но уж очень смахивает на ... э... то, о чем я уже сказала.

— Вы первая, у кого возникла подобная ассоциация, — произнес психолог, живо пряча аксессуар в ящик. — М-да. Вас не затруднит подождать пару минут? Я напишу заключение.

Процесс написания нужной бумаги много времени не занял, вскоре я получила конверт.

— Отдайте его в восемнадцатый кабинет после того, как пройдете всех врачей, — велел Владимир Николаевич, — там сидит Елена Борисовна Калинина, она изучит собранные вами исследования и вынесет решение о выдаче или невыдаче вам справки для ГАИ. Калинина завотделением, гинеколог. Мои выводы являются секретными, вам их читать не следует, да вы и не поймете сложный научный текст. Вам ясен смысл моего высказывания?

— Да, — отчеканила я. — До свидания.

Не успела я выскочить в коридор, как симпатичный мужчина в костюме, сидевший у кабинета психолога, встал.

— Вы уже все? Мне можно зайти?

— Наверное, — вздохнула я.

— Вы такая красная, хотите воды? — предложил незнакомец и вдруг засмеялся: — Простите, я посмотрел на ваш бейджик и понял, что вы дороже меня.

Я взглянула на прикрепленный к лацкану его совсем не дешевого модного пиджака картонный прямоугольник, на котором значилось: «Стоимость одна тысяча», и улыбнулась.

— Не расстраивайтесь, наверное, вы пришли в счастливый час, попали на скидку. Вы выглядите на три штуки, как и я.

— Спасибо, — поблагодарил мужчина, — очень приятно это слышать. Вопросы у психолога сложные?

— Не очень простые, — призналась я.

— Можете подсказать, как правильно ответить? — спросил собеседник.

— В первом испытании надо сказать «Катер», — поделилась я опытом, — а в последнем продемонстрируют одну штуку. Уж не знаю, на что похожей она вам покажется, но на столе будет детская игрушка — пирамидка.

— Очень вам благодарен, — от души поблагодарил мужик и постучал в дверь кабинета.

Я пошла по коридору, нашла створку с табличкой «Калинина Е.Б., зав. отделением» и горящей над ней красной лампочкой, села, открыла конверт, вытащила из него заключение и начала его изучать.

«Тестируемый объект Виола Тараканова. Пол — женский. Мышление затруднено, не способна к созданию ассоциативного ряда, сознание размыто, испытывает большие трудности при определении понятий лево-право. Не воспринимает написанный на бумаге текст, обладает патологической гиперсексуальностью, подвержена эротическим галлюцинациям. Диагноз: умственное развитие соответствует возрасту пяти лет. Рекомендовано: обследование здоровья. Список специалистов, необходимых для посещения. Гинеколог, дерматолог-венеролог, окулист, невропатолог, уролог, кардиолог, хирург, педиатр, терапевт, отоларинголог, диетолог, ортопед, гастроэнтеролог, ветеринар».

Я опешила. Ветеринар? Очевидно, у Владимира Николаевича появились сомнения, человек ли Виола Тараканова? Может, она тупоносая мартышка? И что там еще интересного написано? Я опять пробежала глазами по тексту.

«Необходимые исследования: УЗИ, ЭКГ, МКТ, гастроскопия, колоноскопия, рентген, кардиотесты, эхограмма, энцефалограмма...»

— Вы к гинекологу последняя? — спросил знакомый голос.

Я обернулась и увидела мужчину, который после меня пошел к психологу.

— Опять я за вами буду, — заулыбался он. — Давайте познакомимся, Степан.

— Виола, — представилась я, — уже прошли тест? Мгновенно отделались.

— Ничего сложного нет, — заявил Степан, — все ясно, никаких проблем, детская забава.

— Катер вас не удивил? — осторожно спросила я.

— Да нет, — пожал он плечами, — сразу понятно: очки, чтобы читать объявления о продаже лодки.

— А как вам пирамидка? — усмехнулась я.

— Таких во всех магазинах игрушек полно, — ответил Степан, — только разноцветных, а эта однотонная, розовая.

Я почувствовала себя полной идиоткой. Может, и впрямь мое умственное развитие соответствует дошкольному возрасту?

— Осталось только гинеколога пройти! Калинину эту, — бурно радовался Степан. — Психолог меня только к нему направил, и я получу справку.

— Простите, но зачем вам к этому доктору? — поразилась я.

— Он даст справку, что я не женщина, — объяснил Степан и расхохотался, — простите, Виола, это настоящий бред. Я пошутил. Никогда бы не догадался про катер. И пирамидка... не очень удобно говорить малознакомой даме, что именно она мне напомнила. Спасибо вам. Кабы не ваши подсказки, не пройти бы мне тест. Психолог очень странный, услышав про гинеколога, я ему показал паспорт со словами: «Документ выдан на мужское имя, я совсем на тетку не похож». Владимир ответил: «Возьмете справку у гинеколога, и все». Я попытался хоть как-то структурировать его бред, спросил: «Вероятно, мне надо пойти к терапевту или урологу, они подтвердят, что я представитель мужского пола». Психолог возразил: «Нужно документально подтвердить, что вы не женщина. По этому вопросу только к узкому специалисту». Очень интересный поворот. Может, теперь выдают новые права разных цветов? Девушкам розовые, а...

Степан опять начал смеяться, потом, успокоившись, взял лежащий на столике пульт и спросил:

— Вы не против, если я телик включу? Пусть бормочет!

Экран замигал.

«Двойной скандал на конкурсе красоты «Девочка года» произошел в популярном журнале «Красавица», — сообщил визгливый женский голос, — нам стало известно о подкупе жюри, которое возглавляла автор бульварных романов Виола Тараканова».

— Лучше спортивный канал найду, — решил Степан и опять потянулся к пульту.

— Очень хочется посмотреть эту программу, — остановила я его.

Дверь кабинета открылась, появилась медсестра.

— Кто следующий?

Степан посмотрел на меня.

— Идите первым, — предложила я, не отрываясь от экрана, — у меня с врачом будет долгий разговор.

— Мир конкурсов красоты полнится коррупцией, — щебетала корреспондентка, — давно известно, что честно получить корону невозможно. Желаешь стать обладательницей бриллиантовой диадемы? Раскошеливайся на солидную сумму или ищи другой путь. И чаще всего этот путь пролегает через постель. Но, несмотря на все сказанное, не счесть числа девочкам, которые рвутся получить Гран-при, стать какой-нибудь мисс «Новая лопата» и, увенчавшись званием, штурмовать мировые подиумы. Что взять с подростков? Они глупы и наивны, но у них есть матери, которые должны объяснить детям: необходимо учиться, получать хорошую профессию, беготня в купальнике перед толпой мужиков с сальными взорами не лучшее занятие для девушки. Ан нет. Мамаши конкурсанток амбициозны, они мечтают о титуле мисс Вселенная для своих дочерей, хотят, чтобы их девочки попали в дорогие проекты, заранее считают барыши. Участницы конкурсов готовы на все, а их мамаши и на большее. То, что случилось вчера в холдинге «Красавица», лишнее тому подтверждение. Гран-при достался Марине Григорьевой, второе место заняла Алиса Горюнова, третье — Софья Яковлева. Что тут необычного? Начну с той, которая стояла на второй ступени пьедестала почета. Наш информатор сообщил, что незадолго до начала финального конкурса у бабушки Горюновой случился инфаркт. А любимая внучка Галины Сергеевны как ни в чем не бывало вышла на сцену и с задорной улыбкой продемонстрировала себя со всех сторон, получив большое количество баллов. До финала конкурса Горюнова с трудом претендовала лишь на третье место, но кончина любимой бабушки так вдохновила девочку, что она вырвалась вперед. Наш источник выяснил, что на место происшествия не была вызвана муниципальная «Скорая», туда с космической скоростью прибыли высокопоставленные сотрудники полиции, они вмиг установили, что Галина Сергеевна Петрова была отравлена огромной дозой наркотика, который ей в фляжку подлила мать конкурсантки Марины Григорьевой. Выяснилась ужасная правда незадолго до начала последнего тура, но Марину, несмотря на то, что вина ее матери была очевидной, не отстранили от участия в соревнованиях. Эта девочка, как и Алиса, продемонстрировала черствость, эгоизм и себялюбие. Татьяну заковали в наручники и увезли, а ее дочь вертелась перед членами жюри в декольтированном до пупка платье и получила Гран-при. Соня Яковлева, единственная финалистка из всех, была потрясена случившимся. Сначала девочка, горько заплакав, отказалась идти на сцену. «Нельзя веселиться, когда Галина Сергеевна умерла, а тетю Таню арестовали», — твердила она...

— Я получил справку, — весело объявил Степан, выходя из кабинета.

— Поздравляю, — бормотнула я, не отрываясь от экрана.

— Идите скорей, — поторопил меня он.

— У меня обед! — воскликнула женщина в белом халате, выскакивая в коридор. — Прием продолжится через час.

— Она платная, — начал отстаивать мои интересы Степан.

— И что, мне голодной остаться? — со злостью в голосе ответила завотделением. — Деньги за прием не в мой карман льются.

— Она будет жаловаться, — разозлился Степан.

— Тс, — шикнула я, — дайте послушать.

Глава 15

Дама на экране тем временем говорила и говорила.

— Упрашивать Яковлеву участвовать в последнем туре стала сама владелица холдинга «Красавица» Алла Миронова. Она объяснила рыдающей Софье, что, отказываясь появиться на сцене, девочка лишает Алису и Марину шанса на Гран-при. Только из-за подруг Софья собралась и...

— Вот вранье! — не выдержала я. — Знаю, кто их информатор, стопроцентно это Вера Яковлева. Вот гора лжи! Наркотик, наручники... обалдеть можно!

— Не стоит верить телевидению, — заметил Степан.

Но я не отреагировала на его замечание, потому что услышала свою фамилию.

«Миронова и председатель жюри, автор никому не нужных бульварных романов Арина Виолова, потащили Софью на сцену. А теперь вопросы. Почему Григорьева, которая во время демонстрации бального платья запуталась в подоле и упала, стала победительницей? Отчего Гран-при не достался самой красивой, умной и сострадательной Софье Яковлевой? По какой причине судейскую коллегию возглавляла создательница глупых детективов Виола Тараканова, пишущая под псевдонимом Арина Виолова? Если Алла Миронова хотела лицезреть на своем конкурсе звезд литературы, почему она не пригласила Антона Павловича Достоевского? Много вопросов, ответ один. Наш информатор собственноручно видел, как Татьяна Григорьева давала взятку Арине Виоловой. Получив пухлый конверт, сия, с позволения сказать, писательница спрятала его и пообещала: «Не волнуйтесь, Марина улетит в Нью-Йорк, Гран-при принадлежит ей». Арина Виолова пишет плохо, но она не обманула Миронову, честно отработала мзду, пообещала и сделала: Марина Григорьева стала «Девочкой года» по версии журнала «Красавица». Сейчас короткая реклама. Не переключайтесь, оставайтесь с нами».

Я схватила сидевшего рядом Степана за руку.

— Какой канал работает?

— «Говорун», — коротко ответил тот.

Я вытащила из сумки телефон и соединилась с Мироновой.

— Алла Константиновна, только что «Говорун» рассказал о вашем конкурсе.

— Ах, какая чудесная новость, — обрадовалась владелица холдинга, — спасибо, Виолочка, но я не интересуюсь подобными телеканалами...

— Найдите их сайт, посмотрите репортаж в записи, — перебила я Миронову, — вам он точно не понравится.

— О'кей, — быстро произнесла Алла.

Я спрятала трубку. Спокойствие, только спокойствие. Нет сомнений, что замечательные новости журналистам сообщила обозленная из-за проигрыша дочери Вера Яковлева. Дамочка зла на Татьяну с Мариной, на Аллу Константиновну, на меня. Мы все, по ее мнению, отняли у ее малышки-красавицы победу. Софье присудили даже не второе место, а третье. Вполне возможно, что ведро помоев помог донести до студии отец Сони, с которым Вера разговаривала по сотовому в туалете.

Я перевела дух и позвонила Зарецкому. Не хочется портить Ивану с утра настроение, но пресс-служба издательства непременно доложит владельцу «Элефанта» о скандале, в котором замешано имя Арины Виоловой.

Мобильный забормотал что-то на английском. Я быстро нажала на экран. Ну как я могла забыть! Зарецкий же улетел в США. Где у меня в айфоне программа, которая показывает время в разных городах мира? Понятно, в Нью-Йорке сейчас пять утра. Ладно, попробую сама разобраться с Верой Яковлевой и потребую от «Говоруна» опровержения.

Я выскочила на улицу, вдохнула морозный воздух и закашлялась. К сожалению, правило «ложечки нашлись, а осадочек остался» срабатывает безотказно. Ну, скажет корреспондент скороговоркой: «Приносим свои извинения писательнице Арине Виоловой». И что? А ничего, этого никто не заметит. А вот то, что я взяточница, уже засело у зрителей в голове. Люди всегда охотно верят гадостям.

— Виола Ленинидовна, — спросил мужской голос, — у вас проблемы?

Я вынырнула из своих мыслей, передо мной стоял Степан.

— Случилась бяка? — по-детски спросил он. — Требуется помощь?

Я попыталась улыбнуться, но получилась кривая гримаса.

— Спасибо. Все замечательно.

— Глядя на вас, этого не скажешь, — не отставал Степан. — Давайте глотнем кофе?

Я хотела отказаться, но почему-то вместо вежливой фразы о необходимости срочно ехать на работу выпалила совсем иное.

— Откуда вы знаете мое отчество? Я представилась вам по имени.

Степан открыл портфель и вынул книгу в яркой обложке.

— Вот. Я ваш преданный давний читатель.

На моем лице незамедлительно расцвела широкая улыбка. Каким бы плохим ни было настроение, поклонника нельзя обижать. Ему безразлично, что мне сейчас обидно до слез, Степан рад нашей встрече, нельзя его разочаровывать. Давай, Вилка, вытащи из закоулков детективщицу Арину Виолову и поговори с фанатом приветливо.

Я полезла в сумку за ручкой.

— Давайте подпишу.

— Здорово, — обрадовался Степан. — А можно еще селфи?

— Конечно, — разрешила я, — но, уж простите, вид у меня не гламурный, я в пуховике.

— Куртка вам очень идет, — отпустил комплимент Степан. — Может, согласитесь кофе со мной попить? Хотя нет, вы больше чай любите. Могу показать уютный ресторанчик, он рядом, никуда ехать не надо, минута ходьбы.

— Ладно, — совершенно неожиданно для себя согласилась я.

Глава 16

Напиток, поданный в фарфоровом чайнике, оказался вне всяких похвал, а еще в маленьком, всего на три столика, заведении пекли обалденные кексы. Я попыталась остановиться на втором, но не смогла, схватила третий с цукатами и смутилась.

— Вообще-то я не обжора.

— На Гаргантюа вы точно не похожи, — засмеялся Степан.

— Вы читали Рабле? — удивилась я.

— Учился на журфаке, — пояснил мой спутник.

Я отложила кекс.

— Вы корреспондент? Понятно.

— Нет, нет, — запротестовал Степан и протянул мне визитку.

Я ее взяла.

— Степан Валерьевич Дмитриев, фирма «Помощь». Работаете в благотворительном фонде?

— Не совсем, — после небольшой паузы ответил он, — мы помогаем людям, которые попали в разные неприятности. От мелких: помял кому-то на дороге багажник, а страховая компания отказывается произвести ремонт. До крупных: человеку грозит пожизненный срок за несовершенное преступление.

— Адвокатская контора, — протянула я.

— Нет, — опять не согласился Степан, — хотя отчасти и это тоже. Если требуется вызволить невиновного из лап правосудия, мы отыскиваем настоящего преступника.

— Детективное агентство? — предположила я.

— Симбиоз розыска, юридической помощи и еще много чего. В понедельник мы организовали переезд одинокой женщины с маленьким ребенком. Она перебиралась на другую квартиру, сын заболел, рядом школы нет...

— Фирма «Тысяча и одна услуга», — улыбнулась я.

— Хорошее название, — заметил Степан, — вроде такая организация существовала в советские времена.

— Вам не требовалась справка от психолога, — осенило меня, — вы пришли в клинику с другой целью, это что-то связанное с вашей деятельностью.

— Верно, — согласился Дмитриев, — сразу сечете ситуацию, вы умная женщина. Я обрадовался, когда вас в коридоре увидел, нашел повод, чтобы разговор завязать, хотел пообщаться с любимой писательницей, но постеснялся попросить автограф. А сейчас по выражению вашего лица понял: кто-то вас обидел. Вы мне любезно подписали книгу, улыбнулись, несмотря на плохое настроение, умеете держать себя в руках. Редкое качество не только для дамы, но и для мужчины. Что случилось? Рассказывайте. Если не смогу помочь, то посочувствую, доброе слово иногда очень нужно. Ну? Начинайте.

Я не принадлежу к породе людей, которые с блеском в глазах живописуют трудности, уготованные им судьбой, и уж тем более не в моих правилах плакаться в жилетку человеку, с коим познакомилась час назад. Но мой рот сам собой открылся, а язык развязался.

Когда фонтан, бивший из меня, затих, Степан поморщился:

— Неприятно.

Потом он вынул свой телефон.

— Это я. Отложи все дела. Срочно выясни, что случилось вчера за кулисами конкурса «Девочка года», его устраивал журнал «Красавица». Жду.

Дмитриев положил мобильный на стол.

— Прежде чем что-то предпринимать, надо как следует разведать обстановку, собрать побольше сведений об участниках событий.

— Спасибо вам за хлопоты, — остановила я Степана, — но я не собираюсь обращаться в вашу фирму.

— Почему? — спросил мой спутник. — Мы работаем не первый год, накопили опыт, у нас талантливые специалисты. А-а-а! Понял. Решили, что ушлый дядя ловит клиентку, а обеспеченная писательница лакомый кусочек, ее легко на бабки развести? Услуги «Помощь» оказывает даром.

— Бесплатно? — уточнила я.

— «Безвозмездно, то есть даром», так, кажется, объявляла сова из известного мультика, — засмеялся Степан. — Или это говорил медведь? Но кто бы ни вещал, суть не меняется. Наша фирма не выставляет счета клиенту.

Я отложила недоеденный маффин.

— Знаю, какую сумму берут адвокаты на уголовных процессах. А уж если речь идет о пожизненном заключении, приписывай к цифрам бесконечные нули. Сомневаюсь, что «Помощь» работает даром, у вас, очевидно, имеется благотворительная программа. Спасибо за желание оказать мне услугу, но я не бедная, не несчастная, не убогая, не больная и привыкла сама справляться с любыми пинками судьбы.

Степан поманил официантку:

— Заварите нам еще облепиху с медом. Виола, человек, который основал фирму «Помощь», в юности очутился на зоне за несовершенное преступление. Его подставил ближайший друг. Дело было в советские годы, в то время иметь родственника за решеткой считалось страшным позором. Мать парня выгнали с режимного предприятия, где она работала бухгалтером. По мнению директора оборонного завода, она была ненадежна, воспитала сына-убийцу. Женщина увидела приказ о своем увольнении, расстроилась, вышла на улицу, не заметила грузовик, который летел по шоссе, и угодила под колеса. Подросток остался сиротой.

— Да уж, — покачала я головой, — не повезло парню.

— Он вырос, поднял в девяностые годы серьезный бизнес и основал «Помощь», — продолжал Степан. — Уточню, всем мы не помогаем, только тем, кто не может сам справиться с бедой. Человек отправляет нам запрос, его мгновенно рассматривают и выносят решение: да или нет. И вы правы, большинству людей предстоит самим выпутываться из беды. Неделю назад мы покупали телевизор бабушке, у нее крохотная пенсия, родных никого нет, сломалась единственная радость в жизни: погас экран, демонстрирующий шоу. А вот женщине с тремя детьми, которая попросила оплатить адвоката, чтобы отобрать у бывшего мужа загородный дом, мы дали от ворот поворот. Да, сия дама многодетная мать, но у нее на иностранных счетах большие деньги, она легко оплатит услуги любого юриста. Что же касается вас... Я вхожу в совет фирмы, нас там шесть человек, и каждый имеет право раз в год сказать: «Хочу помочь одному человеку». Все. Вопросов не возникнет. Так вот, я просто хочу вам помочь, Виола.

Я собралась опять возразить, но из стоящего на стуле портфеля Степана раздался гудок.

— Отлично, — обрадовался Дмитриев, вытаскивая планшет, — почта прилетела. Итак. О! Праздник в «Красавице» закончился плохо. Поздно вечером, когда банкет завершился, в здание холдинга опять прикатили сотрудники из районного отделения.

— Нет, — возразила я, — к тому моменту сыщики уже уехали. И делом о кончине Петровой занимались не парни с «земли». Анюта Королева, помощница владелицы «Красавицы», впала в панику и стала просить меня о помощи. Она очень боялась гнева Аллы Константиновны, рыдала, говорила: «Полиция все папарацци растреплет, журналисты платят за такую инфу». Я пожалела перепуганную Королеву, но еще подумала, что совсем не хочется видеть в «Желтухе» свою фамилию в связи со смертью Петровой. И позвонила своему приятелю Андрею Платонову, к сожалению, тот улетел в командировку, но он прислал своего подчиненного Владимира. Ваш сотрудник раздобыл неверные сведения. Владимир с командой появился на месте происшествия единожды, и это было не поздно вечером, а днем, перед началом заключительного конкурса.

— Во второй раз примчались местные ребята, потому что в здании холдинга обнаружили еще один труп. Татьяну Григорьеву нашли мертвой на служебной лестнице, стало понятно, что она упала с большой высоты, — объяснил Дмитриев, глядя в айпад. — Прибывшая по вызову охраны следственно-оперативная бригада обнаружила на шестом этаже одну туфлю на высоком каблуке, еще там валялась дамская сумка, в ней лежали права на имя Григорьевой и телефон, на котором было много неотвеченных вызовов. Дочь покойной в тот момент уже была дома. Ее сегодня утром опросили. Марина объяснила, что мама на банкете очень веселилась, праздновала победу в конкурсе, безостановочно пила коктейли. В районе одиннадцати Татьяна здорово назюзюкалась, Марина пыталась ее увести, но мать жаждала продолжения веселья. Она приставала ко всем, требовала от официантов еще выпивки, ей вежливо отказывали. Тогда Григорьева отправилась собирать по столам бокалы с опивками. Марине стало стыдно, она заплакала, убежала в туалет и позвонила дедушке. Тот велел внучке больше не приближаться к родительнице, спуститься в холл первого этажа и ждать его там. Марина послушалась. Дед примчался быстро, усадил заплаканную победительницу в свою машину и обратился к охране с просьбой разрешить ему найти Татьяну. Секьюрити не позволили постороннему бродить по зданию, они сами поднялись на шестой этаж, обследовали банкетный зал, туалеты, комнаты отдыха, потом один из парней вышел на служебную лестницу, заметил вещи, перегнулся через перила и увидел внизу тело. Полиция предполагает несчастный случай. По мнению местных оперов, дело ясное: Татьяна напилась до отключки, ей стало плохо, она пошла искать сортир, заблудилась, оказалась на служебной лестнице и рухнула вниз. Может, ее затошнило, она перегнулась через перила, потеряла равновесие...

— Вера Яковлева, донельзя раздосадованная третьим местом своей дочери, из дамской комнаты звонила кому-то, кто должен был обеспечить победу ее Соне, — пробормотала я, — помнится, она несколько раз повторила: «Убью Татьяну». Может, разгневанная мамаша выполнила свою угрозу?

Степан оторвал взгляд от планшета.

— Отец погибшей сообщил полиции, что у его дочери давно были проблемы с алкоголем.

— Вот те на! — воскликнула я. — Алла Константиновна велела собрать на участниц конкурса подробное досье. Миронова крайне озабочена имиджем своего холдинга. Три вчерашние финалистки были тщательно отобраны еще и по своим семьям. Анюта Королева назвала Григорьевых образцовой парой. А теперь выясняется, что мать — пьяница.

Степан взял чайник.

— Моя мама любила повторять: под каждой крышей свои мыши. Мой человек узнал... — Дмитриев опять уставился в планшет. — Григорьевы не афишировали «увлечение» Татьяны. В возрасте двадцати лет она попала в дурную компанию, много пила. Но родители сделали все ради спасения дочери: сменили квартиру, положили Таню в клинику. Это я вам рассказ дедушки, Виктора Евсеевича, читаю. Татьяна вышла из лечебницы, стала учиться, работать, ее удачно выдали замуж за хорошего парня Игоря, тот знал о юношеских проблемах супруги. Муж Тани не пьет, дома Григорьевы алкоголя не держат, даже на Новый год поднимают бокалы с лимонадом. За время совершенно трезвой супружеской жизни Таня сорвалась всего один раз, когда ее матери предстояла сложная операция. После того как Ольгу Петровну привезли из больницы домой и стало ясно, что ее жизни ничто не угрожает, дочь купила бутылку водки и «уговорила» ее. Срыв случился летом. Старшие мальчики находились на море с родителями мужа. Крошечная Марина осталась с мамой, но девочке едва исполнился год, конечно, она ничего не помнит. Виктор Евсеевич, найдя Татьяну в невменяемом состоянии на полу около детской кроватки, в тот же день положил дочь в частную клинику. Загул произошел в начале июня. Старшие внуки вернулись в Москву в конце августа, их встретила совершенно трезвая мать. О том, что Таня сорвалась, не знал никто, кроме ее отца. Виктор Евсеевич не хотел нервировать Ольгу Петровну, которая только-только встала на ноги после операции, и ничего не сообщил зятю. Таня поклялась отцу, что больше никогда даже не посмотрит на бутылку, и слово сдержала. Следующие тринадцать лет она ни разу не прикоснулась к спиртному. Марина и ее братья понятия не имеют об алкогольном прошлом матери.

Виктор Евсеевич рассказал следователю и о внучке, сейчас прочитаю.

— Когда Марине исполнилось восемь лет, она победила на школьном конкурсе красоты, и Таня просто сошла с ума. С той поры все ее мысли текли лишь в одном направлении, дочь мечтала сделать мою внучку «мисс Вселенная», хотела, чтобы Мариша стала моделью. Мы с женой сначала не видели в этом ничего дурного. Наоборот, полагали, что Таня действует правильно, она отдала Марину в школу моделей, там девочку научили красиво двигаться, танцевать. Ну и победы во всяких конкурсах поднимали самооценку ребенка. Марина росла в уверенности, что она красавица, разве это плохо для девушки? Забрось она учебу, я бы заволновался, но у нее круглые пятерки, идет на медаль. Нехорошее предчувствие у меня возникло только недавно, когда Марина не смогла получить звание «мисс роскошные волосы», какая-то фирма шампуней устраивала это состязание. Внучка оказалась на седьмом месте. Но она совершенно не переживала из-за неудачи. А вот Таня! Она налетела на дочку с кулаками, кричала:

— Ты плохо работала, не старалась! Ты обязана всегда быть первой.

Чуть не побила Марину.

Та ей ответила:

— Не собираюсь делать карьеру «вешалки», у меня другие планы, я решила учиться на стоматолога.

Что тут началось! Таня завопила:

— Ты мою жизнь под откос пустить хочешь? Собираешься повторить материнскую нищую судьбу? Жить в России на крошечные деньги? Ковыряться в чужих гнилых зубах? Нет! Я сделаю тебя супермоделью, ты заработаешь миллионы долларов, купишь дом в Париже, я приеду к тебе жить. Хочу хоть немного счастья! Красивой одежды! Обуви! Ты обязана сделать это ради меня. Я всю жизнь мечтала уехать подальше отсюда, но мои родители ничего не сделали, чтобы отправить меня за рубеж. А я ради тебя стараюсь. Если откажешься от карьеры модели, я повешусь! Так и знай! Ты меня убьешь.

Марина перепугалась и пообещала матери выполнить все, что та хочет!

Степан покачал головой:

— Бедная девочка! Нелегко ей с такой мамашей было, но Марина старалась изо всех сил, она за последний год участвовала во множестве конкурсов, везде получила первые места. Но, вот странность, скауты не проявляли к ней интереса, кое-кому из тех, кто проиграл Григорьевой, предложили контракты, а Марине нет.

Я допила свой чай.

— Вчера был большой праздник, Гран-при и контракт на поездку в США. Сбылась мечта! Татьяна не выдержала и на радостях напилась. А обозленная неудачей Яковлева столкнула ее с лестницы.

Глава 17

— Может, и так, — протянул Степан, — но на основании одного подслушанного разговора не стоит делать далекоидущие выводы.

— Это Вера наболтала каналу «Говорун» небылиц про меня, — вскипела я, — больше некому.

Степан опять уставился в айпад.

— Вероятно, но точного подтверждения тому, что Яковлева так поступила, нет. Григорьева призналась, что подлила во фляжку Горюновой слабительное?

— Да, — подтвердила я, — большую дозу, и в бутылку минералки, которую поставили на столик Сони. А Вера Яковлева опшикала колготки девочек средством, вызывающим нестерпимый зуд.

— Высокие отношения, — усмехнулся Степан. — Соня Яковлева дочь Иннокентия Крошкина. История стара, как шуба из цигейки. Вера много лет служит у него секретарем, летает с боссом по России и заграницу. Бизнес у Иннокентия Васильевича в разных городах и странах, олигарху шестьдесят девять лет, жене на двадцать лет меньше, в законном браке пара состоит четверть века, у них трое детей, два мальчика и девочка, очень талантливая скрипачка, она на год моложе Софьи. Крошкин изменяет супруге с Верой, Яковлева забеременела, родила, но не ушла с работы, по-прежнему правая рука шефа. Через полгода после появления на свет незаконнорожденной девочки ее мать перебралась в новые четырехкомнатные апартаменты, расположенные в престижном доме «Соловьиная роща». Вера взяла ипотеку.

— Неужели богатый любовник не мог подарить ей жилье? — удивилась я. — Кстати, почему вы так уверены, что Крошкин отец Сони?

Степан потряс айпадом.

— Человек, который прислал эти сведения, крайне дотошен, если он сообщил, что Вера и Крошкин давно состоят в связи, так оно и есть. Хотите попрошу, чтобы мне рассказали, откуда инфа?

— Не надо, — отказалась я, — верю, что данные надежны и, похоже, это тайна только для Сони. Когда в раздевалке возник скандал, Галина Сергеевна заметила, что у Иннокентия Крошкина опоясывающий лишай, поэтому Яковлевы могут быть заразными. Соня не поняла, при чем тут Крошкин, а Вера стала пунцовой. В эпоху Интернета ничего скрыть нельзя. Странно, что девочка не в курсе.

Степан потянулся к кексу:

— Вероятно, она все знает, просто изображает перед матерью неведение, жалеет ее, делает вид, что верит ей, когда та врет про геройски погибшего капитана дальнего плавания, который не успел жениться на любимой. Или что там еще придумывают для незаконнорожденных детей? Вернемся к ипотеке. Маленький нюанс, кредит взят в банке «ОКОН», а кто им владеет?

— Неужели Кеша Васильевич? — всплеснула я руками.

— Экая вы догадливая, — похвалил меня Степан.

— Отлично придумано, — развеселилась я, — полагаю, Вера ничего не выплачивает. Но, если жена начнет задавать вопросы: «Милый, откуда у твоей лахудры-помощницы средства на роскошное жилье?», Крошкин ответит: «Она в долгу у моего банка».

— Не очень-то любовник Веру балует, — подхватил Степан, — она катается на бюджетной иномарке, Соня ходит в обычную, не частную школу, успеваемость у нее средняя, так, балансирует с троечки на четверку. Никаких творческих талантов у Софьи не замечено, она не поет, не танцует, не рисует картины, обычный подросток. А вот законная доченька по имени Надя другое дело. У нее в табеле сплошь отличные оценки, и она талантливая скрипачка. Когда десятилетняя Надежда получила золотую медаль на детском международном конкурсе, о юном даровании широко написала пресса, как российская, так и зарубежная. А любящий папенька преподнес дочке скрипку Амати.

— Вера в туалете говорила про Страдивари, — поправила я.

Дмитриев поманил официантку:

— Она перепутала. Для многих людей если очень дорогой инструмент, то непременно из рук этого итальянца. Амати тоже совсем не плохо и по цене почти одинаково.

— Что закажете? — спросила девушка, подходя к нашему столику.

— Сладкого переел, — улыбнулся Степан, — кексы смел. У вас в меню указаны тосты с форшмаком. Принесите штук шесть.

— Не хочу селедки, — заявила я.

— Тащите, — махнул рукой Степан, — сам все слопаю. И чаю. Черного с лимоном. Виола, вот забавный штрих. Через месяц после первой триумфальной победы Нади на международном конкурсе Вера отвела Соню на кастинг в фирму детской одежды, девочка там понравилась, ее взяли моделью, сделали снимки и использовали их как рекламу спортивных костюмов. Снимки Яковлевой попали в гламурные журналы.

— Ваши тосты, — сообщила официантка, ставя в центр стола блюдо.

— Попробуете? — предложил Дмитриев.

Я не собиралась есть паштет из селедки, но почему-то соблазнилась на один бутерброд и пришла в восхищение.

— Очень вкусно... Любовница решила продемонстрировать Иннокентию, что Соня тоже не лыком шита. Девочка от законной жены отличница и прекрасная музыкантша, ею можно гордиться. Соня же не пришей кобыле хвост, в школе не успевает, ангел ее при рождении в лоб не поцеловал. А теперь нате вам! Надя на сцене со скрипочкой, а Сонечка красуется в глянце, она успешная модель. Веру съедает банальная ревность.

— Софья с переменным успехом выступала на конкурсах красоты, — подхватил Степан, — первые места не получала, но вторые стабильно.

— Вечная серебряная медалистка, — протянула я, — полагаю, мать очень злилась. Да и Соня, наверное, тоже, она девочка с амбициями.

Дмитриев вытер руки салфеткой.

— В начале декабря Надежда получила Гран-при на очередном международном конкурсе. К золотой медали прилагалось приглашение от колледжа в Англии, талантливому ребенку-лауреату предложили бесплатно обучаться в Лондоне. Иннокентий Васильевич без напряга может оплатить любую школу для дочурки, но согласитесь, очень приятно, когда твоего ребенка приглашают бесплатно за его уникальный талант. Надя опять обошла Софью на повороте. Соня-то, хоть и появляется на страницах журналов, в конкурсах вечно вторая.

Я сцапала еще один бутерброд.

— И Вера решила во что бы то ни стало сделать свою доченьку обладательницей первого места. Интересно, кого она попросила о помощи и что пообещала за услугу?

Степан бросил в чашку ломтик лимона.

— Наверное, деньги. Это самое простое. Говорите, в туалете Яковлева сделала два звонка?

— Да, — подтвердила я, — сначала она устроила скандал кому-то за проигрыш Сони, а затем соединилась с любовником и наврала ему, что на мероприятии «Девочка года» внезапно умерла бабушка Алисы.

— Это правда, — остановил меня Степан.

— Да, — согласилась я, — но вы не дослушали, что говорила мамаша. Вера на одном дыхании выпалила: «Соня в шоке, беда произошла на наших глазах, девочка в истерике, она категорически отказывалась выйти на сцену, но Миронова ей сказала: «Если не примешь участие в финале, то Марина и Алиса останутся без наград. По условиям конкурса при самоотводе какой-либо девочки продолжение действа невозможно». Ради подруг Сонечка совершила подвиг, отправилась на сцену и получила третье место. Это очень почетно, перед жюри, в котором сидели выдающиеся люди, такие, как обожаемая тобой писательница Милада Смолякова, дефилировало четыреста двадцать человек. Учитывая стресс, Сонечкина «бронза» лучше «золота».

Вот в этом заявлении не было ни слова правды. Соня не переживала из-за кончины Галины Сергеевны, наоборот, она, похоже, обрадовалась, спросила: «Раз бабушка умерла, Алиска снимается с конкурса?» И желание любой участницы сойти с дистанции никак не влияло на ход соревнований. В финале участвовало всего шесть девочек, а не четыреста двадцать. Вера делала отчаянные попытки реабилитировать Софью в глазах отца, представила ее героиней, готовой ради других пожертвовать собой. Но от ее слов третье место первым не стало. Я не слышала, что Иннокентий Васильевич ответил любовнице, но, думается, он съехидничал насчет вечных неудач Сони в соревнованиях, потому что Вера расплакалась. Рыдала она вполне искренне, конечно, ей было очень обидно из-за очередного проигрыша дочери, а слова начальника-любовника здорово ее задели. Она повторяла: «Как ты можешь так говорить? Сонечка во всех журналах, она не лузер! Она самая популярная детская модель России. Через неделю состоится конкурс «Юная красота», доченька успокоится, получит там Гран-при и подпишет контракт на поездку в Париж. Да, это совершенно точно. Вероятно, музыке надо учиться в Лондоне, а вот ворота в мир большой моды открываются исключительно в Париже. Соня совершенно не хотела в Нью-Йорк, она мне сказала перед финалом: «Мамочка, надо уступить поездку Григорьевой, для нее это единственный шанс». Девочка благородно подарила победу уродине Маринке, а потом, чтобы утешить Алису, у которой умерла бабушка, уступила Горюновой второе место».

Степан рассмеялся.

— Веселого мало, — вздохнула я, — некоторые матери ради воплощения в жизнь своих амбициозных планов на все пойдут.

— Видите, как полезно собрать информацию и обсудить случившееся, — отметил Степан. — Мы и раньше подозревали, что вас оклеветала Вера, а сейчас подозрения превращаются в уверенность. Старшая Яковлева неимоверно разозлилась на тех, кто, по ее мнению, лишил Софью короны, на председательницу жюри, на Аллу Константиновну, на Марину и Алису, и решила отомстить.

— Почему она сфокусировалась на мне? Судей было четверо, включая меня, — вздохнула я.

— Можете вспомнить, кто они? — спросил Степан.

Я взяла свой телефон.

— Записала их имена, чтобы не забыть. Олег Борисов, учитель танцев школы при холдинге «Красавица». Валентина Русина, завотделом моды журнала — устроителя соревнования, Михаил Воскин, участник реалити-шоу «Квартира» на канале «Весна».

Дмитриев возразил:

— Борисов и Русина известны лишь в своем кругу, фамилия Воскин тоже не раскручена, вы единственная звезда в этой компании. Кому нужны остальные? А вот у Арины Виоловой армия фанатов.

— Это сильное преувеличение, — смутилась я, — и Воскин лицо из телевизора, он известен.

— Сейчас проверим, — оживился Дмитриев и подозвал официантку. — Как вас зовут?

— Ира, — улыбнулась та.

— Отлично. Ирина, как вы относитесь к Воскину? — поинтересовался Степан.

— А кто это? — заморгала девушка.

— Михаил Воскин, — уточнил мой спутник.

— Без понятия, — пожала плечами официантка. — Он поет?

— Хорошо, — обрадовался Степан, — теперь скажите, знакомо ли вам имя Арина Виолова?

Ирина отступила на шаг от стола.

— Фиг ее знает. Телеведущая?

Я рассмеялась.

— Я что-то не так сказала? — расстроилась девушка.

— Нет, нет, — успокоила я Иру, — спасибо вам.

Она ушла, а я посмотрела на Степана.

— Слухи о моей популярности сильно преувеличены.

— Вовсе нет, — заспорил Дмитриев, — надо было у нее про Достоевского спросить, небось и про Федора Михайловича умница не знает. Но суть дела не меняется. В жюри вы одна достойна звания селебретис. «Говорун» мог клюнуть только на фамилию Виолова.

— Наша повар про Виолову знает! — радостно крикнула Ира, выходя из подсобного помещения.

— Ага! — заликовал Дмитриев. — И кто прав?

— Она фокусы показывает, — договорила официантка, — в цирке. Катька недавно в балаган ходила, тетка ей очень понравилась, не внешне, она старая и жирная, а как работает, распилила ящик с мужиком, ноги направо, торс налево. И голова дядьки улыбалась, пела.

Глаза Степана сузились.

— Спасибо, Ирина.

— Самой иногда охота своего мужа распилить, чтоб уж никогда не горланил больше в караоке, — добавила официантка и ушла.

Я уткнулась носом в чашку, попыталась сохранить серьезный вид, но не смогла и расхохоталась.

Глава 18

— Я почти убежден, что вас оклеветала Вера, — заговорил Степан, — но одной уверенности мало. Нужны доказательства, только тогда мы сможем загнать дамочку в угол. Виола, у вас сумочка открыта.

Я взяла ридикюль, висящий на спинке стула.

— Неудобный замок, если положить внутрь что-то крупнее телефона и пудреницы, сразу расстегивается. Сумочка! Степан, можете еще раз прочитать, что нашли на площадке лестницы, откуда упала Татьяна?

— Сейчас, — пообещал Дмитриев, — одна туфля черного цвета, дамская сумка, губная помада.

— Помада лежала внутри клатча? — уточнила я. — Цвет ее случайно не указан?

— Тюбик валялся неподалеку от туфли, — пояснил Степан, — колер «Малиновые губки», производитель фирма «Сюзанна».

— Ридикюль в момент обнаружения был открыт или закрыт? — не утихала я.

— Застегнут на пряжку. Внутри были телефон, пачка бумажных носовых платков, таблетки от головной боли, ключи предположительно от квартиры и кредитка в маленьком кармашке на молнии.

— Ясно, — кивнула я и услышала тихий звук, — вам письмо пришло.

Степан постучал пальцем по экрану планшета.

— Тэкс! Результат вскрытия Галины Сергеевны Петровой. Инфаркта нет, на редкость здоровая женщина была, могла бы еще много лет прожить, перед смертью приняла лошадиную дозу слабительного, в желудке обнаружен чай из клюквы и шиповника с медом.

— Слабительное не может убить человека, — удивилась я. — Татьяна сказала правду, она всего лишь хотела снять конкуренток дочери с конкурса, предполагала, что они не смогут выйти на сцену. Или, что еще хуже, убегут с нее в разгар финального выхода.

— Петрову убил яд, — продолжил Степан, — в отчете токсиколога указано: дили... мити... коло... дини... Выговорить название я не способен. До начала восьмидесятых этот самый дили... мити... широко применялся в производстве средств от крыс и мышей. Его выпускали в разных видах: порошок и раствор, последний применялся широко, в частности, им опрыскивали амбары, в которых хранилось зерно, был вариант и для жилых домов. Отрава называлась «Гранат».

— Почему так? — удивилась я. — Средство пахло фруктами?

Степан развел руками:

— Не знаю, может, ваше предположение верно. С названиями в советские времена было странно.

Меня всегда удивляло, что бензопила, очень хорошая, кстати, называлась «Дружба». Ну какая может быть дружба, если к тебе с бензопилой приближаются? В конце восьмидесятых «Гранат» признали опасным для здоровья человека, запретили применять во всех областях и сняли с производства. Но в Интернете можно черта лысого приобрести, ну-ка. «Гранат»! О! Пожалуйста! Доставят на дом любое количество, рекламируют как средство, которое любили наши бабушки.

— Посмотрите его состав, — посоветовала я.

— В нем этого дили... нет, — разочарованно протянул спустя короткое время Степан, — совсем другой состав: порошок коры асфанского дерева, корень мультилапки. Растительное сырье.

— Реалии современного бизнеса, — произнесла я, — производитель покупает название, хорошо известное народу, ну, например, печенье «Вкусное», копирует дизайн советской привычной обертки и начинает торговать товаром, который не имеет ничего общего с прежним. В старом было сливочное масло, в новом пальмовое, натуральная ваниль заменена на ароматизатор...

— Но в случае со средством «Гранат» все иначе, — возразил Степан, — теперь оно не токсично для человека.

— Не все изменения бывают к худшему, — согласилась я, — у меня сразу много вопросов появилось. Почему хотели отравить Алису? Кто решил убить девочку? Сомневаюсь, что Вера и Таня способны на это.

Дмитриев отодвинул планшет.

— Одна опшикала колготки едким спреем, вызывающим зуд, другая добавила в фляжку и бутылку с минералкой слабительное, обе дамы склонны к неблаговидным поступкам.

Я посмотрела на Степана:

— Убийство девочки нельзя назвать неблаговидным поступком, это тяжкое преступление, не всякий уголовник тронет подростка.

— Ключи были у Анюты Королевой и у обеих предприимчивых мамаш... — перечислил Степан.

— Кто-то еще мог, как Григорьева с Яковлевой, сделать копию, — перебила его я.

— В комнате раздевались только Марина, Алиса и Соня, — возразил Семен, — другим туда незачем заходить.

— Если только кому-то не потребовалось убить внучку Галины Сергеевны, — подчеркнула я. — Что могла натворить Алиса, чтобы вызвать столь сильную ненависть?

— Иногда хватает ерунды, — вздохнул Степан и взял зазвонивший телефон. — Да, да, обязательно сейчас? Ну... я подумаю.

— У вас срочные дела, — воскликнула я, — да и мне пора.

— Извините, — смутился Степан, — я не предполагал, что встречу вас, поэтому попросил одного человека приехать в офис. Разрешите вам позднее позвонить?

— Конечно, — улыбнулась я, — буду рада.

— Виола, не волнуйтесь, я найду доказательства того, что Яковлева оклеветала вас, — заверил Дмитриев. — Вере это с рук не сойдет.

Я хотела сказать Степану, чтобы он записал номер моего мобильного, но посмотрела на его айпад и передумала.

— Спасибо, очень неприятно оказаться обвиненной во взяточничестве безо всяких на то оснований.

Из кафе мы вышли вместе, Степан посадил меня в машину и вдруг спросил:

— Виола, надеюсь, вы не собираетесь ехать к Яковлевой выяснять отношения?

Я сделала самые честные глаза.

— Мне это даже в голову прийти не могло, да и времени нет, надо садиться за работу.

— Удачного дня, творческого вдохновения, — пожелал Степан, — звякну около девяти, не поздно? Вы жаворонок или сова?

— Жаросов, — засмеялась я, — встаю рано, ложусь поздно, иначе ничего не успеваю. Я сова, которая вынуждена петь жаворонком.

— Жаросов, — повторил Степан, — такое, кроме вас, никому не придумать.

Я помахала Дмитриеву рукой, влилась в поток машин, проехала по проспекту вперед, включила навигатор, вбила в него слова «Дом Соловьиная роща» и легла на курс. Хорошо, что теперь элитное жилье имеет имена. Степан, рассказывая о покупке любовником Вере квартиры, сообщил и название дома — «Соловьиная роща». Очень надеюсь, что Яковлева сейчас валяется на диване в халате и совершенно не ждет гостей.

* * *

«Соловьиная роща» оказалась совсем не так роскошна, как я предполагала, обычная многоэтажка, декорированная панелями, имитирующими красный кирпич. От собратьев ее отличали нарисованные на фасаде птички да большая вывеска над главным входом с надписью «Здесь живут счастливые соловьи».

Мне пришлось три раза объехать вокруг здания, чтобы найти свободное место, и приткнуть машину. Думается, местные соловушки могли стать еще счастливее, получи они личную парковку у подъезда. Я притулилась в соседнем переулке, хотела выйти и услышала тихое гудение, кто-то прислал мне письмо. Адрес отправителя был неизвестен, но в графе «тема» значилось: «от Степана». Не стоит удивляться тому, что Дмитриев узнал координаты моего почтового ящика, похоже, он способен добыть любую информацию.

Я открыла письмо.

«Виола! Решил, что вам будет интересно узнать кое-что про Анюту Королеву. Правая рука Аллы Константиновны, бессменный исполнительный организатор всех конкурсов «Девочка года», в семнадцать лет была осуждена за убийство своей соседки по комнате в студенческом общежитии педвуза, где училась на первом курсе. Преступление Королева совершила за неделю до своего совершеннолетия. Девушке впаяли шесть лет, она отсидела срок от звонка до звонка, отбывала наказание в колонии для взрослых, так как ей на момент объявления приговора исполнилось восемнадцать. В отличие от других зэчек Анюта твердо решила никогда более на зону не возвращаться. Все характеристики у нее за время заключения были идеальны, нет ни одного замечания. Королева ударно шила распашонки для младенцев, участвовала в художественной самодеятельности, редактировала стенгазету «Путь к свободе». Анюте посчастливилось попасть в образцово-показательный лагерь неподалеку от Москвы, там работал филиал одного из столичных вузов, при желании контингент мог получить высшее образование. Анюта не упустила свой шанс, вышла на свободу с чистой совестью и с дипломом журфака, устроилась на автобазу диспетчером. Должность явно не для человека, у кото-

рого за плечами институт, но бывшей зэчке найти
хорошее место сложно. Королева перебралась в район, где ее никто не знал, и нашла себе другую работу,
стала писать статьи в разные издания. Несколько лет
она была фрилансером, затем кропала материалы для
интернет-порталов, и в конце концов ее взяла к себе
Алла Константиновна. Сначала Королева исполняла
роль секретарши, подавала кофе, потом ее повысили
до личной помощницы Мироновой, и вот теперь она
организует конкурсы красоты «Девочка года». В анкете, заполненной при поступлении на работу в холдинг «Красавица», Анюта слегка приукрасила свою
биографию. Она указала: шесть лет училась на журфаке. Но ни словом не обмолвилась, что посещала
филиал вуза в казенном доме. В дипломе не указано,
где получено образование, «корочки» у Королевой,
как у всех студентов. О пребывании под судом она
тоже не сообщала. И последнее. Как Анюта убила со-
курсницу? Она ее столкнула с лестницы, перекинула
через перила на седьмом этаже.

Степан».

Глава 19

В подъезде у лифта за столом сидела женщина лет
шестидесяти, с упоением читавшая старый роман
Смоляковой.

— Вера Яковлева в какой квартире живет? —
спросила я.

— Сто двадцатая, пятнадцатый этаж, — не отрываясь от чтения, сообщила тетушка.

Я молча вошла в лифт и нажала на нужную кнопку, думая о том, как убедить Веру открыть мне дверь.
Яковлева посмотрит на экран домофона и мигом узнает меня... А кто впустит в свою квартиру челове-

ка, которому сделал гадость? Даже если он не очень крупная женщина и не держит в правой руке бейсбольную биту, а в левой камень? Приготовившись к долгому разговору через дверь, я нажала на белую клавишу на стене.

Из-за двери раздался сердитый голос:

— Опять приперлась! Что теперь? То я тапками по полу стучу, то у меня телевизор работает. Сколько можно приставать? Вам надо к психиатру обратиться. Или уехать жить в глухую деревню, в избу. Вот тогда никто над головой шуметь не будет. Надоели ваши бесконечные претензии...

Дверь в квартиру открылась, на пороге стояла взбешенная Яковлева. Увидев меня, Вера попятилась.

— Привет, это не вредная соседка, — произнесла я. — Как себя чувствуете? Поговорить надо.

Вера дернула дверь на себя, но я оказалась начеку и быстро всунула между створкой и косяком свою сумку. Мой вам совет, никогда не используйте для этой цели ногу. Тот, кто не хочет впускать гостя, может попытаться с силой захлопнуть дверь и травмирует вашу ступню, а в ней много мелких косточек, зарастают они долго, болят сильно. И голову совать в щель не стоит, в ней, правда, костей меньше, но все равно не надо. В качестве стопора лучше всего подходит ридикюль, даже небольшой клатч не позволит замку захлопнуться.

— Что вам надо? — взвизгнула Вера. — Отвалите! Я полицию вызову.

— Прекрасно, — улыбнулась я, — задам парням в форме вопрос: каким образом на полу лестничной площадки шестого этажа, откуда упала Татьяна, очутилась ваша губная помада «Малиновые губки» фирмы «Сюзанна».

— Ее там нет, — уже тише возразила Вера, — вы врете.

— Про тест ДНК слышали? — продолжала я. — Когда женщина красит губы, на помаде всегда остаются не видимые глазу капельки слюны и микроскопические чешуйки кожи.

Вера молчала, а я вдохновенно врала.

— Лаборатория уже установила, кому принадлежит тюбик. Я имею исчерпывающую информацию об убийце Татьяны. Хотите, чтобы мы прямо здесь говорили или впустите меня внутрь? Мне нетрудно объясняться на лестнице, но сейчас ваши соседи наблюдают за нами в свои домофоны. Камеры дают отличный обзор и звук.

Вера отпустила дверь.

— Входите.

— Мудрое решение, — одобрила я и очутилась в просторной прихожей, так богато украшенной позолотой, что хотелось зажмуриться.

Идея напугать Веру анализом ДНК сработала, я добилась своего, попала к ней в квартиру, но сейчас у хозяйки крикливо-роскошного интерьера пройдет первый шок и она спросит: «Разве в полицейской лаборатории есть моя ДНК для сравнения?» И мне придется с позором покинуть помещение. Надо срочно придумать, что ей на это ответить. Но Яковлева, похоже, не читает детективов, не смотрит криминальных телесериалов, она угрюмо молчит.

Я села без приглашения на обитую синтетическим бордовым бархатом скамеечку.

— Итак, помада. На шестом этаже, откуда упала пьяная Татьяна, нашли застегнутую на пряжку сумку Григорьевой. Главные слова здесь «застегнутую на пряжку». Будь ридикюль открытым, появление помады на полу никого бы не удивило, ежу понятно, что она вылетела из сумочки. Ан нет! Сумка не могла распахнуться от удара о плитку. У Тани был клатч с «язычком», просунутым в дырочку. Делаем логичный вывод: помада вывалилась не из торбы Григорьевой. Кроме того, если помните, Таня не пользовалась косметикой, за что ее резко осуждала дочь. До того как в раздевалке вспыхнул скандал между вами, Татьяной и Галиной Сергеевной, Анюта предложила мамашам привести себя в порядок, объяснила:

— Сегодня мы ожидаем журналистов, в зале поставят много камер, отчет о самом крупном мероприятии года даст не только журнал «Красавица», но и другие гламурные издания. Причешитесь и наложите макияж, вам надо достойно выглядеть.

Вера сразу схватилась за пудру и румяна, а Таня как сидела на стуле, так и осталась. Марина упрекнула мать:

«Выглядишь отстойно. Нанеси хотя бы тональный крем, посмотри, какая у тети Веры чудесная помада, цвет сезона «Малиновые губки». Почему себе не купишь такую?»

«Денег лишних нет», — протянула Татьяна.

Марина без спроса схватила ваш тюбик.

«Мама, она копеечная, фирма «Сюзанна», не «Шанель», не «Ланком». Но никто не поймет, сколько она стоит».

«У меня лихорадка выступила, — вяло засопротивлялась Татьяна, — от помады ее по всему лицу разнесет. Я сегодня даже не пудрилась».

Вы вспыхнули и сердито сказали:

«Марина, не смей брать чужое без спроса. Не твое дело, сколько моя косметика стоит. И если у кого-то герпес, то надо дома сидеть, а не в общественные места ходить, чтобы других заражать».

У Татьяны в день смерти при себе не было косметички. И откуда на полу ваша помада? Ответ. Владелица ее была на месте происшествия, уронила свою сумку, тюбик выпал из нее, а она убежала, не заметив потери. Вы злились на весь мир за третье место Сони, в душе кипела жажда мщения, поэтому вы столкнули Таню, чья дочь получила Гран-при. И по той же причине оболгали меня, придумали, что я брала взятку. В туалете вы разговаривали по телефону с двумя людьми. Я в кабинке слышала, как вы воскликнули: «Убью Таньку». И через некоторое время Григорьева, вот так совпадение, упала с шестого этажа.

Вера молчала.

У меня зацарапало в носу, я чихнула, уронила телефон, наклонилась, чтобы поднять его, увидела сапоги на подставке под вешалкой и продолжила:

— В тот момент, когда Миронова...

Трубка, опять оказавшаяся на моих коленях, звякнула, прилетела эсэмэска. Я быстро прочитала сообщение.

— Не так! — выпалила Вера. — Не так было.

— А как? — быстро спросила я.

Мой телефон снова издал тихий лязг, опять примчалось послание. Я пробежала по нему глазами.

— Не так, — повторила Яковлева, — это вранье! Губную помаду у меня украли! Потом подбросили! Вот! На служебную лестницу я не ходила.

Я с интересом посмотрела на Веру.

— Откуда вы знаете, что лестница служебная? Я не упоминала об этом, сказала: шестой этаж, там есть центральный холл, из него ведут вниз парадные мраморные ступеньки, прикрытые ковром. С чего вам в голову пришла мысль о лестнице, которой пользуются официанты и уборщицы?

Вера прислонилась к двери, на которой висела совсем не оригинальная табличка с писающим мальчиком.

— Ну... э... ну... э...

— Ну... э... ну... э... — повторила я, — не очень ваше объяснение понятно.

Глава 20

Вера схватила с полки у зеркала газету.

— «Сплетник» написал.

Я взяла издание.

— Выписываете его?

— Вот еще! — фыркнула Яковлева. — Не интересуюсь желтой прессой. Пошла утром в супермаркет, купила бульварный листок, думала, там есть информация о конкурсе.

— Хотели полюбоваться фотографией Марины в короне победительницы? — «ущипнула» я Яковлеву, изучая вторую полосу. — Вижу здесь статью о гибели Татьяны, о том, какие безобразия творились на конкурсе «Девочка года» и снова рассказ о полученной мною взятке. Красиво.

— Вы ее брали! — заорала Вера. — Есть свидетель! Она видела, как Танька вам тысячу баксов в заклеенном конверте всучила!

Мне стало смешно.

— Как таинственный свидетель мог увидеть купюры в запечатанном, по вашим словам, конверте?

Вера опешила, но быстро нашлась.

— Вы его вскрыли и вслух денежки пересчитали.

— Отлично, — кивнула я, — прямо при посторонних купюры на свет разглядывала? Однако я дура. Не замечала прежде за собой признаков хронической идиотии. Между прочим, в «Сплетнике» нет слова «служебная». Там написано «на шестом этаже». Повторяю вопрос: откуда вам известно про лестницу для персонала?

— Пошла на ... — заорала Яковлева, — уматывай!

— Анюта, — крикнула я, — выходите, хватит прятаться в санузле.

— Я дома одна, — соврала Вера.

Я показала пальцем на красивые сапожки в золотых заклепках, стоящие под вешалкой.

— Модная обувь от известной фирмы. Я хотела купить такие, но в магазине был только тридцать пятый размер. Судя по тапкам, в которые обуты, вы носите тридцать девятый. А вот эти прелестные ботильоны, при виде которых в моей душе проснулась элементарная женская зависть, годятся только для Золушки. Увы и ах, московские улицы не предназначены для ношения красивой обуви, в столицу России зима всегда приходит неожиданно, ну не ждут городские власти, что в декабре выпадет снег. Поэтому всякий раз, когда с неба летят белые хлопья, тротуары превращаются в непроходимые торосы. Владелице очаровательных «казаков» не повезло, она их поцарапала, видите, вот тут? Я еще вчера обратила внимание на обувь Анюты, а она пожаловалась, что, выходя из машины, напоролась на кусок льда и...

Дверь туалета открылась, появилась Королева.

— Отлично, — обрадовалась я, — главные действующие лица в сборе. Может, пройдем в комнату? Хотя мне и здесь удобно, я сижу на банкетке, а вам-то придется стоять, разговор у нас долгий.

Женщины переглянулись, Вера молча кивнула в сторону коридора.

— Туда.

Я расплылась в самой очаровательной улыбке, на которую только была способна.

— Ступайте первой.

Хозяйка двинулась вперед, и мы очутились в гостиной.

— Уютно у вас, — одобрила я, усаживаясь в одно из кресел. — Ну, не станем тратить время на светские беседы, я перейду сразу к сути дела. Вера, вы шантажировали Анюту ее уголовным прошлым?

На секунду в комнате воцарилась гнетущая тишина, первой опомнилась хозяйка дома.

— Она сидела за убийство? Впервые об этом слышу!

Несмотря на неприятный разговор, я рассмеялась:

— Разве из моих уст прозвучало слово «убийство»? Я выразилась иначе: «уголовное прошлое». На зоне содержатся воры, мошенники, нечистоплотные финансовые работники, там можно очутиться за неплатеж алиментов, проституцию. А вы сразу: убийство!

Яковлева прикусила губу, а Анюта заплакала.

— Я не хотела никого жизни лишать, это случайно получилось. Я была несовершеннолетней, давно исправилась, больше так никогда не поступлю.

— Вы столкнули подругу с лестницы, — напомнила я, — а мне сейчас на почту пришло сообщение, что эксперт, работавший с телом Татьяны, совершенно уверен: ее сбросили, она не сама с высоты рухнула. Криминалистика — точная наука, очень трудно обмануть специалиста. Григорьева погибла от чужой руки, как и девушка, за убийство которой вы отмотали срок.

— Нет, нет, — застучала ногами Анюта, — ну нет же! Простите... Вера... она... господи! Так трудно это объяснить! Цепь событий... Одно за другое цепляется... и не отпускает меня...

— У грехов детства и юности длинные руки, — продолжала я. — Думаешь, все давно забыто, а потом, раз! И встречаешься с кем-то из прошлой жизни, а он про тебя много неприглядного знает. Мне тут прислали еще одно письмо — с биографией Яковлевой. У Веры прекрасное образование, она училась на юридическом факультете, потом работала в суде. Интересное совпадение: когда Королева оказалась на скамье подсудимых, секретарем суда была Вера Яковлева. Она вас на конкурсе увидела и вспомнила. Однако это удивительно, не один год прошел.

Анюта вытерла лицо ладонью.

— Это я ее запомнила и до трясучки перепугалась. В суде меня в клетку посадили, представляете? На возвышении сидел судья, сбоку стол стоял, за ним девушка, такая серьезная, в костюме, белой блузе, красиво причесанная. Я на нее все время смотрела и думала: «Молодая, ну чуть старше меня, а уже секретарь суда. На большой должности. Вот она умная, а я дура, свою жизнь под откос пустила!» Мне с детства не везет. Права бабушка, когда говорит: «На тебе печать дьявола, сатана руку приложил». Видите, да?

Анюта показала на свою шею.

— Глупости, — не выдержала я, — это просто родимое пятно, незачем его стесняться. Если не будете акцентировать на нем внимание, посторонние люди не заметят его.

— У невуса форма отпечатка кошачьей лапы, — прошептала Анюта, — неспроста это. Удалить пятно нельзя, я обращалась в разные клиники, везде отказали, потому что оно в таком месте... Можно прикрыть родинку платком, шарфом, но у меня синдром нервного раздражения. Едва что-то обхватывает горло, я начинаю задыхаться, открывается тошнота, поэтому я всегда с расстегнутым воротником хожу. Не повезло со всех сторон.

Королева замолчала.

— Значит, на очередном конкурсе «Красавица года» вы увидели Веру Яковлеву и узнали ее, — резюмировала я.

Анюта вздрогнула.

— Не один год прошел, но она мало изменилась, ни на грамм не поправилась, морщинами не обзавелась... Мне в колонии было очень тяжело, каждый вечер ложилась спать и думала: «Сейчас гнию тут, а жизнь уходит. Та девушка из суда небось уже вверх шагает, а я вниз качусь». Первые месяцы я плакала, себя жалела, секретарь суда постоянно перед глазами стояла. Сижу за швейной машинкой, строчу тупые распашонки, а в голове штопором крутится: вот ты дура, зэчка, а та, из суда, сейчас с любимым человеком в кино... А потом вдруг я так разозлилась! Решила лучше ее стать, записалась на заочное обучение в вуз, старалась невероятно, цель поставила: вылезти из дерьма, стать круче той, из суда. Вера большую роль в моей судьбе сыграла, но она об этом не знала. Я многого в жизни добилась, когда снова с ней встретилась.

— Наверное, вы испугались? — вздохнула я. — Ведь не сообщили в анкете при приеме в холдинг «Красавица» о судимости.

Королева взмахнула рукой:

— Нет! Ни о чем таком я не думала, просто удивилась, что она так хорошо выглядит. А еще... мне очень захотелось показать ей, какая я нынче значимая особа. Я не могла ей напомнить, что находилась под судом, думала, Вера обо мне не помнит, сколько нас таких перед ней в клетке сидело. Но мне было необходимо продемонстрировать свое могущество.

Анюта опустила голову.

— Я обрадовалась, когда Соня на самом первом туре выступила неудачно, ей по жребию выпало очень нелепое платье, фасона «русалка», длинное, сильно зауженное книзу. У щиколоток оно напоминало бутылочное горло, а подол широкой оборкой спускался на пол. Даже опытные профессиональные манекенщицы в таком с трудом ходят, чего уж ждать от девочки-подростка. Соня упала на сцене, расплакалась, не смогла встать. Полный провал. По идее, ее надо было оставить за бортом, но я побежала к Алле Константиновне, сказала: «Яковлева перспективна, виновата одежда, такую нельзя использовать на конкурсах». Миронова согласилась, Соню допустили на второй тур. Ну и...

Анюта поникла.

— Сама я во всем виновата.

Глава 21

— Точно! — зло подхватила Вера. — Когда Сонечка шлепнулась, все мигом поняли: бедной девочке досталось отвратительное платье. Вопиющая несправедливость! Одни шагали в мини, другие в юбках с разрезами до задницы, а Соня в чем?! Я хотела прорваться к Алле Константиновне, устроить скандал, но не успела.

Яковлева бесцеремонно показала пальцем на съежившуюся Анюту:

— Она ко мне подлетела, давай трендеть: «Соню допускают на второй тур исключительно благодаря моему покровительству», мол, она тут самая главная. Миронова ничего не решает, она просто оплачивает счета, заправляет всем Анюта, как она захочет, так и будет, причем не только на конкурсе, но и во всем холдинге, с ней надо дружить, ее следует уважать, она всемогущая особа. Слушаю я ее карканье и думаю: чего ты хочешь? Денег? Говори уж сразу: сколько! И тут Анюта голову повернула, пятно видно стало. Я чуть не подпрыгнула. Лапа дьявола! Это же та самая убийца! Вон при каких обстоятельствах встретится снова довелось.

— Вы узнали подсудимую? — усомнилась я. — Наверное, будучи секретарем на заседаниях суда, каждый день видели преступников. Дело Анюты простое, она не маньяк со списком жертв. Неужели по сию пору вы помните всех, кто представал пред судейские очи?

— Конечно нет, — поморщилась Вера, — но Королева особенный случай. Я работала в суде год и очень устала. Не знаю, как прокуроры, судьи и адвокаты выдерживают негатив, который потоком льется, как они спокойно смотрят на отребье, которое на скамье подсудимых сидит. Меня это достало через месяц работы, больная домой приползала, осенью начала новое место подыскивать, решила навсегда с судебно-правовой системой завязать. Но нельзя же уволиться, не найдя хорошую службу? А, как назло, ничего достойного не попадалось, либо оклад копеечный, либо должность непрестижная. Сижу я на процессе Королевой, на нее поглядываю, думаю: «Вот дура! Всю жизнь себе поломала. Нет, я не такая, я умная, никогда ничего криминального не совершу, хорошо знаю, каково потом придется. Я из другой стаи». В принципе тихо все шло, по накатанным рельсам катило, и забыла бы я Королеву, но вдруг! Вскакивает в зале тетка и орет: «Гражданин судья! Дайте мне слово! Я ее мать! Посадите дочь на всю жизнь, пожалуйста!» Народ замер, обычно мамаши так себя не ведут, спросит их судья или прокурор о детях-преступниках, бабы елей льют, нахваливают убийц-насильников, поют, какие они распрекрасные. А тут небывалый случай.

Судья суровый был, за малейший шорох в зале людей карал, но, видно, и его речуга матери впечатлила, он ей разрешил говорить. И такое полилось! Истеричка заголосила: «На дочери печать дьявола. Вон отпечаток его лапы на шее, она с рождения испорчена, с двенадцати лет с мужиками за деньги спит, из дома ворует, врет всем! Если на свободе ее оставите, она не остановится, да она всех родичей убила, деда своего в могилу свела. На пятно смотрите, на пятно! Когда ее крестили, в церкви все свечи разом погасли. Батюшка купель опрокинул... Вот вы сейчас рядом с ней, и на вас проклятье дьявола перейдет». И давай какие-то церковные гимны петь. Охрана прибежала и мать Королевой вытурила, а я смотрю на шею Анны, и мороз пробирает. Пятно у подсудимой странное, реально отпечаток большой кошачьей лапы, неприятно как-то стало, и не только мне, смотрю, даже у судьи бровь задергалась, но он быстро в себя пришел, хотел что-то сказать, и тут Анюта поднимается и кричит: «Неправда! Мать меня всегда ненавидела. Я хорошая, я не дочь дьявола, вот пусть мне потолок на голову упадет, если вру. Пусть все сверху рухнет, если на мне печать сатаны!»

Королева закрыла лицо руками, а Яковлева продолжала:

— Не успела подсудимая рот захлопнуть... Ну не поверите! Через секунду обваливается здоровущий кусок лепнины, прямо позади судьи шлепается. Бабах! Сначала тишина в зале, потом те, кто поглазеть на процесс приперся, как ломанутся на выход. Прокурор с адвокатом тоже деру дали, судья побледнел, молотком по столу стучит, орет: «Здание ветхое, ремонт сто лет не делали, здесь постоянно что-то ломается». Но нет, все удрали, я тоже ушла, заявление об уходе накатала и в кадры сдала. Ясно теперь, почему я Анюту запомнила? Даже имя ее не забыла.

— Да уж, — кивнула я. — И как развивались события дальше?

Яковлева скрестила руки на груди.

— Ничего я Королевой сразу не сказала, кланялась ей в пояс, благодарила за помощь Сонечке.

Вечером позвонила приятелю, он хакер, попросила его залезть в отдел персонала журнала «Красавица», найти данные Королевой и прислать мне. Как и думала, там упоминания про пребывание на зоне не было, она указала, что в те годы училась в институте. Не соврала, на самом деле экзамены-зачеты сдавала, просто «забыла» сообщить, что получала высшее образование за решеткой. На следующий день мы с Анютой по душам покалякали и договорились: она делает Соню победительницей, обладательницей Гран-при, а я держу язык за зубами.

Вера покраснела и замолчала.

— Но бывшая зэчка подвела вас, — продолжила я, — правда, сначала все получилось, Соня оказалась в финале, а потом, упс! Анюта вовсе не всемогуща. Или она не захотела помочь шантажистке.

— Неправда, — испугалась Королева, — я старалась, как могла. После второго тура представила Соню Алле Константиновне как самую достойную кандидатку на победу. Все сделала для девочки. Обычно Миронова со мной соглашается, а тут заартачилась и отрубила: «Нет! Григорьева будет первой, со вторым-третьим местом я потом разберусь». А когда Галина Сергеевна умерла, Алла меня предупредила: «Вторая — Алиса! Хочу поддержать бедную девочку, пережившую огромный стресс». Я перепугалась. Что Вера предпримет, когда услышит, на каком месте ее дочь оказалась? Серебряная награда еще ничего, но бронзовая вообще позор.

— Ты могла на жюри надавить, — прошипела Вера. — Объяснить, как это делается?

Королева начала оправдываться:

— Судьи все, кроме вас, Виола, от холдинга «Красавица» зависят, так или иначе они с нами связаны. Иногда уже на кастинге я знаю, кто первое место займет. В прошлом году победила Маша Шаповалова, ребенок из бедной многодетной семьи. Никаких спонсоров за плечами у нее нет и не особенно яркие данные. Да только ее мать приходит к Алле три раза в день собачку прогуливать. Мало кому сей факт известен.

— Болонка, блин... — выругалась Вера.

— Председатель жюри всегда звезда, — неслась дальше Анюта, — но он ничего не решает, правда, наивный, думает, что рефери голосуют честно. Но в реальности процессом Алла рулит. Не стоит пытаться на жюри давить. Никто из его членов не станет конфликтовать с Мироновой. Я ничего не сказала Вере про третье место.

— Ага, — перебила Яковлева, — ни словечка. Я как дура жду, когда корону дочке на голову наденут, и получаю тряпкой по морде. Соня в слезы, я сначала ее утешала, потом заставила на банкет пойти и сама в зал зашла, а там Марина Григорьева розой цветет, перед журналистами выпендривается, то так повернется, то этак. Дочка опять зарыдала, я ее в комнату отдыха на втором этаже затолкала, велела сидеть молча, сама побежала Королеву искать, но ее нигде не было. И ведь звонила мерзавке сто раз, а дрянь трубку не брала, но я упорная, написала ей эсэмэску: «Не ответишь, пойду к Алле и расскажу про зону». Ну и поговорили, пока я в туалете была. Я и подумать не могла, что вы затаились в кабинке и меня слушаете.

— Отлично помню эту беседу, — подтвердила я. — Вы потом говорили: «Убью Таньку». Пошли на банкет, увидели на служебной лестнице Григорьеву и столкнули ее, со своей злостью не справились.

Хозяйка квартиры обхватила себя руками.

— Я была на втором этаже, вызвала лифт, он не едет, горит постоянно сигнал «занято». Вдруг Анюта появляется, а с ней стилист Костя. Королева давай дурочку валять.

— Ах, ах, Верочка, вы наверх? В банкетный зал?

Так хотелось ей по морде дать, но ведь не при Константине же! Я кивнула в ответ. Стилист достал карточку от лифта сотрудников.

— Я на пятый, давайте на служебном прокатимся, на общем народ с тусовки туда-сюда ездит, мы его никогда не дождемся.

Мы с Анютой вышли наверху, глядь! Туфля, сумочка... Я не сообразила, что к чему, а Королева к перилам подскочила, вниз посмотрела и прошептала:

— Верочка, Татьяна с собой покончила, она там лежит... мертвая.

Я не поверила, подошла к ней поближе:

— Еще чего придумаешь, чтобы разговора со мной избежать?

Королева за сердце схватилась, посинела прямо, я встревожилась, посмотрела вниз, жуть! Танька на асфальте в какой-то черной луже. Через секунду до меня дошло: это кровь. Я свой клатч уронила, он раскрылся, косметика по полу разлетелась. Стою в ступоре, не знаю, что делать. Потом смотрю, Анюта содержимое сумочки складывает, подает мне и говорит:

— Верочка, ступай в банкетный зал. Никому не говори, что видела, иначе нас с тобой заподозрить в убийстве могут. Зайди в туалет, попудрись, постарайся, чтобы тебя побольше народа увидело, а я Аллу Константиновну найду, на тусовке журналюг полно, нельзя, чтобы они про самоубийство Тани узнали. Не волнуйся, я сделаю так, что Соня получит самый лучший контракт. Знаешь, почему не удалось ее на первое место пропихнуть? Она незаконнорожденная, а агентство, которое работу в Нью-Йорке дает, щепетильное сверх меры. Через три недели к нам приедут французы, им на родителей наплевать. Париж лучше Америки, Соня стопроцентно поедет в столицу моды.

Меня смерть Тани оглушила, я послушалась Королеву, двинулась в туалет, на полпути позвонила дочке, спросила, как она там, предупредила, что через полчаса вернусь и мы домой поедем. А потом решила губы накрасить, но не нашла помаду. Вещи мои в клатч Анюта запихивала, она тюбик забыла. Но возвращаться за ней я не могла, шок от всего случился. Мы с Соней вскоре домой уехали, никакого шума из-за смерти Григорьевой тогда еще не поднялось. Я душ приняла, и соображалка включилась. В районе часа ночи позвонила Анюте и объявила: «Завтра все телевидение должно рассказать, что председательница жюри конкурса получила взятку. Она писательница, на ее имя журналисты клюнут». Королева занудила про поздний час, про то, что она не успеет, а я добавила: «Еще и в газете нужна статья. Если завтра ничего в новостях не услышу, через пару дней там объявят, что в холдинге «Красавица» работает убийца. И еще расскажут про смерть Галины Сергеевны, про то, как труп тайком увезли, про кончину Григорьевой. Мы с дочкой уходили, и никто о Татьяне ничего не знал. Что, опять писательница помогла? Снова своего приятеля вызвала! Все всем растрезвоню!» Анюта мне в девять утра звякнула: «Верочка, сегодня «Говорун» об Арине Виоловой объявит, через день еще по пяти каналам новость пройдет».

— Что? — подпрыгнула я. — Анюта, немедленно остановите вал клеветы.

Королева начала мять в руке край своего пуловера.

— Виола... э... не беспокойтесь. Мне только с «Говоруном» договориться удалось.

— Тварь, — заорала Вера, бросаясь к Королевой, — врунья мерзкая! Приперлась сейчас ко мне с рассказом, как она устроила, что Сонечку в Париж отправят. Опять лгала? Хватит, лопнуло мое терпение! Всем расскажу про тебя, убийцу! Это ты бабку Петрову и Таньку жизни лишила.

— Нет! — оторопела Анюта.

— Да, — затопала ногами Вера. — Кто один раз человека на тот свет отправил, черту перешел, снова и снова убивать станет!

— Шантажистка! — пошла в разнос Анюта.

— А ты преступница! Весь ваш конкурс купленный! — вопила Вера.

— Воровка! — припечатала Королева.

— Кто? — оторопела Яковлева.

— Ты! — захохотала Анюта. — Сперла медали Галины Сергеевны!

Глава 22

Я стукнула кулаком по столу.

— Стоп! Теперь обе замолчите и отвечайте только на мои вопросы. Что за медали, Анюта?!

Королева вытащила из кармана джинсов махрушку и стянула растрепавшиеся волосы в хвост.

— После первого тура осталось тридцать девочек. Алла всех собрала и лекцию прочитала о том, как дальнейший отбор пойдет. В частности, показала на Алису и заявила: «Горюнова, у тебя лишний вес, волосы и зубы в плохом состоянии. Да, ты прошла начальное испытание, но случилось это лишь потому, что большинство претенденток оказались хуже тебя. Но сейчас здесь группа из лучших девушек. Если не похудеешь и не займешься прической, на третий тур не попадешь, не говоря уже о финальном испытании. У тебя неделя до старта следующего этапа. Старайся или очутишься за чертой. Правда, не знаю, что ты с прикусом сделаешь! Странно, что родители тебе брекеты не надели.

На второй тур конкурса Алиса явилась на два размера меньше, с прекрасными локонами и необыкновенным мелированием. Стало понятно: девочка побывала в руках очень дорогого стилиста и диетолога. Но ошеломила нас ее улыбка. Алиса открыла рот, и я дара речи лишилась. Ровные белые крупные зубы! Голливудский смайл. Другие участницы тоже это отметили, зашептались. Ко мне подошли мамаши и сказали:

— По условиям конкурса запрещены наращенные волосы, импланты в груди, а у Горюновой вставная челюсть.

Я начала расспрашивать Галину Сергеевну, та сделала квадратные глаза.

— Вон чего наболтали! Вставная челюсть! Глупее ничего не придумали? Виниры Лисе сделали, выровняли зубки накладками. Это разрешено, у половины участниц брекеты.

Я объяснила скандальным мамочкам суть вопроса. Виниры не импланты, они не под запретом. Уж не знаю, кто первый из участниц или их родителей приклеил Алисе кличку Щелкунчик. Но я неоднократно слышала, как Марина Григорьева при виде Горюновой шипела: «Вон красота шлепает, вставная челюсть Щелкунчика на кривых ногах». Потом кто-то положил на столик Алисы большую мармеладку в виде зубного протеза, девочка обиделась, заплакала. Я строго всех предупредила: еще раз услышу от кого слова «вставная челюсть Щелкунчика», сниму с конкурса за дурное поведение. А сама все думала: Горюновы совсем не богаты, у них трое детей. Откуда средства на виниры и дорогого стилиста? Меня это удивило, но не встревожило. Родители, у которых идея-фикс сделать из ребенка звезду модельного бизнеса, могут квартиру продать, чтобы оплатить всякие процедуры. Знаю одну мать, которая удалила дочери два ребра, чтобы у нее талия стала как у Барби. И потеря девочкой веса меня поразила. Между первым и вторым туром прошла всего неделя. Семь дней подростки готовились: занимались танцами, отрабатывали походку, много еще всего. Поскольку конкурсантки — школьницы, а мы не хотели обвинений от учителей, которые поднимут хай: мол, дети забросили учебу, журнал «Красавица» им не разрешает уроки посещать. Поэтому мы занятия проводили после семнадцати часов и до ночи работали. Алиса уйдет домой, в ней шестьдесят кило, а назавтра! Пятьдесят восемь! Пятьдесят пять! Пятьдесят! Девочка таяла, как мороженое под утюгом. Достичь такого эффекта можно лишь одним путем, делая уколы сильного лекарства «Цифритан». Он запрещен и в Европе, и в Америке, и у нас. Но всегда найдутся люди, готовые достать вам что угодно. «Анталазин», употребляемый некоторыми моделями, детский лепет по сравнению с «Цифританом». Если Галина Сергеевна приобрела инъекции, она убивает внучку. Беседовать с бабушкой бессмысленно, та все отрицать станет. Я придумала, что родителям надо написать, как они готовятся к конкурсу, отправила матерей Григорьевой, Яковлевой и бабушку Горюновой в свой кабинет, выдала им кипу листков. Марине с Соней велела идти на примерку прически, а сама отправилась к оставшейся в одиночестве Алисе и велела рассказать правду о том, как она добилась такой быстрой потери веса. Девочка сначала не желала отвечать, но я ее предупредила: «Не хочешь разговаривать? О'кей. Это твой выбор. А мое право снять тебя с конкурса». Часто грожу конкурсанткам за неправильное поведение карательной мерой, они пугаются и берутся за ум. Но никогда не видела, чтобы кто-то так запаниковал. Алиса упала на колени, затвердила: «Меня бабушка убьет. Я должна получить призовое место, без него нельзя даже думать о бале. Лекарств я не пью, никаких. Честное слово! Посещаю центр Лауры Кузнецовой». Вот тут у меня челюсть и отвалилась.

— Враки! — подпрыгнула Вера. — Брехня на ветер! Лаура, конечно, творит чудеса, но к ней простому человеку не попасть.

— О ком идет речь? — не поняла я.

— Лаура Кузнецова — владелица элитного медцентра, — пустилась в объяснения Яковлева, — туда обращаются, когда требуется в короткий срок стать прекрасной. Ну, например, перед свадьбой, Новым годом, ответственным свиданием. За неделю она из бегемота русалку делает.

— Ее клиника набита суперсовременной аппаратурой, — перебила Веру Анюта, — аппарат ай-липо, на нем за сеанс два сантиметра с талии и бедер уходит. Моделирующий массаж тела с применением лазера. Электростимуляция. Центрифуга, внутрь которой человека запихивают, раскручивают, специальным образом сдавливают. За десять минут три кило в минус. Аэрощетка еще.

— Кишечные электропилюли, — подхватила Вера, — ам на ночь одну, она на маленькую пуговицу похожа, утром встала на весы. Ба! Еще кило нет.

Бинты с китайскими травами. Тело заворачивают, как мумию, в ленты, пропитанные особым составом, опускают в ванну, подогревают...

Меня стало подташнивать.

— Хватит, я поняла. Участницам конкурса разрешено пользоваться услугами Лауры?

Анюта развела руками:

— О ее клинике в наших правилах нет ни слова. Об употреблении лекарств, БАДов, вызывающих потерю веса, целая страница. Все категорически запрещено. Про Кузнецову упоминаний нет.

— Почему? — задала я сам собой напрашивающийся вопрос.

— Один день у нее стоит несколько тысяч евро, — ответила Королева. — В голову не пришло, что кто-то из родителей на такие расходы пойдет. Психов среди матерей полно, но это уж слишком. И у Лауры условие: минимум неделя работы. Если вам за двое суток результат необходим, Кузнецова его добьется, но вы оплатите семь дней. Клиенты Лауры люди очень обеспеченные. Она отлично зарабатывает, и хобби у нее непростое, собирает китайскую живопись, не современную, старинную. Раз в году она устраивает в своей домашней галерее благотворительный прием, демонстрирует основную часть коллекции, новые приобретения. Билет на вход стоит уйму долларов. К Лауре со всего света съезжаются богатые и знаменитые, увлеченные искусством Китая. Ее собрание считается уникальным, застраховано на рекордную сумму. Весь сбор от тусовки Лаура всегда передает в фонд больных детей, она оплачивает лечение малышей, обгоревших в пожарах. Говорят, сама, будучи ребенком, сильно обожглась, долго лечилась. Не знаю, так это или нет. На лице, шее, руках у нее шрамов нет, а тело ее я без одежды не видела. Но, какой бы ни являлась мотивация Кузнецовой, хорошо, что она помогает несчастным деткам.

Я Алисе не поверила, — продолжала Анюта, — засмеялась: «Дорогуша, любое вранье должно хоть чуть-чуть походить на правду. Твоя бабушка ходит в дешевом пуховике, с сумкой из тряпки. Откуда у вашей семьи такие деньги? Ты колешь «Цифритан». Снимаю тебя с соревнований». У Алисы хлынули слезы, она схватила сумку Галины Сергеевны, вытащила оттуда маленький мешочек, открыла его и сунула мне под нос.

— Вот! Мы не нищие! Знаете, что это такое?

Я вынула содержимое, передо мной была тонкая, размером с десятирублевую монету, круглая вещь, похоже, из натурального перламутра, на ней имелась, уж не знаю каким способом вырезанная, картинка: дородный азиат пьет чай. Я не специалист ни в живописи, ни в миниатюрах, но почему-то сразу поняла: эта штука баснословно дорогая. И она такая красивая, прямо завораживает, мастер, который ее делал, был гений. Я не удержалась и воскликнула:

— Боже! Глаз не оторвать.

Алиса быстро спрятала мешочек на место.

— Один китайский император, имя его не помню, награждал своих подданных такими медалями. Это было жуть как давно. Медалек он сделал мало, сейчас каждая кучу денег стоит. Муж моей бабушки собирал их всю жизнь, у него коллекция была, на каждой своя картинка, они не повторяются. Лаура много денег за свою работу требует, бабушка ей вместо евро медаль предложила. Кузнецова согласилась, она со мной работает, поэтому я быстро худею.

Я дух перевела и спросила:

— Лиса, Лаура всегда берет плату вперед. Значит, Галина Сергеевна с ней уже рассчиталась, зачем твоя бабушка в сумке такую ценность держит?

Алиса ответила:

— Не знаю. Мы сюда на метро ездим, встречаемся на платформе. Когда я сегодня в раздевалке очутилась, бабушка из лифчика мешочек вытащила и в сумочку сунула. Она думала, что я не вижу, спиной к ней сидела. Но я все видела в зеркало. Бабка приказала мне никуда не уходить, пока она не вернется, и ушла по вашему приказу писать, как мы к конкурсам готовимся. Мне любопытно стало, что она так бережет? Что она боится в подземке в сумке везти? Там влегкую поклажу сопрут. Ну и залезла в ее кошелку. А когда вы меня в уколах обвинять стали, нищей обозвали, я так обиделась, что решила показать медальку и... Ой! Пожалуйста! Не говорите бабуле, что я растрепала ее тайну! Ой! Что я наделала! Бабушка понятия не имеет, что я про медали знаю. Не выдавайте меня! Меня накажут! Я случайно все выяснила. Ой, ой!

И давай рыдать.

Глава 23

Королева стала накручивать на палец прядь волос.

— Я прямо растерялась, потом велела Алисе никуда из раздевалки не уходить, сидеть там до прихода Галины Сергеевны. Вышла в коридор под большим впечатлением, вот оно что! У Горюновых-то такие ценности есть. Чтобы слегка прийти в себя, я отошла к окну покурить, оно в самом конце коридора, где тот делает резкий поворот. То есть мне не видно дверь в раздевалку, а тому, кто с другой стороны к ней подходит, не заметно человека у окна. Стою, дымлю втихаря в форточку. Лаура Кузнецова! Надо же! Я ее хорошо знаю, она давняя подруга Аллы Константиновны, с незапамятных времен у них нежные отношения, чуть ли не со школы, они обе из одного городка, названия его не помню, из какого-то медвежьего угла в Москву перебрались, бизнес вместе начали и преуспели. В общем, причесываю мысли, вдруг слышу шаги, скрип двери, голос Алисы:

— Ой, простите, тетя Вера, не хотела вас дверью ударить.

Яковлева в ответ:

— Ну ты же не знала, что я снаружи за ручку схватилась.

— Вы уже все написали? — полюбопытствовала Алиса.

— Да, Галина Сергеевна еще возится, — раздалось в ответ. — А ты куда собралась?

— Очень в туалет надо. Тетя Вера, посидите, пожалуйста, в раздевалке, — попросила девочка, — у бабушки в сумке много денег, вдруг кто войдет и кошелек сопрет.

— Беги уж, пока не описалась, — засмеялась мать Сони.

Дверь хлопнула, опять послышался звук шагов. Я окурок выбросила и ушла по своим делам. А через полчаса мне звонит наш стилист Амалия Генриховна.

— Анюта, зайдите скорей в раздевалку к Горюновой, там скандал какой-то, Алиса рыдает.

Я рысью в указанном направлении полетела, вбегаю в гримерку, Лиса в слезах, одна щека красная, прямо свекольная, понятно, что ей пощечин надавали. Галина Сергеевна, наоборот, вся белая. Спрашиваю, что случилось, девочка шепчет:

— У бабушки украли...

Галина Сергеевна как даст ей изо всей силы кулаком по спине.

— Замолчи! Не волнуйтесь, Анюта, кто-то утащил мои часы наручные, оставила их на столике, возвращаюсь, их нет. Ерунда, часики копеечные, они мне как память дороги были, покойный муж подарил. Не беспокойтесь, все хорошо, зря вас кликнули. Я Алису отругала за глупость, нельзя помещение нараспашку оставлять. А она пошла в туалет, хоть ей велели не покидать комнату. Сто раз глупышке твердила: если в раздевалке никого из своих нет, жди, пока кто-нибудь придет, и только тогда можешь отлучиться. Народу много, тут и уборщицы, и рабочие сцены, и зрители из зала могут за кулисы пролезть. А у нас вещи, кошельки, вон, у Марины с Соней айпады дорогие. Если их сопрут, неприятно будет! Но Алиса в одно ухо мои слова впустила, в другое выпустила. Убежала, дверь не заперла!

— У меня ключа нет, бабушка, — всхлипнула Алиса, — я только на пять минут отошла, живот скрутило, ну прямо не вытерпеть. И здесь тетя Вера Яковлева осталась, она мне пообещала, что моего возвращения подождет, а сама ушла. Бабушка, прости, прости, прости. Я лучше всех на балу буду! Честное слово! Я тебя не подведу! И точно победительницей конкурса стану. Не будет как с Егором Барским!

Галина Сергеевна подняла руку, Алиса вжала голову в плечи, но бабушка погладила ее по волосам.

— Успокойся. Я тебя не за часы ругала, а за непослушание и глупость. Анюта, Алиса очень расстроилась, давай рыдать, и тут Амалия Генриховна увидела истерику внучки и убежала, вас кликнула. Амалия прекрасный человек, но она излишне эмоциональна, со мной не поговорила, все не так поняла, вас побеспокоила. Забудьте, дорогая. Внучка больше так никогда не поступит. Да?

— Да, — прошептала девочка.

— Всего-то ерундовые часики украли, — повторила Петрова. — Да?

— Да, — лепечет внучка, — непременно поеду на бал, не будет беды, как с Егором Барским.

Я возьми и спроси:

— Что за бал? Кто такой Егор Барский?

У Галины Сергеевны лицо потемнело, пальцы в кулаки сжались, без слов понятно стало: она хочет надавать внучке оплеух, но старуха сдержалась, заулыбалась.

— В школе у Алисы намечается праздничный вечер. Мы с ней договорились: если она не получит призовое место, то не идет на праздник. Коли попадет в тройку финалисток, тогда отправится на танцульки. Егор Барский одноклассник Алисы, он заработал в полугодии кучу двоек, родители запретили лентяю и хулигану веселиться на празднике. И это правильно! Прямо не мальчик, а беда, его следует наказать. Анюта, дорогая, не нервничайте, зря Амалия Генриховна всполошилась, всего-то часики пропали, правда, они дороги мне как память.

Я сделала вид, что поверила ей, и ушла, но мне было ясно: из-за часов, пусть даже и умершим мужем когда-то подаренных, так себя не ведут. У Галины руки тряслись. Глупая девочка пошла в туалет, попросила Веру покараулить сумку бабки, наврала ей, что там много денег, а Вера...

— Я ничего не брала! — закричала Яковлева. — Не способна на гадость.

— Обрызганные средством для чесотки колготки не в счет? — напомнила я.

— Это другое! — возмутилась Яковлева. — Конкурентная борьба! Но воровать? Никогда! Не заглядывала в торбу Петровой. А если представить теоретически, что я засунула в нее нос, то откуда мне знать про китайские медали? Я бы подумала, что вижу какую-то фигню копеечную. Галина Сергеевна не выглядела человеком, у которого водятся ценные вещи.

— Но вы ушли из раздевалки, не стали дожидаться возвращения девочки, — напомнила я, — это подозрительно. Алиса всего-то пошла в туалет. Отчего вы ее не подождали?

— А потому, что криворукая гримерша уронила Соне на плечо горячую плойку! — заорала Вера. — Не успела Алиска уйти, моя девонька звонит, рыдает. Конечно, я побежала к своей кисоньке! А вы бы остались чужое барахло стеречь, когда ребенку плохо?! Хотите знать мое мнение? Алиска наврала про ценную вещь, показала Анюте хрень пластмассовую. К Лауре Кузнецовой Горюнова не ходила. Ей «Цифритан» кололи. Анюта, тебя вокруг пальца обвели, а ты поверила, разрешила пакостнице участвовать в конкурсе! И она получила второе место. Теперь будет на своем балу блистать. Галина много врала, думаю, что вечеринка с одноклассниками очередная ее ложь. Я слышала пару раз, как Алиса, стоя в кулисе, перед выходом на сцену шептала себе под нос: «Помни, на бал приглашают только тех, кто стал победительницей конкурса, надо стараться, надо стараться, надо стараться». Она эти слова как молитву твердила. И зачем так ради вечеринки в школе нервничать? О другом каком-то торжестве речь шла. Набрехала Петрова Анюте.

У меня запищал телефон, я посмотрела на экран и увидела очередное сообщение от Степана. «Вы не устали разговаривать с Яковлевой? Предлагаю поесть в хорошем месте».

Глава 23

— Как вы догадались, что я у Веры? — удивилась я, когда мы со Степаном вошли в зал ресторана.

— Сам бы туда порулил, — усмехнулся Дмитриев, — не удержался. Расскажете, что узнали?

— Давайте сначала закажем еду, — ушла я от прямого ответа. — Что здесь самое вкусное? Часто сюда заходите?

— Впервые заглянул, — ответил Степан, — приятель посоветовал, по его словам, это лучший трактир столицы.

— Народу у них нет, — отметила я, — правда, и зал крохотный, всего четыре столика, но никто, кроме нас, не зашел сюда поесть.

— Разве это плохо? — потер руки Степан. — Не люблю толчею. А вы?

— Тоже не в восторге от толпы, — согласилась я.

— Отлично, — обрадовался Дмитриев, — значит, мы попали куда надо. И где официант?

Послышался шорох, к нам приблизился мужчина лет семидесяти, одетый во фрак.

— Добрый вечер, господа! Рад приветствовать вас в единственном в мире эстетическом ресторане. Я Густав, моя задача сделать пребывание гостей комфортным. Итак. Сегодня предлагается...

— Нельзя ли меню, — попросил Степан, — трудно на слух воспринимать названия.

— А ля карт у нас не работает, — пояснил Густав, — каждый день готовится определенный набор. Выбора нет.

— Комплексный обед, — сказала я.

На лице официанта появилось выражение ужаса.

— О нет! Мы эстетический ресторан. Это значит, что кроме перфектного качества еды блюда оформлены наилучшим образом. В нашем заведении ничто не оскорбит ваш вкус, глаз, нюх. Праздник для всех органов чувств. Безукоризненная подача. Великолепный дизайн пространства, посуды, и аристократический демократизм. То, что все гости вкушают одно и то же, сплачивает их, делает друзьями. Сейчас в зале временно пусто, но обычно очередь стоит в три ряда. К комплексному обеду мы относимся с пониманием, бизнес-ланч необходим определенной категории людей, он дешев и быстро подается. Но у нас эстетический ресторан со своей концепцией. Итак. Сегодня вашему вниманию представят: комплимент от шефа, потом оливье, суп-лапша куриная, котлеты из курицы с картофельным пюре, чай, торт медовик. Из напитков вода без газа, вино красное сухое. Мне велеть начинать готовку?

— Прямо, как дома у мамы, — хмыкнул Степан, — припомнить не могу, когда ел оливье.

— Лапша куриная, это что-то из детства, — улыбнулась я. — Раиса регулярно ее варила, в обед полагалось слопать суп, а кусок цыпленка шел на ужин.

— Моя мать поступала так же, — кивнул Степан. — Вы, похоже, не имели богатых родителей, росли, как я, в бедной семье.

— Мы были нищими, — вздохнула я, — Раиса изо всех сил старалась заработать, мыла полы в подъездах, бегала со шваброй по чужим квартирам, но неквалифицированный труд плохо оплачивался.

— Моя мама работала бухгалтером, — разоткровенничался в ответ Степан, — оклад небольшой, вкусную еду мы пробовали только на Новый год.

Густав тихо кашлянул, Дмитриев осекся.

— Да, конечно, готовьте.

— Надеюсь, вы располагаете свободным временем, — торжественно объявил официант, — наш шеф не терпит суеты.

— Я никуда не тороплюсь, — сказал Степан.

— Я тоже совершенно свободна, — подтвердила я.

— Странно, что Вера впустила вас. Что она сказала, увидев на пороге женщину, на которую возвела напраслину? — поинтересовался Степан, когда Густав величаво удалился.

— Просто мне повезло, Яковлева открыла дверь, не посмотрев на домофон, у нее не совсем нормальная соседка снизу, постоянно приходит и устраивает скандалы. Вера подумала, что та опять к ней ломится, решила разобраться, — пояснила я и пересказала Дмитриеву свой разговор с Яковлевой и Королевой.

Степан умел слушать, он ни разу не перебил меня, заговорил лишь после того, как я замолчала.

— Интересная история. Однако возникает несколько вопросов. Галина Сергеевна страстно хотела, чтобы внучка стала одной из победительниц конкурса? И ей было все равно, какое место займет Алиса?

— Перед последним днем конкурса Галина Сергеевна приехала ко мне домой, — вздохнула я, — нашла в Интернете адрес и, похоже, подумала: раз уж мы с ней в торговом центре в кафе столкнулись, надо ковать железо, пока горячо. Сначала Петрова умоляла меня посодействовать Алисе в получении Гран-при, но потом снизила планку, сказала, если не выйдет главную награду забрать, то пусть хоть второе-третье место девочке присудят. Стало понятно, что ей нужна для внучки медаль, абы какая: «золото», «серебро», «бронза»... Свое желание Галина весьма разумно объяснила: Лиса плохо учится, талантами не блещет. В институт или техникум ей никогда не попасть, к творческим профессиям вроде стилиста, дизайнера у девочки предрасположенности нет. Зато она высокая, вполне подходит на роль манекенщицы, вот Галина Сергеевна и решила подталкивать Алису в этом направлении, сказала: «Побегает по подиуму и выгодно замуж выйдет». А девочка один раз при мне обмолвилась, что, если не займет призовое место, ее не пригласят на бал и Галина Сергеевна накажет внучку. Я поняла, что участие в конкурсе затеяно ради какой-то тусовки. Анюте старуха насвистела про то, что не пустит внучку на школьную вечеринку. Но, похоже, речь шла о другом мероприятии. Мне в голову пришел бал дебютанток, может, Горюнова хотела отправить на него Алису?

— Маловероятно, — не согласился Степан, — упомянутое мероприятие одно из главных у светских людей Москвы, туда приглашают исключительно девочек из богатых и знаменитых семей. Для таких, как Алиса, вход на этот бал закрыт. Речь шла о другом празднике, но он, похоже, имеет очень важное значение для Горюновых, раз они так стремились сделать Лису одной из победительниц конкурса. Бабушка водила ее в клинику Лауры Кузнецовой? У Петровой был ценный антиквариат? Верится в это с трудом. И вы ранее говорили, что Лиса сказала: «Иначе будет, как с Егором Барским». Кто это такой?

— Вроде одноклассник Горюновой, — ответила я.

Степан взял телефон.

— Привет, это опять я. Да уж, давно не беседовали и вообще редко разговариваем, сегодня только девятый раз. Расскажи-ка мне о финансовом положении семьи Галины Сергеевны Петровой, Екатерины и Алексея Горюновых. Нет, не все. Еще нарой, что удастся, о каких-то древнекитайских медалях из перламутра. Вроде их император вручал особо отличившимся подданным. Отлично. Жду.

Дмитриев положил трубку на стол.

— Сейчас узнаем, сколько у них денег. И выясним, существуют ли раритетные китайские медали. Я пару раз сталкивался с Лаурой и уверен, что она не тот человек, который станет работать бесплатно. У Кузнецовой строгое правило: сначала деньги — потом стулья. Эх! Склероз подкрадывается.

Дмитриев опять схватил трубку.

— Забыл сказать. Проверь, посещала ли центр Лауры Кузнецовой Алиса Горюнова. И затем выясни, кто такой Егор Барский. Вроде он учится в одном классе с девочкой. Пока да. Работай.

Степан посмотрел на меня:

— Второй вопрос, возникший после вашего рассказа. Но прежде, чем задать его, поинтересуюсь. Помните, кто из присутствовавших, Татьяна или Вера, подначили Галину Сергеевну осушить фляжку? Кто из них затеял разговор об «Анталазине» и довел Петрову до того, что она схватилась за емкость?

Я напрягла память:

— Обе хороши, и та и другая вели себя безобразно, устроили скандал на пустом месте.

— Виола, всегда есть кто-то, бросивший камень первым, — заметил Степан, — тот, кто кинул спичку в лужу с бензином. Можете вспомнить, кем была произнесена фраза, вроде: «Докажите, что в напитке нет «Анталазина», выпейте все содержимое фляги».

Я призадумалась.

— Татьяной! Мать Марины подбила Галину Сергеевну выпить отвар. Петрова сначала объяснила:

«Я сварила его специально для внучки, ей надо пить чай из клюквы, облепихи, лимона. Он стимулирует обмен веществ».

Но Таня не успокаивалась, раздувала свару, а потом ехидно сказала, что в содержимом фляжки лошадиная доза запрещенного лекарства, поэтому Петрова не пьет отвар.

И тут же влезла со своими замечаниями Вера. Яковлева и Григорьева друг друга терпеть не могли, да и понятно почему, у них дочки — соперницы, но во время того разговора они выступили единым фронтом, заклевали Петрову, и та выпила отвар. Но заводилой и первой скрипкой являлась Татьяна, Вера исполняла роль подпевалы.

Степан начал вертеть вилку.

— Интересно, зачем Таня так себя вела?

— Она хотела потрепать нервы Галине Сергеевне, а главное, Алисе, — объяснила я. — Григорьева надеялась, что девочка разнервничается из-за обвинений в приеме «Анталазина» и не сможет хорошо выступить...

— Вы не поняли, — остановил меня Дмитриев, — Таня налила во флягу лошадиную дозу слабительного, оно предназначалось Алисе, для Сони Григорьева приготовила минеральную воду.

Глава 24

— Верно, — согласилась я, — Татьяна призналась в этом, она хотела, чтобы у Алисы и Сони во время выступления схватило живот. Девочки бы помчались в туалет, а по правилам конкурса участница, которая убежала со сцены, независимо от того, что побудило ее это сделать, мгновенно снимается с соревнований. У Марины были только две серьезные соперницы, остальные сильно отставали по очкам, вот заботливая мамаша и решила вымостить для своей малышки дорогу в счастливое будущее, вернее, залить ее слабительным. Марина несколько лет участвует в конкурсах, но, как Соня, постоянно оказывается без короны, занимает вторые места. Поэтому Таня и решила действовать активно.

— Кто из участниц на момент, когда Галина отравилась, подобрался ближе всех к заветной короне? — заинтересовался Дмитриев.

— Они шли, как говорят жокеи, ноздря в ноздрю, разрыв в баллах был минимальный, — пояснила я, — все должно было решиться на последнем выходе, в нем участвовало шесть девушек.

— А теперь объясните, зачем подливать отраву в отвар? — спросил Степан. — Ни малейшей логики в действии Татьяны нет. Григорьева хочет сделать дочь королевой красоты, она успешно добавила во флягу слабительное, ей не о чем тревожиться, девочки убегут в туалет, цель будет достигнута. К чему яд? С какой стати лишать жизни Алису? Ну представьте, что произойдет, когда девочка выпьет токсичное содержимое фляги? Внучка Галины упадет замертво, перепуганная бабушка вызовет «Скорую». Врачи, увидев, что девочка скончалась, тут же кликнут полицию. Конкурс прервут, затеется расследование, победа Марины отложится на неопределенное время. Разве это в интересах Григорьевой? И ее доченька может оказаться глубоко шокированной уходом из жизни сверстницы, заработает нервный срыв и, повторяю, не сможет (если конкурс, несмотря на смерть Алисы, продолжится) успешно пройти испытание. Татьяна уже вбухала в отвар слабительное! Она что, сначала решила приковать девочек к унитазу, а потом изменила решение в отношении Алисы и задумала ее отравить? Именно Горюнову Григорьева считала основной соперницей? Ее одну? Согласитесь, это глупо.

Раздался скрип, около нашего стола появился Густав.

— Вкусный хлебушек, — объявил он, устанавливая соусник в центр стола, — к нему шпроты. Это комплимент от шефа перед салатом «Оливье».

— Отлично, — потер руки Степан, — несите.

— Все уже перед вами, — расплылся в улыбке официант, — вот две ложки, пробуйте, наслаждайтесь. Фредерико, наш шеф, сегодня в ударе.

— Где хлеб? — не поняла я. — Шпроты... Здесь один соусник.

— Поскольку вы находитесь впервые в нашем ресторане, дам необходимые пояснения, — заявил Густав. — К нам приходят те, кто ждет интересных гастрономических открытий, праздника вкуса, отточенной элегантной сервировки, необычной подачи блюд. Минуточку!

Жестом фокусника Густав достал из-за спины тарелку, прикрытую крышкой, и поставил ее на стол.

— Прошу. У каждой нашей перемены блюд имеется название. Это «Дружба», потому что ничто так не скрепляет отношения, как совместная еда.

Густав поднял руку над головой и сделал кистью движение дирижера, который велит оркестру начать играть.

С потолка полилась песня: «Славное море — священный Байкал, славный корабль — омулевая бочка, эй, баргузин, пошевеливай вал, молодцу плыть недалечко»[1]. Официант торжественно поднял над тарелкой серебряную высокую крышку. Мы со Степаном уставились на еду. На большом круглом блюде лежали две корочки черного хлеба, сверху на каждой виднелось нечто крошечное, светло-коричне-

---

[1] Слова Дмитрия Давыдова, музыку к песне сочинили заключенные с Нерчинских рудников. Их имена неизвестны, поэтому песня считается народной.

вое, размером со спичечную головку. В руке Густава непостижимым образом оказался длинный пинцет, с помощью подобного владельцы черепах кормят своих любимиц. Официант ловко подцепил один «бутерброд», переместил его на мою тарелку, затем положил второй Степану, капнул из соусника что-то белое и, сказав:

— Прошу вас, — величаво удалился.

Я захихикала:

— Помните, Буратино, сидя в трактире, заказал три корочки хлеба, а нам дали две.

Дмитриев осторожно взял «сэндвич».

— Это комплимент, поэтому он микроскопический. Ну и как вам на вкус?

— Не поняла, что проглотила, — призналась я, — уж очень маленькая порция. А соус просто сметана.

— Зато оливье принесут в тазу, — утешил меня Степан и взял свой заигравший экраном телефон, — да, говори.

К столику неслышным шагом подкрался Густав с бутылкой минералки в руке. На горлышко было надето нечто, здорово смахивающее на соску.

— Разрешите налить воды? — шепотом осведомился официант.

— Спасибо, — тихо ответила я, — и моему спутнику тоже. Но у нас нет бокалов.

Густав сделал быстрый жест рукой, и около моей тарелки очутилось нечто, похожее на хрустальный наперсток. Я не поняла, где официант прятал сей предмет и откуда он его выудил. Сладко улыбаясь, Густав наклонил бутылку, встряхнул ее, из соски в «стакан» выпало несколько капель.

— Вода с гор Индонезии, — объяснил он, — в ней море витаминов, микроэлементов и никакой калорийности. Прошу вас.

Глядя в спину уплывающего официанта, я взяла наперсток и поднесла его ко рту.

— Вас ист дас? — удивился Степан, закончив беседу.

— Минералка, — засмеялась я, — три капли. Гармоничное дополнение к двум корочкам хлеба с крошками из шпрот. Вы уверены, что это ресторан для людей? Вероятно, это трактир для хомячков.

— Они просто оригинальничают с бесплатной закуской и оттопыривают мизинец при подаче минералки, — усмехнулся Степан, — дойдет дело до нашего заказа, получим нормальные порции. Мой приятель очень рекомендовал это заведение. Давайте продолжим разговор о Григорьевой. Зачем ей убивать Алису? Смысла нет.

— В крови Галины Сергеевны нашли отраву для мышей-крыс, — напомнила я.

— И слабительное, — добавил Дмитриев. — Где логика? Сначала влить в отвар средство для поноса, а затем добавлять яд? Зачем слабительное, если человек должен умереть? И по какой причине Татьяна, заведя разговор об «Анталазине», вынудила Галину Сергеевну опустошить флягу. По идее, ей следовало сделать так, чтобы настой выпила Алиса и засела в туалете. Именно она соперница Марины, а не бабушка. Есть версии о том, что случилось в раздевалке?

— Да, — воскликнула я, — в двери простой замок, открыть его легко. И кто-то, как Татьяна и Вера, мог сделать копию ключа Анюты. Комната периодически остается пустой. В один из таких моментов преступник тайком проник в нее и добавил в питье яд. Устранить хотели Алису, но отвар выпила Галина Сергеевна.

— Которую к этому старательно подталкивала Таня, налившая в содержимое слабительное для соперницы Марины, — повторил Степан, — ну это странно. По идее Григорьевой следовало отнять у Галины фляжку, а потом передать ее Алисе и пропеть: «Начинай, дорогая, это тебе нужнее, чем бабушке». Тане вообще не стоило устраивать скандал из-за «Анталазина». Ее цель заставить Лису выпить слабительное! Но в нашем-то случае было по-другому. Таня вынуждает Галину выпить витаминный чай. А на сцену-то выходить Алисе!

— Мы ходим по кругу, — протянула я, — можно сделать вывод: мать Григорьевой не виновата в смерти Галины. Она всего лишь хотела убрать с дороги Алису. Вы правы, зачем подливать слабительное тому, кого решила убить? Бабушка никак не мешала Марине получить корону. В комнату тайком проник посторонний, он не знал про слабительные капли и подмешал яд в питье. Отрава адресовалась Алисе. Почему? Понятия не имею. Кого-то она сильно задела. За кулисами конкурса нервная обстановка, девочки друг друга ненавидят. Может, Лиса кому-то гадость сказала? В качестве яда использовали раствор «Гранат», он хранится десятилетиями, у какого-то запасливого человека яд был спрятан еще с советских времен.

— Откуда вы знаете про свойства этого средства? — удивился Степан.

Я на секунду умолкла, но потом решила ответить честно:

— Мое детство прошло в бедном районе, я росла сиротой на попечении Раисы, которую считала родной тетей. Наша квартира находилась на втором этаже пятиэтажки, а на первом располагалась пельменная. Не очень приятное соседство. Посетителями заведения были в основном мужики, работавшие на расположенном неподалеку мясокомбинате, они приносили с собой водку и разливали ее под столиками. Ни кассирша, ни заведующий против этого не возражали, им же следовало план сдавать по выручке. Из-за пьяниц у нас в подъезде вечно грязь была и запах соответствующий. Но хуже всего были крысы, которые из пельменной лезли в нашу халупу. Я их жуть как боялась! Раиса травила грызунов, но они никак не уходили, а потом тетка где-то раздобыла здоровенную канистру «Граната», и мы избавились от непрошеных гостей. На тот момент мне исполнилось лет семь. Так вот, емкость с отравой Раиса спрятала на антресоли, долгие годы сама ею пользовалась и отливала соседкам. «Гранат» не портится, — приговаривала она, — убойная вещь».

— Сейчас этот яд производят из растительного сырья. Не знаю, насколько он действенен, — вставил свое слово Степан, — а Галину Сергеевну убили с помощью старого раствора, которым пользовалась ваша тетя, в нем основное вещество дили... тили... нет, я не могу его произнести. Думаете, у кого-то остались запасы с тех лет?

— Да, — кивнула я, — россияне бережливы, если порыться у наших мужчин в гаражах, там такое отыскать можно! Алиса кому-то нагрубила, а человек обозлился, взял из загашника «Гранат» и подлил девочке в отвар. Почему Таня подначила Галину Сергеевну выпить содержимое фляжки, если слабительное адресовалось Алисе? Думаю, Григорьева просто впала в истерику, ее понесло по кочкам, она на самом деле пребывала в уверенности, что в витаминном снадобье есть «Анталазин», и сорвалась. По логике, ей никак нельзя было подталкивать Галину пить из фляги. Но о какой логике может идти речь, если в тебе кипит бешенство, желание вывести Петрову на чистую воду, снять Алису с конкурса. Вот Татьяна и пошла вразнос, остались одни неконтролируемые эмоции, а они очень плохие советчики. Не будь во фляжке слабительного, я сочла бы старшую Григорьеву убийцей Галины. Уж очень она приставала к ней, подталкивая ее выпить чаек. Но наличие в нем лекарства заставляет думать, что Галина случайная жертва, убить намеревались Алису.

— Ваш ход мыслей интересен и, вполне вероятно, правилен, — согласился Степан, открывая планшетник. — Отлично! Есть информация про деньги Петровой-Горюновых, мой человек нарыл нужные сведения. Так, оглашаю. Галина Сергеевна получает скромную пенсию, живет отдельно от дочери и зятя в небольшой квартире. Автомобиля не имеет. На ее имя открыт счет в банке, на него ежемесячно переводятся гроши от государства. Пятого числа Галина снимает всю сумму и следующие тридцать дней в кассу не обращается. Так поступают многие старики, им привычнее тратить наличку, пластик они считают ненадежным. Вероятно, у Галины Сергеевны имелись «смертные» сбережения, спрятанные в шкафу в белье. Хочется надеяться, что дочь помогала матери, но у Катерины собственных средств нет. С рождением Светланы она ушла с работы, стала домашней хозяйкой. Кате, чтобы подбросить матери деньжат, надо клянчить их у мужа, но вы видели, как в день смерти Галины Сергеевны Алексей запустил на балконе своей квартиры фейерверк, слышали его вопль: «Ура! Теща умерла». Сомнительно, что этот тип отсыпал Петровой щедрой рукой деньги на содержание. Ну, может, давал тысячу-другую раз в полгода. Даже обеспеченные парни не очень склонны баловать авторитарных тещ, а, судя по вашим рассказам, Галина командовала Алисой, она принадлежала к числу женщин-полковников, у нее была простая жизненная позиция: есть два мнения, одно мое, правильное, второе чужое, всегда неверное.

Глава 25

— Похоже на то, — согласилась я.

— Алексей владеет автомастерской, — продолжил Степан, — предприятие приносит небольшую прибыль, но копеечка у парня водится. Не очень понятно, на какие средства он приобрел свой бизнес. Горюнов ничего не продавал, наследства не получал, но смог найти стартовый капитал.

— Взял кредит? — предположила я.

— Официально нет, — возразил Степан, — но он мог обратиться к ростовщику, и если это так, то Алексей выплачивает каждый месяц немалую сумму, и, значит, семья живет напряженно, Галине Сергеевне дочь помогать не могла. У бабушки тоже не должно быть в достатке шуршащих купюр. И вот тут начинается самое интересное. У Горюновых, как нам известно, трое детей. Никита — вундеркинд, обучается в колледже «Архимед». Школьники, получившие там образование, потом легко поступают в самые престижные институты страны. За талантливыми ребятами наблюдают и представители зарубежных вузов, они могут предложить понравившемуся абитуриенту стипендию. «Архимед» — не государственное учреждение, его спонсирует Георгий Петровский. В учебное заведение попадают только одаренные в области точных наук дети. Таланты в сфере литературы, музыки и прочей культуры Петровскому не нужны. Попасть в «Архимед» сложно, еще труднее там удержаться, у педагогов очень высокие требования. Никите Горюнову удалось преодолеть вступительный экзамен, и он считается одним из лучших учеников. Внимание! Едва Никита пошел на занятия, как Алексей Горюнов положил на свой счет тридцать тысяч евро, которые он принес наличкой. Понимаете, да?

— Конечно, — кивнула я, — налоговая инспекция не может откусить от этих денег даже крошки, если Алексею предъявят претензии, он спокойно скажет: «Мне вернули долг».

— Верно, — улыбнулся Дмитриев. — Но прочувствуйте момент. Двадцать пятого июня педсовет «Архимеда» зачисляет Никиту в ученики, мальчик с первого сентября садится за парту в новом классе. А двадцать шестого того же месяца у Алексея Горюнова откуда-то берутся деньги.

— Думаете, отцу заплатили за перевод сына в колледж? — засмеялась я. — Это из области фантастики. Скорей уж Алексею пришлось бы отстегнуть деньги за прием сына в элитную школу, гарантирующую поступление в престижные вузы, причем не только в России.

— Мне ничего точно не известно, — заметил Степан, — просто я обратил внимание на совпадение по датам. Вернемся к Галине Сергеевне. Откуда у нее средства на оплату услуг Лауры? Есть счет на круглую сумму, выставленный Кузнецовой, его закрыла бабушка Горюновой, имеется служебная пометка «Оплачено полностью, VIP-клиент, скидка на дальнейшие услуги пять процентов».

— Оливье, — громогласно объявил Густав, в зале опять заиграла музыка, но теперь звучала «Камаринская плясовая».

— Изобретенный французом салат привезли в Россию солдаты Наполеона, и он быстро стал любимой едой как крестьян, так и дворян, — продолжил официант.

Я опустила голову и молча стала наблюдать, как Густав расставляет на столе разные миски. Понятия не имею, как оливье добрался до Москвы, но сомневаюсь, что солдаты Бонапарта таскали в своих ранцах кастрюльки с этим кушаньем.

— Наш шеф готовит самый правильный салат по рецепту самого Кутузова, — декламировал тем временем старичок во фраке.

— Михаил Илларионович не воевал на стороне Наполеона, — напомнил Степан.

Густав замер над очередной плошкой.

— Конечно нет. Но во время совета в Филях Бонапарт угощал всех оливье и повар Кутузова записал рецепт.

— Ага, — кивнул Дмитриев, взял со стола льняную салфетку и стал пристраивать ее на своем колене.

А я решила объяснить Густаву, что он не совсем прав.

— Во время упомянутого вами совета в Филях Наполеон ждал, когда москвичи принесут ему ключи от своего города, его не было в избе вместе с...

Официант бесцеремонно перебил меня:

— Оливье составляется на ваших глазах. Берем овощи, мясо, яйца...

Руки Густава замелькали с калейдоскопической быстротой, я не успела кашлянуть, как на большой плоской тарелке передо мной оказались: одна зеленая горошина, одинокий кружок отварной моркови, тоненький, словно папиросная бумага, кусочек докторской колбасы, восьмая часть крутого яйца, колечко репчатого лука, кубик отварной картошки. Все это было разложено по краям тарелки. Густав взял кондитерский мешок.

— Здесь домашний майонез, сейчас...

Густав выдавил из мешка белую полоску и написал ею в центре посуды буквы Е.Н.Г.

— Обратите внимание на лично шефом придуманную подачу блюда, — произнес официант, проделывая то же самое для Степана, — нигде более этого не увидите.

— Согласен, такого я еще не встречал, — хмыкнул Дмитриев. — Аббревиатура Е.Н.Г., учитывая рождественские каникулы, означает Елка Новый Год?

— Нет, нет, — возразил Густав, — это Егор Николаевич Гнусов, наш хозяин. Посмотрите на декор зала, на стенах, на потолке медальоны с его монограммой, и дверь украшена резьбой в виде инициалов владельца.

Мы со Степаном завертели головами по сторонам.

— Приятного аппетита, — пожелал Густав и пошагал в сторону коридора, но я остановила его.

— Простите, можно кусок хлеба.

Старик замер, обернулся и переспросил:

— Хлеба?

— Да, — почему-то смутилась я, — белого.

— К оливье? — ужаснулся Густав. — К французскому блюду? Нарезной батон?

Я ощутила себя лаптем в плисовых штанах, окончательно сконфузилась, но придумала выход из положения.

— К куриному супу.

— В нем есть лапша, — отбрил Густав, — она и хлеб это как сахар и мед, вместе съесть их невозможно.

— Дама желает батон, — подал голос Степан. — В чем проблемы?

— Сейчас исполним в лучшем виде, — пообещал официант.

— Не люблю майонез, никогда его не ем, — призналась я, увидев, что Густав покинул зал.

— Я тоже не фанат жирного соуса, — согласился мой спутник, — Е.Н.Г., Егор Николаевич Гнусов! Ну теперь понятно.

— Что? — полюбопытствовала я, разглядывая содержимое своей тарелки.

— Человек, активно советующий мне зайти в сие заведение, женат на Анне Егоровне Гнусовой, — пояснил Дмитриев, — похоже, ее папенька владеет этим злачным местом.

Я осторожно подцепила кусочек морковки вилкой и отправила его в рот.

— Это просто отварная морковь. И картофель самый обычный, горошина из банки. Колбасу я не ем и яйца не особенно люблю.

— Отдайте мне, — попросил Степан, — в обмен на овощи. Порции тут неприлично крошечные, надеюсь, что суп нальют литровым половником.

— Где Галина Сергеевна нашла деньги на шлифовку фигуры Алисы? — вернулась я к прерванному разговору. — Для простой московской пенсионерки даже тысяча евро заоблачная сумма.

— А ее зять где-то добыл тридцать штук европейской валюты, — подхватил Степан, — крайне странно. Теперь о китайских медалях, одну из которых Алиса показала Королевой. В эпоху государства Мин, это примерно тысяча триста семидесятый год, правитель Чжу Юаньчжан вручал своим отличившимся подданным круглые медальоны из перламутра, на которых мастер вырезал сцену из жизни награждаемого. Сколько подобных знаков отличия изготовили по приказу Чжу, точно не известно. Коллекционеры и музеи мечтают получить хоть один, но ни в одном частном крупном собрании их не было, по информации моего человека. Более того, полагали, что большинство медалей давно утеряны, сохранилось лишь несколько штук в крупнейших музеях мира, и... в хранилище скромного советского городка Нарганск, там хранилось шесть этих раритетов. Как перламутровые знаки отличия попали в провинциальный городок России, равноудаленный как от Китая, так и от Москвы? Как вообще стало известно, что они там есть?

Нарганск жил за счет мужского монастыря, где висела чудотворная икона, приложиться к которой приезжало много народа. Паломникам требовался приют, еда, поэтому коренные жители сдавали комнаты и готовили обеды-ужины для богомольцев.

Крохотный музей Нарганска стоял впритык к монастырскому комплексу, и кое-кто из приезжих любопытства ради заглядывал в его залы. Единственный сотрудник хранилища, экскурсовод, он же директор Константин Чашкин с удовольствием показывал посетителям экспозицию. Правда, ничего особо интересного в ней не было. Но завершался поход визитом в тщательно запертую комнату. Константин открывал дверь, подводил посетителей к витрине, рассказывал о китайском правителе Чжу, который, будучи простым крестьянином, поднял восстание против монголов-завоевателей, победил их и сделал Китай снова независимым государством. Но паломников, заходивших в музей исключительно потому, что тот находился около монастыря, совершенно не интересовала китайская история. Поняв, что им ничего не расскажут о православии, не покажут икон и божественных книг, люди теряли интерес, и тогда Константин выкладывал свой главный козырь. Он показывал ящик с медалями, сообщал, что является единственным наследником правителя Чжу. Перламутровые награды — его личная, а не музейная собственность. Но Чашкин хотел, чтобы народ любовался на произведения рук великих древних мастеров, поэтому показывает миниатюры экскурсантам.

Константин походил на китайца, как заяц на кастрюлю, в Нарганске его считали безобидным шизиком, правда, никто над Чашкиным не смеялся, но и его болтовню про медали всерьез не воспринимали. Вероятно, за пределами крохотного городишки никто бы никогда и не узнал о ценностях из Поднебесной, но в конце шестидесятых в местечке вспыхнул страшный пожар, унесший жизни большинства жителей, включая монахов. Музей погиб в огне, вместе с ним сгинули и экспонаты. Местные менты сообразили, что всепожирающее пламя само по себе не возникло, его кто-то разжег. Долго преступника не искали, его нашли чуть ли не на следующий день после возбуждения дела. Им оказался один из послушников монастыря Михаил Чашкин, сын директора музея. Коммунистические власти не любили церковь и использовали любой повод, чтобы объяснить населению: попы жадные, мерзкие люди, обирающие наивный народ, зарабатывающие на продаже свечек и всякой ерунды. Местные газетчики мигом состряпали разоблачительный репортаж с броским заголовком «Убийца в рясе». Статью перепечатала областная газета, вскоре тот же материал опубликовала и центральная пресса.

Автор публикации подробно изложил, как обстояло дело. Михаил Чашкин, несмотря на юный возраст, был запойным пьяницей. Чтобы наставить сына на путь истинный, отец попросил настоятеля присмотреть за отбившимся от рук парнем. Михаила взяли в монастырь, но справиться с его дурными наклонностями братья не смогли. Тот воровал вино для причастия, деньги, которые жертвовали паломники, а потом решил уехать в большой город. На осуществление плана покорения столицы потребовалась солидная сумма. Где изыскать средства тунеядцу? Михаил ночью, взяв свечу, залез в музей, он замыслил украсть медали, чтобы продать их в Москве коллекционеру, но, поскольку находился подшофе, уронил подсвечник. Изба, в которой располагался музей, вмиг вспыхнула, за ней занялся и монастырь, тоже построенный из дерева, потом цепочкой запылала вся улица, в Нарганске почти не было каменных зданий. Сын Чашкина спалил город, но и сам погиб в огне. Его отец Константин задохнулся в своем кабинете в дыму, в живых осталась лишь сестра Михаила, которая была в школе. Последняя часть статьи посвящалась рассказу о том, каких уникальных ценностей — китайских медалей — лишились из-за послушника советские люди, и говорилось о предках директора музея, оставивших ему в наследство уникумы.

Глава 26

— Нестыковочка, — остановила я Степана, — если Михаил залез ночью в хранилище и пожар начался от уроненной им свечи, то как его сестра могла в это время сидеть на занятиях, а отец в кабинете? Они должны были спать дома.

— В репортаже много ляпов, — согласился Степан. — Как журналистка могла узнать о поездке Михаила в Москву? Он что, воскрес, дал ей интервью о планах насчет встречи с коллекционером и опять умер. Репортерше дали задание, объяснили, как нужно написать материал, чтобы свалить вину на сына директора, кто-то хотел сделать виновным в трагедии послушника монастыря. Ложь живуча, мы узнали о медалях и о беде в Нарганске все из той же статьи, подписанной «Г. Сергеева». Мой сотрудник отыскал газету в архиве. Более никаких упоминаний о перламутровых китайских медалях нет. Нарганские уникумы сгинули в огне. А теперь они вроде бы появились у Галины Петровой, которая решила отдать часть ценностей Лауре Кузнецовой в качестве платы за эстетические услуги для Алисы.

— Иначе она не поедет на бал и случится беда, как с Егором Барским, — добавила я. — Кто он такой, этот Барский? Почему Алиса упомянула его? Галина Сергеевна объяснила Анюте, что мальчик двоечник. которого не пустят на праздник из-за плохих отметок. Но нам понятно, что таинственный бал состоится не в школе. Хотя, может, Егор и впрямь одноклассник Горюновой. Некоторые родители любят твердить детям: «Учись хорошо, а то станешь, как Петя Иванов, хулиганом». Можно проверить, учится ли с Алисой Егор Барский? Если нет, то кто он такой? Отчества паренька мы не знаем, года рождения, местожительства тоже, но фамилия редкая. И вы уже просили своего помощника нарыть что-нибудь о мальчике.

— Мой человек над этим вопросом работает, — кивнул Степан. — О! Вот и еда.

Я повернула голову и увидела Густава, который шествовал к столу с большим подносом.

— Суп-лапша куриная, — с придыханием объявил он, снимая тарелки, — и ваши тосты.

Я посмотрела на блюдечко, поставленное у моей правой руки, на нем лежал небольшой сухарик, на котором снова были выложены буквы Е.Н.Г., но на сей раз не майонезом, а, похоже, мягким сливочным маслом.

— Где суп? — растерянно спросил Дмитриев, завершивший телефонную беседу. — Тарелка пустая.

— Посмотрите внимательно, — прожурчал Густав, — там, прямо посередине, бульончик.

Я прищурилась: в небольшом, размером с чайную ложку, углублении желтела жидкость. Густав положил на скатерть коктейльные трубочки.

— Куриный бульон лучше вкушать не ложкой. Наслаждайтесь.

Степан быстро втянул в себя суп.

— А где лапша?

Я поковыряла трубочкой в бульоне.

— Вот! У меня есть одна штука, вам не повезло, однако...

Продолжить я не смогла, меня начал душить смех.

— Прикольная харчевня, — тоже развеселился Дмитриев. — Густав!

— К вашим услугам, — тут же воскликнул официант, выныривая из недр заведения.

— Мы хотим рассчитаться, — заявил Степан.

— Уже съели супчик? — поразился Густав.

Я взглянула на официанта. Он что, издевается?

— Обычно гости сидят долго, — продолжал лакей, — но у вас еще котлеты, чай, медовик, и вино я пока не подавал, оно ко второму идет.

— Мы торопимся, — остановил его Степан.

— Понял, — кивнул Густав, — сейчас составлю счет, но платить придется за все, я не могу вычесть несъеденное.

У Степана снова замигал телефон, мой спутник начал беседовать, а я молча смотрела по сторонам.

— Вот, пожалуйста, — заявил Густав, укладывая на стол кожаную папочку.

Я взяла ее и обомлела.

— Двадцать пять тысяч? Вероятно, вы ошиблись, хотели написать две пятьсот?

Официант прочистил горло.

— Разрешите объяснить.

Степан положил мобильный на скатерть.

— Подбили итог? Прекрасно. Сколько? Ого! Интересно! Наверное, это описка?

Густав взял листок.

— Позвольте растолковать. Открытие двери ресторана — тысяча.

Я потрясла головой:

— Но мы сами ее открыли, швейцара не было.

— Верно, — согласился Густав, — его уволили, чтобы не ввергать клиента в лишний расход. При наличии швейцара услуга обходилась в трешку.

— Ага, а за что мы платим? — заинтересовался Степан. — Швейцара нет, я сам створку открыл.

— Амортизация дверной коробки, доводчика, замка и ручки, — пояснил Густав, — далее. Проход до столика тысяча для одной пары.

— Мы шли собственными ногами, — хмыкнул Дмитриев, — нас не несли в балдахине.

— А протоп ковра? — прищурился официант. — На дорогом персидском покрытии от подошв образуются залысины, и его необходимо регулярно чистить.

Я не поверила своим ушам, Степан засмеялся.

— Вопросы по поводу использования скатерти, посуды, столовых приборов, салфеток и цветка в вазе у меня отпали.

Я выхватила у Дмитриева счет.

— Закуска из черного хлеба со шпротами пять тысяч? За две корочки с крошками не пойми чего? За салат семь? И почему у вас так интересно расписано: кусок моркови — пятьсот рублей, картошки — четыреста, майонез — девятьсот. Обычно цена указывается целиком за блюдо!

Густав закатил глаза:

— Боже Всемогущий, пошли мне терпения. Наши клиенты всегда требуют разъяснений, поэтому мы, чтобы избежать конфликтов, подробнейшим образом расписываем позиции.

— Музыкальное сопровождение потянуло на солидную сумму, — захохотал Степан, — оливье — три тыщи, суп... ой, не могу!

— А во время выноса лапши музыка не играла, — возмутилась я.

Густав всплеснул руками:

— Забыл включить!

— Вычеркивайте, — потребовала я. — А что такое износ официанта?

Густав потупился:

— Ковер протаптывается, а человек изнашивается. Я хожу туда-сюда, нагружаю суставы, позвоночник, вот сейчас кучу нервов трачу, объясняя вам расценки. Мой износ стоит всего две тысячи. Разве это дорого?

— Спуск воды в туалете! — огласил Степан.

— Сейчас везде счетчики стоят, — потупился официант, — циферки в них так и скачут, так и скачут.

— Мы в сортир не ходили, — рассердилась я.

— Но вы же еще не ушли, — улыбнулся Густав, — еще посетите кабину отдохновения и грез.

— В принципе верно, — согласился Степан.

Я схватила его за руку.

— Смотри! Утилизация унитаза — триста, рукомойника — двести, бумажное полотенце — сто пятьдесят, туалетная бумага (квадрат пять на пять сантиметров) шестьдесят, слив воды пятьсот, одна доза мыла триста. Ни за что не пойдем в их сортир.

— Однако ты рачительная, — ухмыльнулся Степан. — Очень интересно, как вы выясняете, сколько пипифакса использовал клиент? Вдруг он оторвет больше?

— Невозможно, — залучился улыбкой Густав, — прежде чем устроиться в месте уединенного созерцания, нужно приобрести жетоны, они опускаются в прорези, и вы получаете дозу мыла, один квадрат бумаги прекрасного качества и так далее.

— Весьма разумно, — одобрил Степан.

— Удаляем эту позицию, — решительно заявила я. — И последний казус: чаевые три тысячи!

— Десять процентов, — пожал плечами Густав, — общепринятая практика, за проявленную мной любовь, заботу и понимание.

— Я не сильна в математике, но одна десятая от двадцати пяти составляет две пятьсот, — прошипела я, — и в счете уже один раз есть чаевые!

— Где? — изумился Густав.

Я показала пальцем на строчку:

— Вот.

— Это мой износ, — возразил официант, — сумма падает в карман хозяина. Чаевые оказываются в моих руках, я их откладываю на черный день.

Степан вынул кошелек и протянул Густаву кредитку.

— Нет, — остановила я метнувшегося было к кассе лакея, — сначала скорректируйте сумму, уберите из нее туалет и музыку при подаче супа.

— Вилка, ты на редкость скаредная девица, — развеселился Степан.

— А ты транжира, готовый отдать деньги за протоп коридора и износ коленей дедушки Густава, — разозлилась я, — больше никогда не появлюсь в этом заведении.

— Не все так плохо, — остановил меня Степан. — Хорошо, что мы сюда зарулили.

— Ты живешь по принципу: жаль, тут поели, за углом-то на тыщу дороже, — фыркнула я, — думала, времена малиновых пиджаков и золотых цепей толщиной с баобаб канули в Лету.

Дмитриев улыбнулся:

— Девочка-фейерверк, раз и взлетает. Это я про тебя.

— Мне просто не нравится, когда за салат из пары кусков отварной морковки с картошкой берут несколько тысяч, — кипела я. — Лучше уж поесть на улице сосисок! Что привлекательного ты нашел в харчевне, включающей в счет использование туалетной бумаги?

Степан спрятал кошелек.

— Во-первых, это смешно. Во-вторых, теперь я понимаю, что не надо поддерживать отношения с приятелем, зятем владельца трактира, он решил на мне заработать. В-третьих, хотя нет, третье нужно поставить первым, мы с тобой стихийно перешли на «ты», и мне это очень приятно.

Глава 27

— Алиса обмолвилась, что, если она не победит на конкурсе и не попадет на бал, с ней будет как с Егором Барским, — продолжил Степан, когда мы вышли на улицу. — Ты в очередной раз оказалась права, заострив внимание на этом мальчике. И фамилия у него действительно редкая. Мой человек нашел паренька, по интересному стечению обстоятельств дом, где он раньше жил... Видишь в подвальном этаже здания на той стороне улицы вровень с землей окошко?

Я присмотрелась.

— Да.

— Это служебная квартира, которую дают консьержкам, — пояснил Степан, — в обмен на квадратные метры они обязаны круглосуточно находиться на службе. Если кто-то позвонит в подъезд в два часа ночи, в четыре утра, в Новый год в полночь, консьерж обязан открыть, ну и еще у него полно других обязанностей. Но, коли негде жить, это неплохой вариант. Знаешь, кто вот уже много лет занимает подвал?

— Понятия не имею, — удивилась я.

— Сначала там хозяйничала Ксения Михайловна Барская, мать Егора, который, как выяснил мой помощник, ранее учился в центре «Архимед», куда сейчас ходит Никита Горюнов.

— Учился? — обратила я внимание на прошедшее время глагола. — Его выгнали?

— У Егора было две сестры, Лиза и Нина, — проигнорировав мой вопрос, говорил дальше Степан. — Несколько лет назад Нина, ей тогда исполнилось четырнадцать, погибла под колесами автобуса. Девочка в роскошном вечернем платье словно ниоткуда возникла на темной дороге перед мини-вэном. Шофер клялся, что она просто выросла перед ним из-под земли. Улица, где случилось ДТП, расположена в элитном подмосковном поселке, в пятнадцати километрах от столицы, там только дорогие дома, во многих никто не живет, хозяева находятся за границей. Полиция предположила, что Нина приехала к кому-то в гости, вероятно, к своему приятелю, с которым решила повеселиться в отсутствие его родителей. У матери Нины не было ни мобильного, ни домашнего телефона. К ней с известием о кончине дочери пришли около одиннадцати утра. Выяснилось, что Ксения Михайловна вот уже несколько дней находится в больнице с инфарктом. Поговорить с ней не удалось, она вскоре умерла. А Егор покончил с собой после смерти матери. Сейчас в подвале живет Лиза, она теперь консьержка.

В семье Барских были сын-гений и младшая дочь-красавица. Незадолго до трагедии в подмосковном поселке Нина стала королевой года по версии журнала «Привет». А вот старшей, Елизавете, не досталось ни ума, ни эффектной внешности, она даже не могла учиться в школе, получала знания дома. Чуть повзрослев, девушка стала уборщицей, а после кончины Ксении Михайловны возвысилась до консьержки. Зато Лиза удачно вышла замуж, родила ребенка и счастлива. Ну, как тебе эта история?

— Весьма мрачная, — оценила я рассказ Степана. — Что случилось с Ниной? По какой причине ее брат наложил на себя руки, узнали?

— Нет, — ответил Дмитриев, — похоже, и не очень старались выяснить правду.

— Королева года по версии журнала «Привет», — повторила я, — это гламурное издание с большим тиражом в начале каждого января устраивает конкурс, который широко рекламирует, даже я о нем знаю, а фото победительницы публикуется на обложке. Егор учился в «Архимеде», Никита сейчас посещает тот же колледж, у обоих мальчиков сестры, победившие в конкурсах на звание красотки. Получение призового места являлось жизненно необходимым для Лисы, если она не поднимется хоть на какую-нибудь ступень пьедестала, ее не пустят на бал и с ней будет то же, что с Егором Барским. Мне пришла в голову мысль: что, если Нина попала на тот самый бал, куда приглашают девочек, чья красота подтверждается дипломом? Поэтому погибшая была в вечернем платье, на свидание с мальчиком и веселую пирушку так не наряжаются. Во время праздника что-то столь сильно напугало Нину, что она бросилась прочь из дома, в котором ела-плясала тусовка, и случайно угодила под колеса. А Егор, наверное, очень любил сестру, вот и покончил с собой. Жаль, что никого из родных Нины в живых не осталось, мы бы могли у них узнать про бал, если только она на нем была.

Степан похлопал себя по бокам.

— Под вечер морозит. Почему никого не осталось? А Лиза? Давай заглянем к ней, ее предупредили о нашем визите.

— Ты же утверждал, что она умственно отсталая, — напомнила я.

— Нет, этого я не говорил, сказал об ее обучении на дому. Елизавета страдает дислексией и дисграфией, она не смогла научиться ни писать, ни читать, но во всем остальном это обычная женщина. Думается, неспроста мы случайно оказались около ее дома, это перст судьбы...

— И ты уже успел связаться с Барской и предупредить, что мы спешим к ней в гости, — договорила я.

— Нет, это сделал мой помощник, — улыбнулся Дмитриев. — Ну? Двигаем?

Я сделала несколько шагов и остановилась.

Степан занервничал.

— Что случилось?

Я начала ковырять носком ботильона корку льда на тротуаре.

— Я приехала к Яковлевой с одной целью: заставить ее признать, что она меня оклеветала. Во время нашей беседы я включила диктофон и записала слова Веры, теперь могу подать на нее в суд за клевету. И, уж поверь, непременно этим правом воспользуюсь. Для начала схожу к Алле Константиновне, дам ей послушать откровения Яковлевой, думаю, владелица холдинга тоже выдвинет иск. Обвиняя председательницу жюри во взятках, Вера нанесла урон репутации и журнала, и ежегодного конкурса. Я выполнила, что хотела. Зачем мне идти с тобой к Лизе?

Степан стал подпрыгивать на месте.

— Ух! Похолодало, следовало надеть теплые ботинки, но в них в машине жарко. Ты не хочешь узнать ответы на вопросы? Почему умерла Галина Сергеевна? Кто столкнул с шестого этажа Татьяну Григорьеву? На какой бал должна идти Алиса? Откуда у ее бабушки взялись деньги на оплату визита внучки к Лауре Кузнецовой? Были ли у Петровой перламутровые медали? Если да, то как они к ней попали? Кто спас раритеты от огня? Как-то все эти вопросы связаны между собой. Но как? Лично у меня нет никаких предположений, я брожу в тумане. Может, ты знаешь, в каком направлении двигаться? Ты умна, у тебя нестандартное мышление и опыт детективных расследований, ты находишься в центре событий. Давай объединим наши усилия и распутаем этот клубок.

Я хотела возразить, что у него и без меня полно помощников-волшебников, способных за считаные минуты откапывать похороненную глубоко под землей информацию, а мне пора домой, там на столе лежит стопка белой бумаги, где на первом листе написана всего лишь одна фраза. Но вдруг выпалила:

— Хорошо.

— Отлично, — обрадовался Степан, — ну я везунчик! Ты согласилась! Спасибо!!! Вперед, к Барской, а то мои ноги сейчас в эскимо превратятся.

Я молча двинулась за ним. Сегодня уже несколько раз хотела сказать Степану «нет», но язык почему-то не поворачивался. Интересно, почему я так странно себя веду? И по какой причине у меня неожиданно возникло ощущение, будто я давно знаю Степана и он мой друг? Я не грубиянка, хамить постороннему человеку никогда не стану, но я и не из тех, кто испытывает расположение к человеку, с которым познакомилась несколько часов назад. Только мне сейчас очень хочется взять Степана под руку и воскликнуть: «Как хорошо, что ты рядом!» Что за чушь? Чтобы не поддаться глупому порыву, я, сжав пальцы в кулаки, спешила за Дмитриевым, а тот быстро пересек улицу и, остановившись у подъезда, нажал на кнопку домофона.

— Дежурная, — незамедлительно раздалось из пластмассовой коробочки. — Вы к кому?

— Представители фонда «Помощь» хотят поговорить с Елизаветой Барской, — представился Степан, — не бойтесь, открывайте.

Раздался щелчок замка, и мы с Дмитриевым очутились в подъезде.

Глава 28

— Никого я не опасаюсь, — сказала молодая женщина, стоящая у лифта, — пойдемте в квартиру, осторожно, тут ступеньки. Со мной разговаривала... э... девушка, по имени... э... э... Лариса.

— Кларисса, — уточнил Степан.

— Точно, — обрадовалась Лиза, — сказала, что вы ее начальник, хотите разузнать о моей несчастной сестричке. Но зачем? Ниночки нет. И мама умерла, и Егорушка, одна я осталась. Входите, не стесняйтесь, у нас не просторно. Ну да в тесноте, но не в обиде, свое жилье, хозяину за аренду не платим, вот счастье! Хотите чаю?

— Да, — хором сказали мы со Степаном.

— Сейчас заварю, вкусный, с чабрецом, — засуетилась хозяйка. — Я в электричке познакомилась с Марией Сергеевной Пильниковой, совсем одинокой бабулечкой, ей плохо стало, я довезла ее до деревни. И что-то так жалко несчастную стало! Воды принести себе не может, в баню две остановки ехать на поезде, огород не вскопать. В общем, взяли мы бабу Машу к себе, два года она с нами жила, а потом отошла в царствие небесное, молюсь за ее душеньку по утрам и вечерам. И что оказалось? Бабулечка мне свой дом отписала по завещанию. Теперь у нас дача есть. Вот. Пробуйте. Варенье черносмородиновое с собственного огорода. И как? Вкусно?

— Потрясающе! — воскликнула я. — Ароматное, и сахара в меру. Вы очень хорошо готовите.

Лиза зарделась.

— Скажете тоже! Как все! Вот наша мама, та из топора могла борщок сварить. Но нет моей мамочки.

— Понимаем, что вам трудно вспоминать обстоятельства смерти близких, — произнес Степан, — но, пожалуйста, ответьте на несколько наших вопросов.

— Да зачем? — пожала плечами Лиза. — Смысла нет, могилки памятниками придавлены, человека, который Нинушу задавил, виновным не посчитали, он куда-то из Москвы уехал. Какой смысл в прошлом копаться?

Я поставила кружку на стол.

— Сейчас одна девочка, став на днях королевой красоты, собирается ехать на бал. А если она туда не попадет, с ней случится то же, что и с Егором. Кстати, брат этой девочки, мальчик-гений, учится в центре «Архимед», том самом, где сидел за партой ваш брат.

По щекам Лизы побежали слезы.

— Не надо отправляться на бал, но и не поехать нельзя. И так и этак плохо. Справа обрыв, слева пожар.

— Если вы что-то знаете о той вечеринке, расскажите нам, — попросила я.

Елизавета вытерла лицо кухонным полотенцем.

— Меня все дурочкой считали. Я читать-писать не умею, поэтому идиотка.

— Вовсе нет, — возмутилась я, — дислексики и дисграфики просто не могут сложить буквы в текст, а при письме путают местами слоги, вместо «молоко» пишут «локомо». Среди дислексиков есть очень талантливые люди: Чарли Чаплин, Стивен Спилберг, Уолт Дисней, Джордж Буш, Нельсон Рокфеллер, Квентин Тарантино, Владимир Маяковский, Билл Гейтс... С вами просто не занимались в детстве.

— Училка в первом классе сказала маме: «Девочка ваша сумасшедшая, держите ее лучше дома, а то Лизу в психушку посадят», — пожаловалась хозяйка квартиры. — Мамочка испугалась и послушалась совета. Меня она сначала наказывала, думала, я ленюсь, не хочу учиться, а потом перестала. Зато у нее Егорушка родился, ему ума на пятерых хватало. Мамочка им так гордилась, и Ниной тоже. Сестра училась на троечки, но красивая получилась! Загляденье! Мама всегда считала меня дурочкой, поэтому при мне говорить на все темы не стеснялась, я же идиотка, плохо соображаю, не пойму, о чем речь. Но это не так, просто я мамулю боялась, вот и молчала всегда при ней, прямо ноги тряслись, когда она кричала:

— Лизка, поди сюда.

Иду на зов, а язык к небу прилипает.

Мама на меня глянет:

— Ну-ка принеси программу телевидения.

А я пошевелиться не могу, мамуля рукой махнет:

— О-хо-хо, наградил Господь ребенком, ни ума, ни красоты. Лизка, не понимаешь, чего прошу? Вот же уродилась, не пришей собачке бантик.

И по голове меня погладит, поцелует. Мамочка добрая была, а я так хотела, чтобы она видела: я нормальная, просто читать-писать не получается, так хотела, что вообще соображать переставала. Но, если мамуля не со мной говорила, я отлично все понимала и навсегда запоминала. Мы счастливо жили, пока Егорушка...

Лиза заплакала. Я встала, подошла к ней и обняла ее.

— Лизочка, если расскажете, что знаете, вам станет легче, нельзя в себе все держать.

— Даже мужу не проговорилась, — прошептала хозяйка квартиры. — Мы с Витей поженились через год после того ужаса, он спрашивал, почему Егорушка повесился, а я ответила: «Не знаю, может, умом тронулся, слишком много знаний в голове держал». Но на самом деле это не так. Другая причина. Я расскажу. Не хочу, чтобы другая девочка на бал ехала. Хотя, может, ей и понравится, надо просто рассказать, зачем туда приходят. А Нине не сообщили, она, наверное, испугалась, когда поняла, что домой не вернется.

Я села на стул около Лизы и взяла ее за руку, Барская судорожно вцепилась в мою ладонь и начала говорить без остановки.

Когда Егору исполнилось десять лет, директор школы сказала Ксении Михайловне:

— Ваш сын должен ходить в другое учебное заведение. Мы ориентированы на обычных детей, а Егорка вундеркинд, глотает книги пачками, запоминает прочитанное намертво, в математике сильнее меня. Мальчик-гений, вот вам адрес центра «Архимед», езжайте туда, захватите нашу характеристику ученика Барского. Если Егора возьмут на обучение, будет прекрасно.

— У меня еще двое детей, — испугалась Ксения, — муж умер, лишних денег нет, платить за колледж я не могу. Не гоните мальчика из своей школы, он отличник, поведение примерное, разрешите ему аттестат получить.

— «Архимед» обучает детей бесплатно, если Егор сдаст вступительные экзамены, вам о материальной

стороне беспокоиться незачем, — заверил директор
и оказался прав.

Егора приняли, в классе кроме него было еще четверо ребят. Ксения каждый день молилась за здравие
незнакомого ей владельца новой школы и за директрису Валентину Федотовну. Егорушку рано утром
прямо у дома забирал комфортабельный автобус,
и он же вечером привозил его назад. Мальчика четыре раза в день кормили, еды было так много, что Егор
приносил домой фрукты, да не какие-нибудь бананы,
а, например, клубнику в январе, еще он притаскивал
пирожки, бутерброды с осетриной.

— Ешь сам, — велела Ксения, когда мальчик
в первый раз выложил еду на кухне, — не береги для
нас с Лизой и Ниной.

— Мама, в меня больше не лезет, — ответил
Егор, — завтрак, второй завтрак, обед, полдник,
ужин и в буфете всегда можно взять чего хочешь. Роза Михайловна всех москвичей просит: «Дети, уносите домой побольше, а то пропадет». Мама, можно мне
как-нибудь с ребятами, которые в интернате живут,
переночевать? У них так здорово! Живут по одному
в комнате, у каждого телик.

Кроме вкусной еды, в гимназии выдали много
одежды, обуви, спортивную форму. Дети не только
учились, они активно занимались спортом: тренажерный зал, бассейн, футбол, хоккей. Ксения поняла, что сын попал в рай. На каникулы учеников
возили в разные города мира, они побывали в Лондоне и Мадриде, на выходные летали в Петербург...
Летом их увезли на месяц в США, а потом отправили
в Турцию на море. По воскресеньям дети посещали
театры, консерваторию.

Вскоре после того, как Егорушка очутился в этом
волшебном месте, директриса сказала Ксении:

— Если вы считаете, что наш центр вам подходит, надо подписать договор на обучение, — и протянула консьержке кипу листочков.

Ксения не получила среднего образования, за плечами у нее было всего шесть классов. Она посмотрела на документ и увидела текст: «Общество с ограниченной ответственностью, центр «Архимед», именуемое далее «Центр», в лице директора Валентины Федотовны Володиной, действующей на основании доверенности номер сто два, с одной стороны, и Ксения Михайловна Барская, именуемая далее «Родитель», заключили договор о нижеследующем. Пункт один-один...»

Далее Ксения читать не стала, она послушно подписала каждую страницу, потом директриса открыла сейф и дала ей толстую пачку евро.

Барская до тех пор никогда не держала в руках столько денег.

— За что? — ахнула она.

— Прочитайте внимательно договор, — велела Валентина, — там все досконально объясняется.

— Очень уж заковыристо написано, — смутилась мать Егора.

Директриса заговорила, Барская с трудом поняла: это деньги на воспитание Егора. Центр дает их в долг, когда мальчик окончит «Архимед», он поедет учиться в США, будет работать в какой-нибудь компьютерной фирме, получать зарплату и вернет евро.

— Не беспокойтесь, — щебетала Валентина, — средств у Егора хватит, он и нам долг отдаст, и вас содержать станет.

Ксения чуть было не упала на колени перед Володиной. Ей хотелось целовать ноги благодетельнице. Столько денег! Да она сделает ремонт, положит вместо линолеума паркет, оденет девочек в цигейковые шубки, заплатит коммуналку на год вперед. И еще останется. Можно приобрести себе новые зимние сапоги на натуральной овчине! Сделать зубы, а то Ксения стесняется улыбаться из-за отсутствия резца в верхней челюсти. Но это еще не все.

Валентина Федотовна стала выдавать Ксении ежемесячно разные суммы, объясняя:

— Мальчику требуется хорошее питание, витамины, овощи-фрукты, это вам на все необходимое.

Администрация «Архимеда» устраивала несколько раз за семестр вечера отдыха, на них приглашались братья-сестры учеников. Нина с удовольствием посещала тусовки, а Лиза никогда не переступала порог центра. Она стеснялась своей глупости, боялась реакции однокашников Егора, которые, узнав, что у него старшая сестра-идиотка, начнут смеяться над ним. Лизочка очень гордилась братом, а Егорушка часто говорил:

— Есть время разбрасывать камни и время их собирать. Сейчас вы мне с мамой лучшее отдаете, о себе не думаете, но придет время, когда я вас отблагодарю. Вот получу стипендию в Массачусетском университете, одновременно пойду работать, окончу вуз первым, вас в США перевезу, дом построю...

Лизочка верила, что именно так и будет. Но потом вдруг что-то разладилось. При переходе из десятого класса в одиннадцатый Егор не набрал нужного количества баллов. Директриса вызвала Ксению и мрачно заявила:

— Отчисляем вашего мальчика. Вам придется вернуть полученные деньги.

— Все? — обомлела Барская.

— Да, и те, что совет центра потратил за время учебы на Егора, — пояснила местная начальница и протянула онемевшей лифтерше листок.

Ксения чуть не упала в обморок, увидев, сколько требуется отдать, а Валентина Федотовна продолжала:

— Надеюсь, вы внимательно читали договор, который подписывали перед поступлением к нам. В нем есть пункт сто сорок восемь дробь шесть, там указано: «Сумма, выделенная на нужды учащегося, является данной в долг и изымается потом из зарплаты бывшего ученика. Если же он отсеивается вследствие неспособности получить аттестат центра «Архимед», деньги возвращают родители». Мы устраиваем выпускников в вузы США и находим им в Америке работу. Ребята начинают получать большую зарплату и быстро возвращают заем, но в вашем случае все иначе, Егор не переводится в одиннадцатый класс, поэтому вам придется вернуть всю сумму. Вы скрепили своей подписью каждую страницу. В случае отказа вами займется наша служба безопасности.

— Ой, не надо, — заплакала Ксения, — я бы вернула, но где взять? Столько мне и за пять жизней не заработать.

— Продайте что-нибудь, — посоветовала Валентина Федотовна.

— У нас ничего нет, — зарыдала Ксения.

— Езжайте домой, — велела директриса, — я посоветуюсь с хозяином, вероятно, он проявит милосердие.

Ксения вернулась в квартиру в истерике, упала на колени перед иконой, начала читать молитвы и рассказывать Богоматери о своей беседе.

Жилье у Барских крохотное, одна комната семь, другая десять метров, кухня пять, Ксения по утрам и вечерам докладывала Богоматери о своих делах, а дети слышали, как мама беседует с образом, и, конечно, они все узнали о том, что сказала Валентина Федотовна.

На следующий день в районе десяти утра директриса совершенно неожиданно приехала к Барским. Нина и Егор ушли на занятия, а вот Лиза сидела дома, шила младшей сестре платье.

— Нам надо поговорить с глазу на глаз, отправьте девушку погулять, — попросила Валентина.

— Не волнуйтесь, — ответила Ксения, — дочка читать-писать не умеет, разговаривает редко, хорошо, если одно слово за день произнесет, дурочка она. Даже услышав чего, не поймет. Подруг у нее нет, она ни с кем не общается. Сядем на кухне и поговорим.

Когда женщины завели беседу, Лиза превратилась в слух. Валентина Федотовна произнесла невероятную речь, суть которой вкратце такова: есть очень богатый человек, миллиардер. У него много друзей, которым нужна красивая молодая жена. Мужчины живут за границей, их религия разрешает многоженство, но где найти хорошо воспитанную невесту? Молодую, без образования, которое делает девушку непослушной, не желающей рожать много детей. Трудно отыскать юную красавицу, которая согласится в четырнадцать-пятнадцать лет выйти замуж и служить супругу. Сейчас представительницы слабого пола думают о самореализации, карьере, спорят с мужьями, не уважают их, дети им не нужны. Чтобы помочь своим приятелям наладить личную жизнь с суженой, миллиардер устраивает балы, на которые приглашает достойных москвичек, не больше двух-трех зараз. Только не подумайте, что их зовут на оргию. Все чинно-благородно. Богач покупает юному созданию красивое платье, в доме есть стилист, который делает прически-макияж. Девочки поужинают вместе с двумя дамами, побеседуют с ними, потанцуют в зале, останутся ночевать в шикарных комнатах, где никто их не потревожит. Бал будет транслироваться онлайн для зарубежных женихов, которые должны сделать свой выбор. Если какая-то девушка придется кому-то из мужчин по вкусу, он сообщит хозяину мероприятия о своем желании взять ее в жены. Родители невесты получат от жениха калым. Их дочь домой уже не вернется, прямо из дома, где состоялся бал, ее на следующий день отвезут в аэропорт и отправят к будущему мужу. С этого момента отец и мать могут быть спокойны за ее судьбу. Новобрачной предстоит жить в роскошном доме, есть на золоте, спать на мехах, ее основная работа: любить мужа и родить ему побольше здоровых детей. Конечно, абы кого на бал не пригласят, есть несколько условий. Девочка должна быть девственницей, хорошо воспитанной, без вредных привычек. Если она учится на одни пятерки, то, увы, жениха ей не достанется, больше шансов у скромной троечницы. Очень важна внешность: блондинка, голубые глаза, светлая кожа, высокий рост, натуральная грудь, стройная. И обязательно победительница конкурса красоты, все равно какого, безразлично — первая она или третья, главное, наличие диплома. Если кандидатка обладает всеми необходимыми данными, но у нее в багаже нет ни одной победы в мире красоты, ее не допустят на бал.

— Обычно я советую родителям порыться в Интернете, — сладко пела Валентина, — походить по сайтам разных гламурных журналов, фирм, торгующих косметикой, они постоянно устраивают соревнования. Но ваша Ниночка признанная мисс, я видела издание, где она красовалась на обложке с короной на голове. Некоторые невесты ездят на балы по пять-шесть раз, пока устроят свою судьбу, но с вашей доченькой этого не случится, ее схватят сразу, еще и аукцион устроят. Как только мужчина внесет залог за будущую супругу, Нину для подтверждения девственности осмотрит гинеколог, и она улетит в свой новый дом, а вы аннулируете свой долг Центру. Калыма как раз хватит, и вам кое-что останется.

— Рано ей под венец, четырнадцать всего, — обомлела от предложения Ксения. — Да, младшенькая доченька хорошенькая, на нее все заглядываются. На конкурс красоты она случайно попала. Одноклассница пошла на отборочный тур, попросила Ниночку ее сопровождать, одна боялась. И что получилось? Ту девочку отмели, а в Нинушку устроители прямо вцепились. Она мне сказала, что ей предлагают в конкурсе поучаствовать, я разрешила. Девочка сама туда ездила, мне некогда было ее сопровождать, думала, так, ерунда, пусть попробует, небось ничего не получит. И вдруг! Первое место! Корона! Обложка в журнале. Я обрадовалась, Нина себе профессию нашла! Разве плохо красивые платья за деньги демонстрировать? Дочке предложили учиться на модель, говорят, у нее большое будущее. С удовольствием Нинулю замуж за славного человека отдам, но в четырнадцать рано под венец.

Глава 29

Валентина Федоровна откашлялась и произнесла пылкую речь.

— Красота — скоропортящийся товар, двадцатилетка на Востоке считается старухой. У Нины полный табель троек, ей никогда не поступить в вуз. Думаете, дочь станет успешной моделью? Может, и так, но ей придется спать с кучей мужиков, чтобы пробиться в высший эшелон фэшн-бизнеса. И что ждет девочку на подиуме? Пара лет тяжелой работы вешалкой, перелеты из страны в страну, гастрит от неправильного питания, анорексия, булимия, алкоголь, наркотики.

И лет этак в двадцать пять максимум Нина очутится за бортом мира моды. Что она тогда станет делать? Глушить водку? Нюхать кокаин? Жить с вами в клетушке? Вам предлагается уникальный шанс сделать дочку принцессой, богатой, счастливой женой уважаемого человека, матерью наследников несметного состояния. Зять купит вам шубу, хорошую квартиру, машину. Ваш долг «Архимеду» аннулируется, Егора оставим в Центре, он получит аттестат, уедет в США. Вот такие перспективы. Не хотите держать птицу удачи в объятиях? Не надо. Отдавайте нам долг в валюте, и расстанемся друзьями. Но оцените последствия своего отказа привезти дочь на бал. Нина, конечно, через некоторое время сопьется. Егор в простом учебном заведении станет наркоманом, ютиться вашей семье всю жизнь в двушке размером с кофейную чашку. Но это ваш выбор, каждая мать по-своему ломает жизнь детей. А вот если вы примете мое предложение, то ваши ребята будут в шоколаде, Нина в соболях и бриллиантах, Егор в США, вы получите шикарные апартаменты, дачу. И Лиза точно мужа найдет, у нее же приданое будет, зять поможет. И вы судьбу свою устроите.

— Нина поедет на бал, — скороговоркой сказала Ксения.

— Мудрое решение, — похвалила Валентина.

Лиза замолчала.

— Вы ничего не рассказали сестре о том, что ее ждет? — предположил Степан.

— Нет, — прошептала Лиза, — зачем лезть в чужие дела? Нина ко мне хорошо относилась, ее звали на показы одежду демонстрировать, она получала деньги, всегда мороженым меня угощала или подарок делала. Но меня она считала дурочкой, я же читать-писать не умею. Нина бы мои слова всерьез не восприняла. И она с радостью к балу готовилась, платье мерила, веселая такая, пела вечерами, я думала, она счастлива, что замуж за богатого пойдет, что мама ей все объяснила. А потом... В три часа дня за Нинулей машина приехала, черная, она в нее села. Мамочка дома осталась, Егор тоже, в десять мы спать легли, а в пять утра звонок в дверь. Я открыла, вошли трое мужчин и сказали маме:

— Случилась беда. Нина вышла на улицу воздухом подышать, а ее случайно пьяный водитель сбил. Насмерть.

Мамочка на пол упала. Егор из комнаты выскочил, я из кухни выбежала, спала там на полу тогда. Мужчины нас успокоили:

— Все будет хорошо, вашу мать положим в лучшую больницу. Знаете, куда Нина вчера вечером отправилась?

— Да, мне мама рассказала про бал. Лиза не в курсе, она дурочка, читать-писать не умеет, развитие, как у пятилетки, — ответил брат.

Один из гостей скомандовал:

— Парни, выносите бабу во двор, «Скорая» уже едет. Егор, хочешь продолжить учебу в «Архимеде» и поехать в США? Тогда заклей рот. Завтра сюда полиция заявится, отвечай на вопросы так: «Понятия ни о чем не имею. Нина любила тусоваться, мать пару дней как в больнице с инфарктом, младшая сестра без присмотра осталась и чудит как хочет». Это условие получения в «Архимеде» аттестата. В противном случае не видать тебе университета в США и в России ни в один вуз не попадешь.

Егор поклялся, что не подведет, и на самом деле полицейским все как велено сказал, а со мной никто не говорил. Егор опять объяснил людям в форме: «Сестра дурочка, читать-писать не умеет, с ней бесполезно разговаривать». Потом мама умерла, а Егор повесился. Я ушла утром мыть полы к одной женщине, вернулась, а в нашей квартире народу! Похоронами брата, как и погребением мамы, директриса Валентина Федотовна занималась, она даже поминки в кафе устроила, пригласила одноклассников Егорушки, все о нем хорошие слова сказали. Здорово получилось.

— Вы пришли, а в доме полиция, — повторил Степан. — Кто же ее вызвал?

Елизавета приоткрыла рот:

— Не знаю...

— Тело брата видели? — не отставал Дмитриев.

Лиза заморгала:

— Да.

— Оно еще находилось в квартире, когда вы пришли? — задавал вопросы Степан.

— Нет, — перекрестилась хозяйка.

— Но вы сказали, что видели тело Егора, — напомнила я.

— Гроб открытым сначала в крематории стоял, — шмыгнула носом Барская, — крышку в самом конце опустили. Тогда мы и встретились в последний раз.

— Вы убирали чужую квартиру, приехали домой, а там полиция, — повторила я. — Кто сообщил о самоубийстве брата, вам не известно, и каким образом оперативники очутились в квартире, тоже не ясно. Вас не удивило, что они вошли в ваш дом без ведома хозяйки? Не спросили у них: «Как вы узнали, что Егор покончил с собой? Меня дома не было, ключей никто, кроме нас с братом, не имеет. Как вы выяснили, что в ванной покойник?»

Лизавета затеребила рукав кофты.

— Я о таком не думала... женщина там еще стояла... врач в халате, я первой ее увидела, она быстро заговорила: «Лиза, не волнуйся, твой брат умер. Выпей скорей». И стаканчик дала, в нем вроде вода, а на вкус как лекарство. Голова у меня закружилась, плохо остальное помню. Утром проснулась от звонка в дверь, пришла Валентина Федотовна. Она пообещала помочь мне с похоронами и все оплатила.

— Записку Егор оставил? — спросила я.

— Не знаю, — пробормотала Лиза, — я не видела ее. Испугалась, что раз Егор умер, и Нины тоже нет, и мамы, то долг «Архимеду» мне придется выплачивать. Спросила про это у Валентины Федотовны. Она удивилась:

— Кто тебе про деньги рассказал?

Лиза прижала руки к груди.

— Врать нехорошо, я очень стараюсь не лгать, это грешно, но в тот день прямо как кто-то меня по макушке стукнул: не говори правду, поэтому я ответила: «Мама плакала, объясняла, что надо отдать сумму за обучение Егорушки, а у нас ее нет». Валентина Федотовна нахмурилась: «Что еще Ксения рассказала?» И я снова неправду сказала: «Ничего». Директриса меня успокоила: «Ты не так мамулю поняла, никаких денег нам не надо». Через день после поминок Валентина Федотовна снова приехала, дала мне конверт, в нем лежало две тысячи долларов!

Лиза улыбнулась:

— Представляете? Целых две тысячи!!! Их хозяин «Архимеда» прислал мне в утешение. Я денежки спрятала, а потом подумала, не стану их хранить, занавески пошью новые, куплю диван красивый. Пошла в магазин и там столкнулась с Витей, он на фуре работал тогда, возил с фабрики столы, стулья... Через полгода мы поженились, и теперь у нас ребенок. Те деньги мне счастье принесли. От всей души их хороший человек дал, от чистого сердца.

* * *

— Что скажешь? — спросил Степан, когда мы вышли на улицу.

— Бал на самом деле невольничий рынок или аукцион, — нахмурилась я, — некто собирает в своем доме красивых девушек славянской внешности и выставляет их через Интернет на продажу. Судя по возрасту невест — тринадцать-пятнадцать лет, их обязательной девственности, званию королевы красоты любого конкурса, основные клиенты — богатые восточные мужчины, содержащие гаремы. Они платят продавцу неплохие деньги, тот отдает немного родителям девочки, остальное прячет в свой карман. Невест подбирают в бедных семьях, где у взрослых большие финансовые проблемы. Или им эти проблемы создают. Думаю, центр «Архимед» причастен к организации таких мероприятий. Мы уже знаем о двух случаях, связанных со школой для гениальных детей. Ксению Барскую запугали необходимостью отдавать долг за обучение Егора, а потом предложили получить калым за Нину. Думаю, с Горюновыми поступили так же, вот только Нина была уже девочкой с обложки модного журнала, а Алису пришлось спешно отправлять на конкурс журнала «Красавица». Обрати внимание, как грамотно устроитель балов подыскивает невест, они хороши собой, но умом их Господь обидел, все плохо учатся, шансов получить хорошее образование не имеют. Родители понимают, что для их дочерей лучший путь — выйти удачно замуж, а тут такая возможность. Ну да, девочке рано под венец, но ведь жених богат, она будет как сыр в масле кататься. Родители красавиц тоже не особенно умны, зато они по-крестьянски хитры, а еще жадны. Возможно, жених на самом деле оформляет со школьницей брак, но только по местным законам развестись ему будет легко. Хочется верить, что девушки становятся третьей-четвертой-пятой женой, живут во дворцах, рожают детей и вполне довольны своей судьбой. Может, кому-то и везет. Но, полагаю, счастливая судьба выпадает далеко не каждой, кое-кто, став постарше, переходит в руки другого «мужа» и в конце концов оказывается в борделе.

— Что-то подобное и мне пришло в голову, — согласился Дмитриев. — В случае с Ниной у аукциониста случился облом. Девочку не предупредили, что ее прямо с бала увезут в чужую страну, она испугалась, попыталась убежать, ускользнула из дома, но попала под машину. А Егор, который в отличие от сестер обладал острым умом, понял, что происходит. Но он, несмотря на гениальную одаренность, был подростком, не искушенным в общении со взрослыми. Потеряв одновременно и маму, и сестру, он остался с Лизой, которую считал умственно неполноценной, она на самом деле не отличается большой сообразительностью. Мальчик оказался в очень сложной ситуации. Как жить? И он знал, что младшую сестру выставят на аукцион. Егор мог прийти к Валентине Федотовне за советом.

— Или явился к ней с требованием денег за молчание, — перебила я, — выдвинул условие: заплатите нам с Лизой хорошую сумму, купите квартиру, иначе я расскажу правду о балах. Умный, но неискушенный ребенок. Директриса немедленно доложила о его визите кому следует, и мальчика лишили жизни, представив убийство как суицид. Валентина Федотовна поговорила с Лизой, убедилась, что та наивна, ни о чем не знает, дала девушке две тысячи долларов... и конец истории. Галину Сергеевну убили те же люди! Все замыкается на этом балу.

Дмитриев открыл свою машину.

— Залезай.

— У меня есть свой автомобиль, — возразила я.

— Отлично, каждый сядет в личную телегу, и, стоя на парковке, будем беседовать по мобильному, — серьезно сказал Степан.

Я рассмеялась и села в джип Дмитриева.

— Полагаешь, что смерть Петровой связана с балом, куда собралась ехать Алиса? — уточнил Степан.

Я пожала плечами:

— Сначала я подозревала Татьяну Григорьеву, но сейчас понимаю, что она ни при чем, лишь хотела вывести из игры Соню и Алису, чтобы Марина гарантированно обрела корону и получила контракт в Нью-Йорке.

Дмитриев вынул из держателя бутылку воды.

— Возникают непонятки. Где Галина взяла средства на оплату услуг Лауры Кузнецовой?

— Ты забыл? — удивилась я. — Владелица клиники известна как страстная собирательница китайских раритетов. Петрова предложила ей вместо денег медаль.

— Неправильно задал вопрос. Откуда у Петровой антиквариат? Коллекция перламутровых медалей пропала давным-давно во время пожара в Нарганске, — напомнил Дмитриев, — она принадлежала Константину Чашкину, директору местного музея.

Я поерзала на кожаном сиденье.

— Пожар дело хитрое. Иногда сгорали дотла некоторые экспозиции, а спустя десятилетия кое-какие безвозвратно погибшие полотна появлялись на аукционах или обнаруживались в частных коллекциях. Вероятно, с медалями та же история. Галина Сергеевна Петрова москвичка, но вдруг она как-то связана с Нарганском? Можно узнать, кто были ее родители, где они жили?

Глава 30

Степан нажал на кнопку на торпеде.

— Хорошие вопросы.

Экран монитора засветился, но вместо карты дорог на нем появилось изображение пожилой дамы весьма экзотической внешности. Ярко-рыжие волосы пенсионерки были сильно начесаны и уложены в прическу под названием «Бабетта», из нее вывалилось несколько прядей, они свисали вдоль худого лица, на котором пылал явно не натуральный румянец. Впрочем, широкие брови угольно-черного цвета и оранжевые губы она тоже получила не при рождении. Из мочек ушей незнакомки свисали здоровенные серьги с зелеными камнями размером с мою пятку.

— Волшебница, исполняющая желания, слушает тебя, — хриплым меццо произнесла тетушка, — говори кратко, четко. Начинай.

— Галина Сергеевна Петрова, — произнес Степан, — мне нужно знать о ней все!

— Все? — уточнила незнакомка.

— Да, — подтвердил Дмитриев, — от момента рождения до наших дней.

— О'кей, бамбино, — пропела странная особа, — мамми выяснит подробности. Вскоре узнаешь количество зубов у нее во рту и о чем Галина Сергеевна думает, когда стирает свой лифчик. Чао, аморе.

Экран потух.

— Это кто? — полюбопытствовала я.

— Кларисса фон Ротербард из замка Шпигель, — улыбнулся Степан, — лучший хакер всех времен и народов.

На секунду я потеряла дар речи, но потом снова обрела его.

— Фон Ротербард из замка Шпигель? Она немка?

Дмитриев усмехнулся:

— Происхождение Клариссы покрыто туманом, в книге загса есть запись о рождении девочки Лены Воробьевой, но Кларисса считает ее ошибкой.

— Ясно, — протянула я.

— Она тебе понравится, — пообещал Степан.

— Наверное, — кивнула я, — если мы когда-нибудь встретимся, возможно, найдем общие темы для беседы.

Дмитриев положил руки на руль.

— Предлагаю поехать к Горюновым и поболтать с ними.

Я посмотрела на часы.

— Уже поздно.

— Ну и хорошо, — обрадовался Степан, — значит, и отец, и мать, и Алиса будут дома. Погнали?

Я хотела вылезти из джипа.

— Давай поедем на одной машине, — остановил меня Дмитриев.

— А потом как? — заспорила я.

— Назад двинемся мимо этой парковки, — уточнил Степан, — тогда и сядешь за свой руль.

— Ладно, — согласилась я, — вдвоем веселее, чем поодиночке.

Некоторое время мы ехали, болтая о разных пустяках, тихо играющая в салоне музыка совершенно меня не раздражала. Плей-лист Дмитриева оказался точь-в-точь как у меня.

Когда джип затормозил у очередного светофора, послышался звонок, дисплей на торпеде засветился, вновь появилось лицо Клариссы.

— Ваша императрица узнала детали биографии Галины Сергеевны Петровой. Родилась в городке Клопин, там же посещала школу. После окончания десятилетки поехала в Москву, чтобы поступить на журфак, но получила два по сочинению и осталась за бортом. Вернулась в Клопин, вышла замуж за Михаила Константиновича Чашкина, сына директора музея в Нарганске, город находится неподалеку от Клопина.

— Опаньки! — воскликнул Степан. — Интересный поворот.

— Еще забавнее тебе станет, когда узнаешь, что об этом браке Галина не сообщала ни в одной анкете, — продолжала Кларисса, — в ее личных данных указана только дочь Екатерина, рожденная в гражданском союзе от Расторопова Сергея Петровича. Он девочку признал, но свою фамилию ей не дал, он был официально женат на Майе Михайловне Растороповой, имел от нее трехлетнего сына. Семья Растороповых погибла, когда Екатерина еще лежала в пеленках, в катастрофе на железной дороге.

Но вернусь в юность Галины. Ее первый и единственный официальный брак с Чашкиным продлился меньше года, супруги развелись, вероятно, из-за беспробудного пьянства Михаила. У него сплошные приводы в милицию, паренек был постоянным посетителем местного вытрезвителя. Галина работала в газете города Клопин, писала под псевдонимом Сергеева.

— Так была подписана статья, обвинившая в страшном пожаре, уничтожившем Нарганск, Михаила Чашкина, — не удержалась я от замечания.

Кларисса поправила одну серьгу.

— Вы Вилка Тараканова, она же Арина Виолова? Рада знакомству.

— Взаимно, — отозвалась я, — простите, что перебила вас.

Кларисса вздернула подбородок.

— Вам позволительно то, что не разрешено другим. Материал, о котором вы упомянули, сыграл решающую роль в судьбе Петровой. Главным героем публикации стал ее бывший муж, на тот момент они уже официально разбежались. Михаил Константинович служил трудником[1] в местном монастыре. В Нарганске случился страшный пожар, он уничтожил девяносто процентов городка, застроенного деревянными частными домами. Сгорели и монастырь, памятник архитектуры деревянного зодчества, и музей. Было много жертв, в их числе бывший свекор Галины, Константин Чашкин. Местные Шерлоки Холмсы выяснили, что первичный очаг возгорания находился в музее, и посчитали виновным Михаила Чашкина. Галина в ярких красках описала трагедию, не пожалела черного колера для бывшего мужа, назвала его пьяницей, дебоширом, человеком, который продаст за бутылку родную мать. Одновременно корреспондентка облила грязью и всю монашескую братию, сообщила, что священники регулярно устраивали попойки, к ним приезжали гулящие женщины и т.д.

Поймать девицу на лжи было невозможно, все монахи погибли. Они бросились на помощь жителям, вытаскивали из огня детей, женщин. Пожар вспыхнул двадцать девятого ноября в четыре утра по местному времени, народ крепко спал. То, что кое-кто выжил, заслуга исключительно священнослужителей, они, рискуя своими жизнями, кидались в пламя. Настоятель вынес из огня двух семилетних девочек: дочь Константина Чашкина, младшую сестру Ми-

---

[1] Трудники — люди, работающие при православном храме или монастыре на добровольной бескорыстной основе, во славу Божию.

хаила, и ее двоюродную сестру. Монахам следовало поставить памятник, наградить их орденами. Но дело происходило в шестьдесят восьмом году прошлого века, хвалить представителей духовенства в газете было нельзя. Похоже, Галина, несмотря на молодость, умела просчитать собственную выгоду. Она накатала очерк «Убийцы в рясах», где полностью перекроила события. Главным героем Сергеева назвала местного секретаря районного комитета КПСС, якобы это он забил тревогу, а братия лежала пьяная в монастыре и сгорела вместе с ним. Устроил же пожар, по версии борзописицы, Михаил Чашкин, он решил украсть ночью из музея раритетные китайские перламутровые медали, уронил свечу, от нее занялось здание. А поскольку Чашкин, как всегда, был под хмельком, он не смог затоптать пламя. Ну и целый абзац рассуждений о том, как наивные старики верят батюшкам, а те отнимают у них пенсии, продают им задорого свечи, дерут за каждый молебен деньги. Кроме того, Галина назвала Мишу послушником, а тот был трудником[1]. Почувствуй разницу.

— Вранье лилось водопадом, — не выдержала я, — это здорово смахивает на желание очернить бывшего мужа.

— И полно глупых нестыковок, — согласилась Кларисса. — Ну, например, такая: кое-кто из детей остался жив, потому что находился на занятиях в школе. Но пожар, судя по документам, возник в четыре утра. Во сколько же дети в Нарганске за пар-

---

[1] Трудника следует отличать от послушника, хотя они могут выполнять одинаковые послушания. Но послушник приходит в монастырь, чтобы потом стать монахом, а трудник приезжает просто работать, часто из-за того, что ему негде и не на что жить, а монастырь дает общежитие и еду.

ту садились? Или пассаж про уроненную Михаилом свечу. Откуда Галине про нее знать? Она что, тоже находилась в музее? Свечку держала? Неуместный каламбур получился.

— Нескладухи никто не заметил, — грустно сказала я.

— Скорее, не захотели ее заметить, — поправила Кларисса, — статейка оказалась правильно сляпана и весьма понравилась начальству. Ее перепечатала областная «Жизнь народа», а потом публикация очутилась в центральной прессе.

— В советское время, если хоть один твой материал попал на страницы «Правды», «Известий», «Труда», «Гудка», считай, карьера журналиста сделана, — пробормотал Степан.

— В яблочко, дорогой, — кивнула Кларисса, — Галину пригласили в Москву, дали ей квартиру, Петрова поступила на вечернее отделение журфака, ну и зажила себе припеваючи. Личная жизнь, правда, у бабенки не сложилась, супруга она себе не нашла. Галина Сергеевна работала в разных изданиях, в основном ведомственных, всегда в отделе культуры репортером. Из однушки переезжает в двухкомнатную квартиру и, наверное, вполне благополучна материально, но ни дачи, ни машины у нее нет. Потом, родив в гражданском браке дочь, Петрова ушла в многотиражную газету московского завода-гиганта. С маленьким ребенком по командировкам не потаскаешься, поэтому она выбрала оседлый образ жизни. Затем Галина еще много раз меняла работу, в конце концов стала литературным редактором и до пенсии служила в небольшом издательстве. Под судом-следствием не находилась, если верить документам, ничего дурного не совершала, обычная женщина с не особенно счастливой судьбой, мать, бабушка, теща.

Экран погас.

— В документах не все найти можно, — вздохнул Степан, паркуя машину, — о гражданских мужьях там сообщается, только если от них родились дети. И о том, что ты сделала соседке или подруге большую гадость, тоже не напишут.

— Горюновы не спят, — перебила я Степана, — вот их балкон на втором этаже, в квартире свет горит.

Глава 31

— И чего вы хотите? — сердито спросил Алексей, стоя у вешалки. — Незваный гость хуже насморка.

— Татьяна Григорьева, мать Марины, погибла, — мирно сказал Степан, — поэтому нам надо задать пару вопросов Алисе. Но при разговоре обязаны присутствовать ее родители или адвокат. Мы подумали, что лучше приехать нам, чем вам тащиться в офис.

— Татьяна Григорьева? — изумился Алексей. — У нас таких знакомых нет. Хотя... Катька!

Жена выглянула в холл.

— Да?

— Татьяна Григорьева твоя подруга? — спросил муж.

— Нет, а кто это? — заморгала Екатерина. — Здравствуйте, Виола. Не ожидала вас увидеть. Как вы узнали наш адрес?

Настал мой черед удивляться.

— В день, когда умерла Галина Сергеевна, я привезла Алису домой, проводила ее до подъезда.

Катя всплеснула руками:

— Да ну? Лиса нам ничего не сказала, как обычно, с недовольным видом в дом вошла и молча в спальню шмыгнула. До сих пор губы дует, не пойми на что обижается.

— Наверное, ей неприятно, что никто из взрослых не приехал за ней после того, как случилось несчастье с бабушкой, — предположила я.

— Не три года девке, лошадь здоровая, выше меня ростом вымахала, — обозлился отец, — я в ее возрасте один через всю Москву в секцию катался, и никто вокруг меня вприсядку не скакал. И откуда нам время взять? Занят я был.

— Алиса сказала, что вы поехали за Никитой в центр «Архимед», — продолжала я, — а Катя не хотела оставлять Светлану одну. Но мне всегда казалось, что родители должны заботиться обо всех своих детях одинаково.

— Алиска вечно врет, — зарычал Алексей, — напридумывает чепуху, а потом обижается.

— Специально так делает, хочет со злым видом ходить, — прибавила Катя. — Никиту в школу на автобусе возят. Набрехала Лиса! Она брату завидует, потому что он гений, а она троечница убогая. Нас Лиска терпеть не может и Светку ненавидит. Вот Кит другой, он сестричек обожает, маму-папу почитает.

Я вспомнила, как паренек беседовал с отцом в торговом центре, говорил о его непроходимой глупости, смеялся, что тот понятия не имеет о насекомом под названием «палочник», но промолчала.

— Если ваш муж не ездил за сыном, почему он не забрал девочку, которая, несмотря на внезапную гибель бабушки, получила второе место на конкурсе? — остановил Екатерину Степан.

— Я перед вами оправдываться должен? — вспыхнул отец.

— Леша обожает Алису, — защебетала Катя, — он занят был... э... клиент в мастерскую неожиданно приехал. Времена нынче тяжелые, нельзя заказ упускать. Алиска не младенец, села на метро и покатила.

Я ощутила, как к щекам приливает кровь.

— На глазах у нее скончалась бабушка. Вам следовало не думать о делах, а броситься к девочке, которую решили продать за большие деньги!

Степан ущипнул меня за бок, но я уже не могла остановиться.

— Надумали принести старшую дочь в жертву семейному благосостоянию? Алисе уготована судьба отправиться в гарем, вы получите за нее солидную сумму. А вот Кит преспокойно закончит школу для гениев, уедет в США, поступит в университет, по окончании его наймется на высокооплачиваемую работу, будет давать вам деньги. Такую перспективу живописала вам директор Валентина Федотовна? А Алиса? Фиг с ней, она никогда успеха в жизни не добьется, с паршивой овцы хоть шерсти клок. Так? Ну и как вас после этого называть? Бросили девочку одну в тяжелый момент, теперь готовитесь ее на аукцион выставить.

— Эй, что она несет? — растерялся Алексей.

— Откуда у вас взялись тридцать тысяч евро на бизнес? — наступала я на хозяина дома. — Подписали договор с центром «Архимед»? Никита поступил в школу для особо одаренных детей, а на следующий день его папаша вносит круглую сумму за приобретение автомастерской! Теперь вернуть деньжата требуют? Верно?

— Теща в долг дала, — ошарашенно ответил Леша, — я ей каждый месяц нехилые суммы возвращал. Кровопийца. Пиявка. Клоп.

Мне стало смешно.

— Вранье должно хоть кое-как походить на правду. Галина Сергеевна пенсионерка, ей о таких суммах в валюте и мечтать не приходилось. Ладно, пусть она помогла вам, но почему тогда вы, узнав о ее кончине, запустили с балкона петарду и заорали: «Ура! Теща умерла!» Петрова была щедра по отношению к вам и...

— Щедра? — завопил отец семейства. — Не надо болтать чего не знаешь. Не дарила она даже фантика. Долг на мне висел с огромадными процентами. Каждый месяц змеище бабло выплачивал, а у нее, как в банке с ипотекой: процент не уменьшался. А потом евро скакать вверх начал. Бабка каждый месяц перерасчет затевала. Я взмолился: «Галина Сергеевна, скоро у метро с пластиковым стаканчиком встану, давайте закрепим сумму в рублях. У меня семья, дети. Вам не жаль, что ваши дочь и внуки с голода подохнут?» Она ответила: «Хитрый ты, Алексей, больно. Схапал у меня валюту, а теперь хочешь по старому курсу ее возвращать? В СССР за доллар семьдесят копеек вроде давали, может, ты про ту ставку вспомнишь?» Сволочь, а не бабка! Она меня грабила! Я из последних сил вертелся. Ну не зарабатываю столько! У меня семья! Жена весь мозг сожрала, шубу ей подавай, девчонки растут, чтоб их разорвало. У Алиски размер ноги сто раз за полгода менялся, я разорился на ее туфлях. Светка вечно болеет, а врачам в карман сунуть надо, иначе они на ребенка не поглядят. И куда деться, а? Куда? Пришлось к Митьке Упырю на поклон идти, тачки, которые он присылает, по ночам разбирать, да...

Алексей сообразил, что в пылу ляпнул то, о чем рассказывать не следует, и замолчал.

— Лешик, — потрясенно выдохнула жена, — почему ты мне ничего не рассказал? Про долг маме?

Муж молчал.

Катя схватилась за сердце.

— Когда Лешик неожиданно автомастерской обзавелся, я удивилась, денег у нас пшик, муж на своей развалюхе бомбил, но получалось, что один день он на семью пахал, а другой на оплату ремонта машины, она на ходу рассыпалась. Принесет Леха вечером пару тыщ, я утром еды куплю. Не принесет? Крутись как хочешь, вари кашу из топора.

— Никто не просил столько рожать, — огрызнулся муж.

— Назад же я их не засуну, — всхлипнула Катя. — И вдруг Леша меня огорошил: «Я приобрел бизнес». Конечно, я спросила, откуда деньги. И что услышала? Первые два года Леша прежнему владельцу семьдесят пять процентов выручки отдавать будет, потом пятьдесят, затем тридцать, ну и так до нуля. И я ему поверила! Мне и в голову прийти не могло, что мать ему деньги дала. Она всегда говорила: «Я нищая», требовала, чтобы ей продукты покупали, ходила в дешевых тряпках, на Новый год детям сто граммов леденцов приносила и с порога заводила: «Хотелось бы купить что-то достойное, да как с пенсии-то накопить». Я ее жалела, на расходах экономить пыталась, насобираю тысячи три, принесу маме. И так горько делалось, что я — дочь никчемная, матери сытую старость обеспечить не могу. Ночью иногда лежу без сна, себя поедом жру: «Катя, почему ты на одном ребенке не остановилась? Сейчас бы легче жилось». И ведь я столько детей не хотела. Алиска сама по себе получилась не пойми как, Никитка родился из-за моей подружки. Ирка сказала, что если после родов месячные не пришли и грудью кормишь, то не забеременеешь. Я ей поверила, она медсестра, почти врач. И, бац, живот расти начал. А Светка... презерватив у нас лопнул. Если бы я пила таблетки, есть такие, проглотишь и не залетишь, и все бы обошлось. Но у меня их дома не было... Лешик, я не нарочно рожала, но раз уж так вышло, я полюбила детей. И маму жалела, и тебя...

Хотя мать моя очень конкретная была, вечно замечаниями сыпала, только по ее разумению поступать требовала, спорить с ней, что против ветра плевать. Не женщина, а танк!

— Ага, — кивнул муж, — придет к нам и в шкафу на кухне банки переворошит, потому что стоять должны, как ей хочется. Я бесился, орал: «Мой дом, не лезьте», она в ответ: «Две копейки приносишь, семья голодная, ты нищета, слушай умного человека, перевоспитаю тебя, голозадого. Не такого я зятя хотела!» Один раз мы с ней подрались, вдвоем дома были. Сначала, как обычно, завелись по ерунде, я крикнул: «Раз я такой плохой, чего не велите Катьке развестись? Она вам в гнилую пасть глядит, послушается доброго материнского совета». Галина возьми да и засмейся: «И кому дура с тремя короедами нужна? Кабы не гири на ногах у дочери, давно б ваш дурацкий брак порушила». Я схватил со стола нож, на нее кинулся. Думаете, бабка перебздела? Ага! Ждите! Схватила с плиты сковородку, как даст мне по башке. Я не ожидал наезда, упал, а она надо мной встала и шипит змеей: «Плохо знаешь, на что я способна. Ради достижения цели пойду напролом, ни рука не дрогнет, ни сердце. Испугать меня невозможно. Большие люди пытались меня подмять, не тебе чета, нищий дурак! Да не вышло. Я на коне, а они в пепел рассыпались. Со мной лучше дружить». Бросила чугунину и ушла. У меня потом неделю череп гудел, хорошо, синяк не вылез, она по макушке зафигачила.

— Господи! — ахнула Катя. — Лешик!

Муж запустил руку в волосы.

— Так она тогда сказанула, что я напрягся. Теща — не простая баба. Посторонним сладко улыбается, незабудкой прикидывается. Ага! Цветочек с железными зубами. На следующий день Галина позвонила, велела к ней приехать и сказала: «Хватит ругаться, эвона, до драки дошли. Неладные дела из-за твоей глупости начинаются. Слушай меня, олух царя небесного. Не разрешу вам с Катькой, дуракам, творить что хотите, нет своего ума, живите моим. Один знакомый продает автомастерскую, предприятие на плаву, клиентура набрана. Дам тебе тридцать тысяч евро, положишь их в банк на свое имя, продавец хочет сумму не налом, а на счет получить. Деньги не дарю, в долг их получаешь, отдавать будешь с процентами. Отказа не потерплю». Я, идиот, обрадовался. Свой бизнес! Не допер, что попаду в капкан.

Алексей замолчал.

— То, что вы сейчас рассказали, называется мотив, — произнес Степан, — у вас имелась серьезная причина убить тещу. Со смертью Галины Сергеевны долг аннулировался.

Горюнов вздрогнул:

— Когда нам позвонили с известием, что бабка в ящик сыграла, я на радостях бутылку водки выжрал.

— Он обычно не пьет, — вмешалась Катя, — ну, рюмашку по праздникам. У нас поллитровка год нетронутая стояла, и тут Лешик ее разом в горло влил, одурел совсем, посуду бить начал, Светке наподдал, мне вмазал. Вы вот упрекали, что за Алиской никто не приехал. Так мужик был пьян, как его одного оставить? Гляньте, у шкафа дверца на одной петле висит, это он вчера оторвал. Хорошо, Кит еще домой не вернулся, их в театр повели, сына привезли позже Лисы, Лешка уже храпел, не видел Никита дебоша. Я машину не вожу, на такси денег нет, Светку с пьяным отцом не бросишь, мебель он ломает, на балкон выскочил, петарду запустил, давай орать: «Свобода, теща умерла».

— Я ее не убивал, — мрачно сказал Алексей, — в мыслях каждый день душил, ножом резал, топил бабу в дерьме, но взаправду мне слабо. А уж когда она сама по себе убралась, тут да, радость поперла!

Жена бросилась к нему:

— Лешик! Почему правду не рассказал про долг? И про то, как мама тебя сковородкой огрела?

— Чем ты поможешь? — усмехнулся супруг. — Ты матери хуже туберкулеза боялась. Ты ей поперек слова не говорила, старуха на меня орет, а жена молчит.

— Я бы... я... я бы шубу просить перестала, — выпалила Катя, — думала, ты просто жадишься.

— Ну это здорово пособило бы беде, — засмеялся Алексей. — Галина Сергеевна условие выдвинула: я молчу про тридцатку евриков, если обмолвлюсь тебе, откуда бабло притекло, она нашу квартиру сожжет.

— Матерь Божья, — перекрестилась Катя, — не поверю, что мама такое сказанула.

— Выходит, ты ее не знала, — вздохнул муж, — и я не за ту ее держал, считал сначала тещу вздорной бабенью, истеричкой, скандалисткой. Все старухи такие, свою жизнь проплясали, поняли: усе, на тот свет пора, и давай ненавидеть тех, у кого много дней впереди. Потом мне ясно стало: Галина монстр, денег у нее полно, хитрости через край, актриса каких поискать, злая, жадная, ненавидит и дочь, и внуков, если ей поперек встать, точно дом запалит. Протянула она мне конверт с евриками и отрубила: «Прикуси язык, зятек, помни, издавна провинившихся на кострах поджаривали. Полыхнет ваша двушка ночью. Видел, что от пожара бывает? Нет? А я любовалась на пепелище, черная пустыня с головешками. Костей ни от кого из вас не останется. Ну потеряю я свои деньги, зато от дураков избавлюсь, стану жить, не вспоминая тех, кто меня не слушался».

Екатерина снова перекрестилась.

— Я бы ее уговорила, я бы нашла выход...

Алексей махнул рукой:

— Не смеши! Кролику против гиены не устоять.

— Ну почему? — возразила я. — Белые пушистые длинноухие совсем не так очаровательны и беспомощны, как выглядят. Ударом лапы зайчик способен убить себе подобного, и зубы у него длинные, крепкие, острые. Катя нашла выход из нищеты, очень уж вашей супруге шубку хочется.

— Чего? — разинула рот хозяйка.

— Вы договорились с Галиной Сергеевной об отправке Алисы на аукцион, — уточнил Степан, — не на одну шубу барыша хватит.

Родители девочки переглянулись.

— Ваще не въезжаю, о чем вы, — удивился Алексей.

— Аукцион? — повторила Катя. — Это как? Вы уже второй раз эту чушь повторяете. Чего мы решили?

— Продать девочку за большие деньги в гарем, — пояснила я.

Екатерина икнула, а Алексей начал краснеть.

— Того... че вы несете? Да кто ее купит?

Я отвела взгляд в сторону. Отличный вопрос от любящего папы. «Да кто ее купит?» Алексей сомневается лишь в ликвидности дочери? Сам факт ее появления на невольничьем рынке отца не шокирует?

Степан снял куртку и повесил ее на вешалку.

— Есть богатые мужики, готовые выложить за юную девственницу немалую сумму. Алиса по многим параметрам подходила для сделки, но была маленькая заминка. Покупатели хотят непременно получить победительницу конкурса красоты, абы какого, и не обязательно ту, что завоевала первое место. Но диплом «мисс» необходим. И тогда Галина Сергеевна решила отвести Алису на конкурс «Девочка года» по версии журнала «Красавица».

Горюнова разинула рот.

— Ваще!

— Бабушка любила старшую внучку? — спросила я. — С раннего детства занималась ею? Водила в кружки?

— Не-а, — сказала мать. — Алиска ее бесила. Девочка родилась потому, что мне аборт делать поздно оказалось. У нас с Лешей средств ни на врача, ни на приданое не было, пришлось маме все младенцу приобретать.

Алексей шумно втянул в себя воздух.

— Объясни людям, где теща шмотье нарыла: в секонд-хенде. Заношенные тряпки. Коляску с кроваткой как с помойки приперла. Но потом нас бесконечно расходами попрекала. Алиска орала с утра до ночи, Галина ее перекрикивала: «Уймите хныксу. Или уматывайте из моей квартиры». А че началось, когда Лиса ходить стала! Бабка ей подзатыльники хрясь, хрясь.

— Не было такого, — попыталась оправдать мать Катя, — но признаю: Никиту она сильнее любила.

— Не сразу старуха мальчишку заобожала, — гнул свою линию Алексей, — интерес к парню проснулся, когда она поняла, что он гений. Вот тогда Галина стала Кита привечать, в «Архимед» на собрания ходить, ей нравилось, что внук талантливый. На девчонок бабке плевать всегда с большой колокольни было.

— И вас не удивило, что год назад Галина Сергеевна вдруг начала активно подталкивать Лису в мир моды? — продолжала я. — Она возила девочку на занятия в школу моделей. Алиса снялась для какого-то журнала, ей подарили платье, обувь. Бабушка думала этой акцией поднять самооценку внучки и авторитет Лисы в школе. Но получилось наоборот. Одноклассницы, увидев фото Горюновой в издании, сначала обвинили девочку во вранье, дескать, не она это. А когда Галина Сергеевна пришла к классной руководительнице, показала ей одежду, обувь, полученную за работу, стало еще хуже. Зависть страшная сила. А потом, когда Миронова объявила, что из-за лишнего веса, плохих волос и кривых зубов Алису могут снять с конкурса, Галина отвела внучку в клинику Лауры Кузнецовой, чьи услуги стоили не одну тысячу евро. Охотно верю, что Алексей, которого никогда нет дома, не знал о вспыхнувшей горячей любви тещи к старшей внучке. Но Катя не работает, она видела, как мать каждый день забирает девочку, думаю, Екатерина знала про аукцион. Катя, что вам пообещала Галина Сергеевна за продажу Лисы? Деньги на шубку? Красивую, светлую, колокольчиком, из норки? Вы мне в торговом центре такую показывали, говорили о ней с придыханием.

— ...! — заорал Алексей, делая шаг к супруге. — Совсем?!

Степан схватил его за плечи:

— Стоп. Оба хороши. У каждого свои тайны. Вы про долг теще умолчали. Катя не обмолвилась о продаже дочки в гарем.

— Я... я... я... никогда, — залепетала хозяйка, — пусть меня громом убьет, молнией... не знала вообще... честное слово... от вас впервые услышала...

— Верится с трудом, — отрезала я.

— ...! — завопил муж, — ...! Отпустите! Я ей ...!

Из коридора раздался звук шагов, в прихожую вылетела Алиса, споткнулась и, чтобы не упасть, схватилась за вешалку.

— Мама не врет! — звонко выкрикнула девочка. — Бабушка не разрешала мне родителям про бал рассказывать. А вам она набрехала! Про все!

Я решила уточнить:

— Ты не ходила в школу моделей?

— Занималась там, — уже тише произнесла девочка, — меня хвалили, говорили, что перспективная. Но в журнале я никогда не снималась, платьетуфли не получала. В школу бабушка ко мне не ходила. И мне никто в классе не завидует, потому что я не нужна никому.

Я растерялась. Ну и ну! Галина Сергеевна просто мастер художественного вранья, она приехала ко мне домой и с упоением рассказала полностью выдуманную историю...

— Боже! — ахнула Катя. — Что у нас происходит?

— Нам бы тоже хотелось знать ответ на этот вопрос, — подхватил Степан. — И кого хотели убить? Алису или Галину Сергеевну?

— С ума сошли? — выкатил глаза Алексей. — С чего вы взяли, что бабку кокнули? Инфаркт ее убил. Явились сюда нас на понт брать.

— Нам сказали, что у мамы сердечный приступ был, — подхватила Катя. — Ой! А и правда! Чего вы про убийство талдычите?

— С вами сотрудники полиции разговаривали? — остановила я Екатерину.

— Нет, — ответила та, — позвонила женщина... э... Королькова.

— Анюта Королева, — поправила я.

— Точно, — кивнула Катя, — сказала: у Галины Сергеевны с сердцем плохо, ее в больницу повезли, номер телефона назвала. Я туда позвонила, мне тетка ответила, это морг оказался, а не клиника. Велели ждать от них сообщения, когда тело отдадут, вскрытие делать собрались. И все.

— Все? — переспросила я.

— Ага, — кивнула Катя, — я сегодня утром опять туда звонила, мужчина подошел, какие-то документы долго искал, в конце концов объяснил: «В пятницу выдадут». Я хотела спросить, чего так долго, а он трубку бросил.

— Из отделения полиции никто к вам не обращался? — повторила я вопрос.

— Сказано, нет, — буркнул Алексей. — Зачем мы дознавателям нужны? Теща откинулась, ничего удивительного, пожила, и хватит.

У меня возникло острое желание сию же секунду схватить мобильный, соединиться с Андреем Платоновым и сказать ему: «Владимир, которого ты прислал в холдинг «Красавица», оказался безответственным человеком. Правда, тело он увез тихо, но никто из его людей не потрудился связаться с родственниками. Семья до сих пор находится в неведении насчет причины смерти Петровой».

Я перевела дух. Ну и чему я удивляюсь? Небось у Савченко на столе полно папок с делами, смерть Петровой для него рутинное событие. Полицейский завален работой, у него выработался профессиональный пофигизм. Если упрекнуть такого: «Ну почему вы не связались с дочерью покойной?», он огрызнется: «Разорваться мне прикажете? Занят по макушку, и не моя забота родню оповещать, велел Пете этим заняться. А Петя перепоручил Коле, тот отправил поговорить с семьей Таню, а она... концов не найти. Увы, так часто происходит. Труп не убежит, пару деньков полежит в холодильнике, разберутся с другими делами, вспомнят про Петрову, вот тогда и вызовут Катю на разговор. Действительность мало похожа на телесериалы и книги Милады Смоляковой. Но и родственники хороши. Умерла бабушка? Тело не отдали для похорон? Ну, ничего, когда-нибудь же получим его, зачем волноваться?

Степан прищурился:

— Мы говорим об убийстве потому, что Галина Сергеевна выпила напиток, в котором находилась большая доза яда.

— Ой, ой! — прошептала Катя и закрыла рот рукой.

— Напиток приготовили для Алисы, — продолжал Дмитриев, — девочка его постоянно пила, а бабушка никогда. Поэтому и вопрос. Кого хотели убить — Алису или Галину Сергеевну? Бабушка погибла случайно или охотились именно на нее? Если объектом была она, то преступник своего добился. А если девочка, то могут предпринять еще одну попытку убрать Алису. Теперь сообразили, почему мы к вам пришли? Хотим уберечь вашу дочь от большой беды. Но для этого нам надо знать правду. И если вернуться к Татьяне Григорьевой, с упоминания имени которой и началась наша бурная беседа, то появляется новый вопрос. Кто столкнул с шестого этажа мать Марины?

— Опять ничего не понимаю, — захныкала хозяйка дома. — Какая Таня? Что за Марина? Не темните! Говорите яснее.

Я сняла пуховик, устроила его на вешалке и задала вопрос:

— Останемся в прихожей? Беседа предстоит долгая.

Катя молчала.

— Пошли в зал, — скомандовал Алексей, — мне тоже охота правду знать про свою семью родную.

Глава 32

— Начинай, — приказал отец Алисе, когда все расселись по местам. — Давай, вываливай все, да не ври.

Девочка надулась.

— Вечно я у вас виновата. Еще ничего не сказала, а уже брешу!

Отец застучал кулаком по ручке кресла.

— Хорош дуться, надоело твою кислую морду видеть!

Лиса стиснула губы.

— Подождите, Алексей, — попросила я, — Алиса взрослая умная девушка, она не собиралась обижаться, как глупый маленький ребенок. Ей нужно собраться с мыслями, так?

Лиса кивнула.

— Может, тебе будет проще, если я задам пару вопросов? — предложила я.

— Хорошо, — согласилась девочка.

— Ты знала про аукцион?

— Да.

— Бабушка тебе рассказала?

— Да.

— Что именно?

— Надо получить место на конкурсе, тогда меня пригласят на бал. Там заплатят за участие много денег, я уеду навсегда жить за границу, куплю там квартиру, — затараторила девочка, — от родителей злых избавлюсь, никто больше меня не обидит, дурой не назовет. Стану покупать себе что хочу: вещи, бижутерию. Бабушка на меня деньги сейчас потратит, а я ей их из полученных за бал верну, но мне надо победить на конкурсе, и тсс...

Алиса приложила палец к губам.

— Никому ни словечка. Иначе получится как с Барским.

— А что случилось с этим мальчиком? — поинтересовалась я.

Лиса прижала руки к груди.

— Бабушка сказала, что сестричку Егора, такую же красивую, как я, позвали на бал, ей подобрали жениха! Принца! Очень-очень-очень богатого! Он девочке всего надарил! Столько хорошего! А брат позавидовал и разболтал всем про ее удачу. Жених рассердился, разорвал помолвку, отнял все-все назад. Остался этот Егор Барский с носом, ему принц квартиру купил! Пятикомнатную. И отобрал. Если я кому про бал скажу, со мной как с Егором будет, всего лишусь, что на балу получу. Я молчать должна.

До меня дошло. Ну конечно! Егор никак не мог быть одноклассником Лисы. Ведь он умер несколько лет назад и уже тогда учился в десятом классе, а Горюновой сейчас только четырнадцать лет... Об этом ей бабка рассказала...

Алиса всхлипнула:

— Я так старалась молчать! А язык ляпал про бал! Прямо сам собой говорил! При вас сболтнула и при Анюте... случайно, я не хотела! Бабушка вернулась в раздевалку, стала медаль искать, а ее нет! Она на меня с кулаками... я плакать... Стилист Амалия Генриховна услышала... Королеву позвала... та примоталась с вопросами, и я... про бал... и Егора Барского... Ну, случайно вышло... честное слово. Когда Анюта ушла, бабушка меня чуть не убила, за горло схватила, зашипела: «Удушить тебя, дуру, хочется! Но нельзя. Где медаль? Где?»

Алиса заплакала.

— Эй, эй, эй, — занервничал Алексей. — О чем терки? Какая медаль?

Я не обратила внимания на его вопрос.

— Ты не знала, что сумма, вырученная на аукционе, это калым, который заплатит родителям жених?

— Что такое калым? — удивилась Алиса. — Меня после бала замуж очень богатый мужчина возьмет, на своем самолете в Америку увезет. Прощайте, все злобины, оставайтесь в Москве.

Дверь отворилась, появился Никита.

— Отстаньте от нее. Лиса дурочка, бабка перед ее носом морковкой помахала, и на все девчонка согласилась, она не в теме. Бабуля ей новое платье купила, туфли, сказала: «Съездишь на бал, тебя замуж миллиардер возьмет, каждый день сможешь обновки покупать, но матери с отцом ни слова, иначе они тебя не пустят, останешься опять ни с чем, другим детям сладкое родители купят, а тебе ничего, как всегда». У Алиски комплекс: думает, что все самое лучшее нам со Светой достается, а ей фиговина на рогулине. Бабка это просекла и в своих целях использовала. Она умная была, но очень хитрая и злая. Только о деньгах думала, совсем взбесилась, когда ее обворовали.

— Маму обокрали? — подпрыгнула Катя. — Да у нее взять нечего. Ни золота, ни серебра, ложки из нержавейки, чайный сервиз еще со времен моего детства.

Кит рассмеялся:

— Бабулька всех красиво обманывала. Видела у нее на кухне СВЧ-печку?

— Конечно, — кивнула Горюнова, — мать о ней мечтала, но купить не могла, я сэкономила и подарила, еще полочку приобрела, ну, такую, к стене прибить, чтобы агрегат повыше поднять, тогда он место на столешнице не занимает. Давно, правда, дело было, когда мама в новую квартиру вселилась.

— Если печку с подставки снять, за ней дверцу сейфа увидишь, — пояснил Никита.

— Да ладно, — отмахнулся Алексей.

— Папа, ты когда у бабушки в последний раз в гостях был? — прищурился сын.

Тот почесал нос.

— Ну... после того, как старую пятиэтажку расселили и мы в разных квартирах, на мою радость, очутились, теща меня к себе один раз всего зазвала, деньги мне... Тебе этого знать не стоит.

Кит усмехнулся:

— Я в курсе, что на тебе долг офигенный висит. Папа, ты поорать любишь, но сразу отходишь, долго не приматываешься, как мама. Вот она всем постоянно недовольна, ворчит себе под нос, ноет, жалуется. А ты повизжишь пять минут и затыкаешься. Но в конце каждого месяца ты делаешься похожим на мать. Двадцать девятого числа тебя все начинает бесить, только и говоришь: «Денег на вас, дармоедов, нет. Как выжить? Весь доход словно в трубу высасывает». Мать тебе что-то скажет, ты ей тумака. На Алиску налетаешь, идиоткой ее обзываешь, Светке пенделя, хотя она себя, как обычно, плохо ведет, ко мне с ерундой прицепишься. И все твои вопли с одним припевом: где бабло взять? Пятого числа следующего месяца ты опять нормальный, успокоился. Знаешь, пап, на ПМС твое поведение похоже, бесишься, как от прилива гормонов. Но у мужчин месячных нет. Пока я маленький был, внимания на твои выверты не обращал, а потом заинтересовался, с чего папаша в дракона с регулярностью превращается? Отчего цикл такой, с двадцать девятого по пятое. Ну и подумал: начало месяца — это какие-то платежи. Набрал отец денег в долг, а теперь с трудом платит.

Очень интересно мне стало, ну и залез к тебе в ноутбук.

— Он запаролен! — процедил Алексей. — Чужому не войти.

Никита рассмеялся:

— Уж сколько раз твердили миру, придумывайте оригинальные коды. Но нет же, народ пишет клички кошек-собак. У нас животных нет, поэтому ты нашел самый оригинальный шифр: день, месяц и две последние цифры года своего рождения. Оборжаться. Лучше всего просто пальцем в клавиатуру потыкать, случайный набор быстро никто не подберет, потребуется подключать второй комп с программой определения доступа.

На лице Алексея появилось растерянное выражение.

— Не парься, папа, — усмехнулся подросток, — у тебя талантливый, умный сын, а в компьютерах я гений. Как ни старайся шифроваться, я взломаю. Поэтому меня большая американская фирма пригласить на работу хочет. Я в твоих финансовых документах порылся, мимоходом косяк нашел, за один год ты налоговой переплатил, если хочешь, потом покажу. Но не о том речь, я увидел, что каждый месяц пятого числа с твоего счета испаряется круглая сумма, налом ее забирают, и она всегда примерно одинаковая. На жизнь остается мало, почти ничего. А бесишься ты потому, что опасаешься не набрать за тридцать дней нужные деньги, и отдавать их так жалко. Сначала я решил, что ты у барыги в плену, захотел посмотреть, кто в жабры тебе вцепился. И проследил за тобой.

— Что сделал? — дернулся Алексей.

— На хвост тебе сел, — пояснил Кит, — пятого утром около твоей автомастерской окопался, приехал туда заранее, еще до твоего прихода.

— Ты же был в школе! — возмутилась Катя. — Тебя на автобусе увезли!

— Ну, мама, — усмехнулся Кит, — ты прямо как маленькая! Сказал Валентине Федотовне, что ногу подвернул, когда из мини-вэна вылезал. Она меня с тем же шофером, Петром Сергеевичем, в клинику отправила. А я дочке водителя курсовые за деньги пишу, она в институте учится, но дура полная.

— Что ты делаешь? — оторопел отец.

— Доклады идиотам-студентам составляю, контрольные решаю, гонорар получаю, — радостно заявил Никита. — Откуда у меня деньги взялись, чтобы Светке уши праздничные в магазине купить? Игрушки ей, конфеты кто притягивает? Я. Мне Светка нравится, она молодец, спуску вам не дает. И с ней договориться легко. Попрошу: «Светик, начинай бузить, орать, надо, чтобы мать на тебя переключилась, я тебе за услугу завтра чипсы притащу». Светка сразу: «А-а-а-а». На пол кинется, ногами сучит. Актриса, блин! Мама к ней бросается, от меня отлипает, могу что угодно на компьютере смотреть. А то у мамахен манера, войдет в комнату на цыпочках, встанет за спиной и как взвизгнет: «Чем ты занимаешься?» Вот только не надо думать, что я порнуху гляжу, не до ерунды мне, чужой доклад за бабло пишу. А мать не отваливает: «Почему текст про музыку?» И начинает лезть не в свое дело! А так, Светка орет, чипсы зарабатывает, я наушники нацепил. Кайф! Алиске тоже ерунду приношу для отвода глаз, чтоб мамашка считала, что я сестер обожаю. Вот надо мне было в магазине в один отдел отойти, я Светуське мигнул, она супер, понятливая, прямо как я. «Хочу-у-у-у уши-и-и». И утопали мы, куда я хотел. Светке уши и эскимо за работу. У нас с ней симбиоз.

— Кто? — жалобно спросила Катя. — Зачем тебе деньги?

— Что, — ухмыльнулся слишком умный сын, — симбиоз. Как-нибудь объясню тебе непонятное слово. А рублики необходимы на айпад, айфон, комп хороший, вы мне все это не купите.

— Ты же говорил, что из «Архимеда» все это принес, — растерялась Катя.

— Врал я, — хихикнул Никита, — тебе только скажи, что зарабатываю, сразу отнимешь. А нужно свои средства иметь. У тебя грязный фантик и то не выпросишь. Ты его на покупку своей шубы занычишь. Бее! Как можно носить чью-то шкуру? Фу!

— Никита, я помню, как ты в магазине сообщил, что получаешь плату за очистку машин соседей от снега. Про курсовые-контрольные тогда ни словом не обмолвился, — напомнила я.

Никита положил ногу на ногу.

— Соврал. Не стоило вообще про бабло упоминать. Ступил. А предки сразу прицепились, я сообразил, нельзя им про реальный заработок докладывать. Мать всполошится, может в школу побежать, Валентине нажалуется, та разборку устроит. Ну и придумал про снег. Я гений, но даже феноменально умный человек может тупануть. Мамахен-то могла с соседями потрепаться. Но пронесло. А вот с папой я все правильно сделал. Шоферу сказал: «Дядя Петя, вашей дочери бесплатно три курсовые сделаю, а вы меня за это весь день возите и никому ни слова, если проболтаетесь, я в деканат вашей Наташки стукну, что она не сама курсовые пишет».

Он согласился, а куда водиле деваться, если у дочки вместо мозга вата?

— М-да, — крякнул Степан, — молодец.

Никита воспринял слова Дмитриева всерьез.

— Конечно. Ума у меня на десятерых. Я в мини-вэне у мастерской отца сидел. Долго караулил. Около двух он вышел и куда-то поехал, я за ним. Валентине Федотовне позвонил, отчитался: «Нога в порядке, просто растянул, но болит. Можно с Петром Сергеевичем за книгами порулить, они все в разных магазинах, мне ходить больно». Директриса ответила: «Конечно, дорогой, Петя твой столько, сколько надо. В школу не возвращайся, купишь литературу, отправляйся домой, тебе сегодня спортивные занятия ни к чему». Отец приехал сначала в банк, потом в кафешку, сел прямо у большого окна.

Никита состроил гримасу.

— Папахен не Штирлиц. Если не хочешь кому на глаза попасться, устраивайся в темном углу у тубзика. А отец напоказ себя выставил. Гляжу... бабка наша чешет, села напротив зятя, тот конверт перед ней швырнул. Бабулька его открыла и говорит:

— Чего купюры такие грязные, по полу их возил?

— Стоп! — скомандовал Степан. — Взрослые в кафе, ты в машине, как слова бабушки услышал?

Никита расставил ноги.

— Ну вы спросили! Ржака! Поясню для пещерных человекообезьян. Приборчики ма-а-аленькие продаются. Принцип их действия объяснять не стану, не поймете, просто скажу: у отца в сумке лежал типа передатчик, у меня в руках вроде приемник. Радиус действия хороший изначально был, но мне его одноклассник Костя улучшил. Он инженерный гений.

— Подложил отцу прослушку? — уточнил Степан.

— Легче только конфетку развернуть, — развеселился Кит, — в его сумке есть внешний кармашек, папашка им никогда не пользуется.

— Где взял приспособление? — вклинилась я.

— В Интернете, конечно, вот глупый вопрос, — пожал плечами Никита, — курьер прямо в школу привез, а Костик в нашей мастерской над этой фигней поколдовал. У нас все нужное есть.

— Хорошо учиться в «Архимеде», — не выдержала я, — и мини-вэн дадут, и приятель — мастер на любые фокусы, и все необходимое под рукой.

— Согласен, — кивнул Кит, — но для этого надо быть гением. Так вам рассказывать дальше или слушать надоело?

Глава 33

— Говори, — коротко приказал Степан.

— Бабка отцу замечание про грязные евро сделала, тот обозлился: «Не нравятся? Не бери. Качество купюр мы не оговаривали, количество правильное. Чего еще?» И ушел. Хоть бы расписку взял! Безголовый совсем. Много ума мне не потребовалось, чтобы картинку сложить. Отец старухе каждый месяц платит, значит, в долг у нее брал. На что? Квартира старая, машина еле дышит, ничего крупного не покупали. Значит, бабка ему на автомастерскую ссудила. Мать ничего не знает, отец от нее скрыл, где баблосики надыбал, а теперь выплачивает и бесится.

Никита обвел присутствующих взглядом:

— Я стал старухины финансы ворошить. У нее карточка есть пенсию получать. На ней зеро всегда, кроме дней подачки от государства. В принципе могла она на чужое имя счет открыть или ячейку взять. Но это муторно, надо другой паспорт иметь, всем старухам шкаф дома надежнее банка кажется. Очень захотелось мне узнать, сколько у жабы баблосов? Но как в ее квартире пошарить? Меня мать к ней иногда с ерундой отправляет, но бабка внука в комнате без внимания не оставит, и у нее однушка. А потом мне повезло, бабулька на улице шлепнулась лицом о тротуар. Ничего не сломала, но по морде синяк разлился, она маме позвонила: «Убилась здорово, немедленно привези примочку, крем от кровоподтеков, обезболивающее. Шевелись!»

Никита посмотрел на меня:

— Бабка с матерью разговаривала только в повелительном наклонении. Иди! Сделай! Принеси! Купи! Живо! Маму она с детства запугала, та ее до посинения боялась. Велит Галина Сергеевна: «Хочу йогурты. Сейчас». Мама в магазин мчалась скачками, как кенгуру. Купит жрачку и тащит старухе. Папе потом врет: «Ходила в садик за Светкой, там задержалась, воспитательница попросила мягкие игрушки починить, долго их зашивала». А сама бабке еду возила. С деньгами вечно химичит, нам купит отечественное, где срок годности прошел, соскребет ножом дату с упаковки и рада. В субботу отец хозяйственную книгу потребует, начнет счета проверять, там все тип-топ, дебет с кредитом сошелся.

Никита повернулся к отцу:

— Ты, если уж решил семейную бухгалтерию вести, чеки требуй. Мать пишет: йогурты — 100 руб. А ты веришь. В действительности на них пятьдесят потрачено, и за масло меньше, и за картошку. На сэкономленную разницу бабке вкусняшек набрали.

— Гаденыш! — выпалила Катя. — Вырастила змею на груди.

— ...! — заорал Алексей. — На мои потом заработанные...

— Брэк, — скомандовал Степан.

— Не нравится? — засмеялся Никита. — Мама, ты же всегда говоришь: «Врать грешно, никогда не лгите». Вот я и рассказываю все как есть. Почему меня за правду не хвалишь?

— Мерзавец, — с чувством произнесла мать.

— У тебя политика двойных стандартов, — не остался в долгу сынок, — людей за нечестность осуждаешь, а сама вечно врешь.

— Вернемся к основной теме разговора, — остановила я разгоряченных членов милой семейки. — Галина Сергеевна ушиблась, потребовала привезти ей лекарство и...

— Еще конфет, — дополнил Никита, — мать задергалась. Суббота была, я дома сидел. Алиска в школе тухла, у нее шесть дней занятия, отец на работе. Светка с температурой, сопли по полу за ней тащились. Мама бабке сказала: «Младшая заболела, она ни с кем, кроме меня, не останется, не могу к тебе приехать». Я не слышал, что ей баба-яга ответила, но мамулек притихла, трубку положила, всхлипывает. Я и предложил: «Давай отвезу бабуле, что она просит». Радость у мамахен через край полилась, деньги мне дала, список покупок, я в аптеку попер, все нашел, а на свои снотворное купил.

— Его без рецепта не продают, — остановила я юное дарование.

Никита встал, пригладил волосы, сделал умоляющее выражение лица, на его глазах выступили слезы, и он зашептал:

— Тетенька, пожалуйста, помогите. Живу с папочкой и мачехой, мамочка умерла. Мачеха меня не любит, вечно ругает. Сегодня приказала ей снотворное купить, дала рецепт, а я его потерял. Потерял, тетенька! Я дебил! Невнимательный! Пожалуйста, пожалуйста, пожалуйста, тетенька! Дайте одну коробочку, самую маленькую. Мачеха меня побьет...

Никита расхохотался и сел.

— Что угодно и у кого угодно выпрошу. Надо лишь подойти к провизору, которой на вид лет сорок пять — пятьдесят, они самые добрые. Молодые и старые злые. Первые, потому что им неохота работать, а вторые из-за возраста цепными собаками стали. Я приехал к бабке, на свои деньги ей еще конфет коробку взял, чай заварил. Она кружку выжрала и заснула. А я квартиру обыскал, за СВЧ-печкой сейф нашел и открыл. Специально для вас поясню: шифром у бабки адрес был, номер дома — двадцать четыре плюс квартира восемьдесят три. Анекдот.

— Да, парень, далеко пойдешь, — не выдержал Степан, — не занимать тебе ума и сообразительности.

— Со многими поделиться могу, — гордо заметил подросток. — В сейфе куча евриков лежала и коробка, а в ней перламутровые штуки. Я их сфоткал и на следующий день показал учителю истории. Он чудак, но все на свете знает. Герман Наумович прямо затрясся: «Кит, где видел это чудо?» Я сказал, что нашел в Интернете на антикварном сайте. Весь набор стоит десять тысяч рублей. Вот, решил, маме купить на день рождения, она такое обожает, но не знаю, что это? Просто украшение, типа на сервант класть? Герман Наумович сразу поскучнел. «По снимку подлинность изделия не определишь, мне показалось, что медали подлинные, но раз всего десять тысяч за них просят, подделки это, настоящие баснословно дорогие. Китайские раритеты. Медали это, ими император особо верных друзей награждал». Но у бабки-то оригиналы были.

— И как ты это понял? — удивилась я.

— Не знаю, — пожал плечами юный гений, — взял в руки и ощутил древность. Вот так.

— Евро в сейфе были? — ожил Алексей. — И сколько?

— Четыреста двадцать семь тысяч сто сорок, — отчеканил сын.

— ...! — выругался отец.

— ...! — дополнила Катя и тут же опомнилась. — Он врет! Мама была нищая.

Никита достал айфон и сунул Степану под нос.

— Первое правило. Фоткай все интересное.

— ...! — не оригинально выразился папаша, который тоже уставился на снимок.— ...! Из меня проценты гадина тянула!

— Где деньги сейчас? — засуетилась Катя. — Мы наследники!

Никита скорчил гримасу:

— Видела на улице мошенников? Ходят в разных костюмах, на боку жестянка, в нее надо деньги совать, они якобы сиротам идут. Затейники тупые загадки задают, на них ответ без шансов найти.

Я тут же вспомнила «елку» в торговом центре и девушку, которая пыталась вытребовать у меня сто рублей, когда меня остановил гаишник.

— Я сталкивалась с такими.

— Остригли у вас сотняшку? — заржал Никита. — Загадочники командой работают, двое-трое у лохов по мелочи собирают, а старший вычисляет, кого покрупному обобрать можно. И этому человеку предлагают в мини-вэн сесть, там на компе в викторину сыграть. Начнет лох кон и пойдет выигрывать. Сто тысяч в карман положит, ну, сто пятьдесят. Главный подождет, пока идиот созреет, и предлагает: «Вы прямо гений. Вон сколько денег получили. Давайте сыграем в суперигру?» Скорей всего он владеет приемами гипноза, он даже нашу бабку обработал. Условия гейма такие: ставишь на кон свои деньги. Живые, не виртуальные, допустим, сто тысяч, если отвечаешь на вопрос, тебе сразу пятьсот дают. Не отвечаешь? Ничего страшного, платишь всего десятку. Размер выигрыша зависит от количества вываленного тобой бабла. Поставил миллион? Можешь огрести тридцать!

— Кто-то еще верит в это? — усомнилась я.

— Увы, да, — вздохнул Степан, — я знаю случаи, когда люди отдавали квартиры, их везли к нотариусу оформлять дарственную, обещали в случае выигрыша роскошный загородный дом.

— Жадина всегда идиот, — с бескомпромиссностью тинейджера заявил Никита, — мысль, что он может грузовик бабла огрести, тупиц последнего ума лишает. Бабка все еврики ухнула, ей пообещали три миллиона в валюте. Наликом.

— Не может быть, — прошептала Катя, — мама не дура.

— Дура! Дура! — перебил Кит. — Бригадир затейников психолог, живо кумекает, кого обчистить можно. У бабки в голове одни деньги были, вот она и попалась! Проиграла! Ее из мини-вэна высадили и уехали.

Катя закрыла лицо руками.

— Боже! Богатство имела! И она его просрала!

— ...! ...! — вновь стал материться Алексей.

Я подавила вздох. Отличная реакция. Похоже, Катя такая же алчная, как Галина Сергеевна. Дочь не подумала, что мать могла заработать инсульт от стресса, все мысли Екатерины сосредоточились на пропавших евро.

— В полицию бабка не пошла, — частил Никита, — побоялась, что у нее спросят: откуда у вас такие средства, дорогая пенсионерка?

— Остается восхищаться твоим умением добывать информацию, которую никому не сообщают, — вкрадчиво произнес Степан.

У каждого человека есть место, нажав на которое можно усыпить его бдительность. Галину Сергеевну мошенники поймали на жадности, а Степан схватит Никиту за гордыню.

— Да, — хвастливо заметил парень, — вы видите перед собой гения.

— И как ты все выяснил? — подхватила я игру. — Уму непостижимо! Мне это точно слабо.

Никита довольно улыбнулся:

— Если чего захочу, непременно добьюсь.

— У большинства людей это не получается, — вздохнула я.

Кит щелкнул пальцами:

— На следующий день после того, как я сейф изучил, у Светки температура поднялась, мамашка меня опять к бабке отправила, той газеты-журналы понадобились, она любила читать сплетни. Принес ей целую стопку и засунул в укромное место диктофон, чуткий очень, он почти неделю без подзарядки работает.

— Купил в Интернете, а потом попросил приятеля Костю поколдовать над прибором? — предположил Степан.

— Ага, — подтвердил Никита, — спустя шесть суток я приехал к бабке и забрал гаджет.

— Зачем ты это сделал? — удивилась я.

Кит почесал щеку.

— Ну... давно такой метод использую. Кто владеет информацией, тот хозяин положения. Полезно знать, о чем взрослые разговаривают, тогда можешь заранее их глупость купировать. Этой весной бабке в голову пришло пожить на даче. Раньше она никогда такого не требовала, а тут наехала на маму:

— Мне необходим свежий воздух, сними дом в деревне, хочу гулять по лесу, молока настоящего попить.

Мама заныла:

— Лишних денег у меня нет. Алексей мне на твой отдых ни копейки не даст, он совсем обезумел, за лишнюю купленную пачку соли ругает.

Бабка ей ответила:

— Скажи, что надо детей вывезти, а я с ними сидеть буду, помогу вам.

— Неплохо на самом деле ребят в деревню отправить, — согласилась мама. — Света болеет все время, Алиса бледная, синяки под глазами. Мы совсем не отдыхаем, денег нет. Я думала, что у Леши бизнес пойдет, а он со скрипом зарабатывает только на еду и коммуналку.

— Не говори ему про Лису и Светку, — посоветовала старуха, — зятек девчонок не переваривает. А вот Никитой он гордится. Дави на эту мозоль. Мол, Киту необходимо кислородом подышать.

— Сын со школой уедет первого июня в Майами в лагерь, — пояснила Катя, — вернется в середине августа.

— Что? — разозлилась Галина Сергеевна. — Алексею на девчонок наплевать. Из-за мальчишки я останусь в городе? Нет! Завтра же поеду к Валентине Федотовне и скажу, что отец категорически против отлета паренька, придется зятьку дачу снимать. А ты мужу сообщи, что отменилась Америка.

Никита скривился:

— Здорово, да? Чтобы старая жаба молочко на лоне навоза пила, мне придется Майами лишиться? Я рысью к отцу кинулся, сунул ему бумагу: «Папочка, напиши скорее свое согласие на мою поездку в США, меня почти три месяца не будет, понимаешь, какая экономия в расходах? Нам там денег на карман дадут, я их сэкономлю, куплю сестрам одежду на осень». Папахен ликовал, заяву под мою диктовку накатал, я ее перед первым уроком директрисе отволок. А в полдень бабка в «Архимед» привалила.

Кит рассмеялся:

— Такая у нее морда была, когда она из кабинета Володиной выпала. Упс! Опоздала! Согласие отца уже на месте. Ясно теперь, зачем разговоры взрослых слушать надо?

— Так ты и за нами с матерью шпионишь? — заревел, как кабан, Алексей.

— Приходится, пап, — серьезно ответил Кит, — но с вами легче, квартира маленькая, а ты орешь, и так все слышно. Но, на всякий случай, у всех диктофоны подложены.

— ...! — выругалась Катя.

— Не бойся, мама, я никому не расскажу, что ты любишь одна в торговом центре пирожное схомякать, — заржал Никита, — а папахен бутеры, которые ты ему на работу даешь, выбрасывает и бизнес-ланч в кафе жрет. Нас прессует, мороженого не купит, а на себя у него всегда баблосики есть. Муттер, если собрать все бизнес-ланчи твоего мужа — будет шуба.

Алексей застыл, неотрывно глядя на сына.

— М-да, с ребенком-гением непросто, — заметила я. — Так что ты разузнал про бабушку?

Мальчик встал и пошел к двери.

— Сами послушайте.

Глава 34

Пока Никита ходил за диктофоном, в комнате стояла тишина. Мне показалось, что воздух в гостиной сгустился и напоминал сильно накачанный матрас, который медленно и плавно опускается сейчас на мою голову. Может, хорошо, что у меня нет детей? Никогда не знаешь, что вырастет из очаровательного младенца, который со счастливой улыбкой тянет к тебе ручонки. Большинство женщин мечтает произвести на свет вундеркинда, который покорит мир. Но ведь может получиться такой, как Никита! Умный и гадкий.

— Вот, внимайте, — произнес он, кладя на стол плоскую крохотную пластинку.

— Это звукозаписывающее устройство? — поразилась я. — Оно размером со жвачку!

— Объяснить принцип его работы? — с издевкой осведомился Кит. — Мне это раз чихнуть!

— Видишь перед собой техническую идиотку, — смиренно произнесла я, — лучше включи прибамбас, мне даже с этой задачей не справиться.

— Там много ерунды сохранено, — деловито заметил подросток, — но два разговора весьма примечательны. Первый в адвокатской конторе. Вот.

В комнате зазвучал голос покойной Петровой:

— Добрый день.

— Здравствуйте, присаживайтесь. Я Родионова Марина Викторовна. Как к вам обращаться?

— Галина Сергеевна.

— В чем проблема, Галина Сергеевна?

— Меня обворовали.

— Вскрыли квартиру? В полицию вы обращались?

— Нет. На улице ко мне подошел юноша в костюме медведя и предложил отгадать загадку, — всхлипнула Петрова.

Я внимательно слушала рассказ пенсионерки о том, как она пару раз ответила правильно, заработала двести рублей, согласилась принять участие в суперигре и села в мини-вэн...

— Вы добровольно отдали им все свои накопления? — поинтересовалась адвокат, когда клиентка замолчала.

— Они меня загипнотизировали, — закричала мать Кати, — сначала у меня голова закружилась, затуманилась, я ничего не соображала, слабо помню, как поднялась в квартиру, достала все деньги, спустилась снова на улицу и отдала их мужчине в автобусе. Очнулась в подъезде дома, словно проснулась. С пустыми руками.

— Вас не подвергали насилию?

— Издеваетесь? Я давно на пенсии.

— Я имела в виду другое. Вас заставляли что-то выпить? Ударили? Требовали денег, угрожая вашей жизни?

— Нет. Мужчина был очень вежлив, я просто хотела получить три миллиона евро, столько обещали в случае выигрыша.

— Вы отдали сумму добровольно?

— Да.

— Без принуждения?

— Да.

— В этом случае вы ничего не вернете.

— Почему! — взвизгнула Петрова. — Они мои накопления забрали.

— Вы сами приняли решение расстаться с ними.

— Меня загипнотизировали.

— Это невозможно доказать. Помните марку машины?

— Автобус. Маленький. Без окон. Дверь в сторону отъезжает.

— Номерной знак?

— Не видела его.

— Цвет мини-вэна?

— Черный, нет, синий... хотя... серый или темно-зеленый... не помню. Темный он.

— Может, примета какая-то в глаза бросилась? Вмятина на кузове? Наклейка, надпись.

— Нет. Смеркалось уже, я не видела ничего такого.

— А внутри что?

— Сиденья друг напротив друга, столик, компьютер, — перечисляла Галина Сергеевна, — там полумрак был, экран ярко горел, у меня прямо глаза заломило.

— Мужчина как выглядел?

— Обычно. Глаза, рот, нос, очки, борода, кепка с большим козырьком.

— К сожалению, я вам помочь не могу, потому что...

— Вы с ними заодно! — зашумела Галина.

Никита остановил запись.

— Дальше неинтересно, бабка ругается и уходит.

— А вторая запись? — поинтересовался Степан.

— Она сделана в другой день в «Архимеде», — пояснил Кит, — вечером, когда все учащиеся ушли — москвичи домой уехали, а иногородние в жилой корпус уплюхали. Бабка тогда к Валентине Федотовне приехала.

— Постой-ка, — попросила я, — ты диктофон не дома у бабушки спрятал?

— Вы мегадогадливы, — съязвил Никита, — нет, конечно, иначе узнал бы только то, с кем она в квартире бла-бла. Сумка у бабки одна, типа мешок, в дно вставлена картонка, чтоб форму держала, я под бристоль диктофон...

— Подо что? — не понял Алексей.

Никита горестно вздохнул:

— Слово «бристоль» является синонимом слова «картон», который еще можно назвать: месонит, мазонит, прессшпан и т.д. Продолжаю прерванный рассказ. Я под бристолем диктофон на двустороннем скотче к дну торбы приклеил, и вперед! Сумка у бабки одна, она у нее всегда с собой, а дома на вешалке висит. Квартира однокомнатная, холла нет, кухня, комната, все рядом, двери бабка сняла, чтобы место сэкономить. Одна живет, за фигом ей сто створок.

— Бабушка провожала тебя в школу? — с запозданием спросила я. — Думала, тебя туда-назад возят на автобусе.

— Провожать меня за руку на занятия не нужно, — захихикал Кит, — но бабка в отличие от матери умной была и не любила весь день на заднице сидеть.

— Слышите, как он обо мне говорит? — захныкала Катя. — Я его родила, выкормила, на ноги поставила, а теперь он меня оскорбляет.

Никита бесцеремонно показал на мать пальцем:

— Когда я в «Архимед» перешел, ты со мной первого сентября на праздничную линейку не пошла.

— Свету в ясли отвела, — начала оправдываться мать, — я и к Алисе не попала. У всех торжество на одно время назначили, что мне, разорваться? Света совсем тогда крошка была, она плакать начала. А вы большие, вам все равно.

— Ладно, — неконфликтно согласился Кит, — но второго сентября тебе Валентина Федотовна звякнула и попросила: «Придите, пожалуйста, третьего ко мне, поговорить надо». А ты занудила: «Дел много, можно бабушка приедет?» Директор ответила: «Да, если вы ей доверяете». Мать заверила: «Как себе, Галина Сергеевна любые вопросы, связанные с детьми, решать право имеет».

— И что? — пожала плечами Катя. — Мне на части разорваться? Алиска двоек ухитрилась в первый день в школе нахватать, у Светки насморк. А у тебя всегда с учебой тип-топ. Почему бы бабушке в «Архимед» не слетать? Все равно ей делать не фиг.

— Вот поэтому я и сказал, что ты лишний раз попу от кресла не оторвешь, — подчеркнул Кит, — к Алисе ты тоже в школу не рвалась. Светка в яслях сидела, ты просто дома балдела, поленилась просьбу директора выполнить.

— Да, — топнула ногой Катя. — И что? Я не имею права на спокойный отдых? Знаешь, каково это, когда трое на башке скачут? Череп трещит по швам! Хотела мирно чаю попить, телик посмотреть. Бабушка в «Архимед» съездила, объяснила мне потом: «Там полный порядок, просят раз в месяц по третьим числам заезжать, беседовать с педагогами, у них такое правило. Вижу, тебе это трудно. Забудь про гимназию, я сама туда ездить буду, избавлю тебя от докуки».

Никита расхохотался:

— Ну бабка! Жгла! Поучиться у нее надо многим. С чего бы ей такой доброй стать? В моей старой школе она никогда не показывалась, к Алиске тоже не совалась, как и в сад к Светке. И вдруг! Решила раз в месяц в «Архимед» носиться? Ну-ка вспомни, как ты ее по телефону второго сентября уламывала: «Мамочка, помоги, пожалей меня. Сходи завтра к директрисе Кита. Свету надо к доктору вести, мы в поликлинике весь день в очереди просидим...» Долго мамахен старую каргу упрашивала, прямо охрипла. Старуха согласилась лишь после того, как ты пообещала ей шапку и перчатки за это купить.

Никита рассмеялся:

— Обе вы замечательные. Ты у Алиски копилку вскрыла и вытряхнула то, что сестра себе на планшет собрала. Бабульке, значит, на кепарик и варежки взяла. С....а у дочурки. Алиска под Новый год в свою значку залезла, расстроилась, заплакала, там намного меньше оказалось, чем она рассчитывала, фиг ей, а не айпад. Лиса, дура, не сообразила, что в ее нычке пошарили. Мать очень изобретательная, когда ни хрена делать не хочет. Но в случае с «Архимедом» ошибочка вышла. Валентина Федотовна тебя зачем вызывала? Чтобы ты в ведомости расписалась! Директор родителям раз в месяц деньги дает. Пятьсот евро. На питание ученика.

— Что? — хором воскликнули Горюновы.

— То, — передразнил Никита, — пять сотен евриков бабулечка каждого третьего числа в свой кармашек укладывала. Думала, я не знаю про деньги и никто не узнает. Ха-ха! Если бы мамахен на диване не сидела, ей бы валюта досталась.

— Дура! — взвизгнул Алексей.— ...! ...! — выматерился он.

— Ой-ой! — заплакала Катя. — Кит! Почему ты мне ничего не сказал?

— Зачем? — ухмыльнулся подросток. — Все равно мне ни копейки не досталось бы, что от тебя, что от бабки.

— ...! ...! — не мог успокоиться отец. — Вырастили поганца, душу в него вложили, кормим, одеваем, и где благодарность? Нам эти пять сотен как воздух нужны!

— Значит, третьего числа их получить можно! — ликовала Катя. — Уж теперь-то я сама в гимназию побегу.

Мне стало противно.

— Никита, ты говорил, что записал два очень интересных разговора, — напомнил Степан, — хочется второй послушать.

— Бесед много, — поправил мальчик, — но нужных вам действительно только две. Еще вот эта.

Юный гений включил диктофон, послышался скрип и женский голос:

— Добрый день, Валентина Федотовна, извините, я опоздала.

— Ну что вы, Галина Сергеевна, — пропело красивое меццо-сопрано, — какая ерунда. В городе отвратительно ходит транспорт. Как поживают Света и Алиса?

— Спасибо, хорошо. Первая такая резвая, не угнаться, Алиса тоже в порядке, но вот с успеваемостью у нее беда. Прямо голову сломали, куда девочку определить после девятого класса. Десятый ей не осилить, надо решать вопрос с дальнейшим обучением.

— Алиса красавица. Когда она к нам на праздничный вечер пришла, все ахнули.

— Скажете тоже! Обычная совсем.

— Нет, нет! Рост прекрасный, блондинка натуральная, грудь высокая. Вам не надо беспокоиться за будущее девочки, она выйдет удачно замуж за богатого мужчину старше себя. Еще вас обеспечит.

— Хорошо бы. Но где найти достойного жениха? И вдруг ей понравится голодранец? Моя доченька Катюша была намного симпатичнее Лисы, я надеялась на ее удачное супружество. И что? Уж извините, Валентина Федотовна, скажу правду, мы с вами давно знакомы, могу себе откровенность позволить. Катюша меня не послушала, за бесштанного выскочила. Сейчас в нищете мается, о дешевенькой шубке мечтает. Не могу я на замужество Алисы рассчитывать. Богатых мужчин на всех не хватит, надо девочку куда-то определять. Но куда? К учению она склонности не имеет, талантов в ней я не вижу, ну да, она симпатичная, высокая, фигуристая, но таких нынче много.

— У нее небось мальчик есть?

— Что вы! Нет! Лиса бука, ни подружек, ни кавалеров, и слава богу. По клубам не шляется, она послушная, что велю, то и делает, из школы вовремя приходит, дома сидит.

— Галина Сергеевна, у меня у самой дочь, я хорошо вас понимаю и хочу помочь. Есть у меня для Алисы женихи, все солидные, при очень больших деньгах, мечтают оформить брак с чистой девочкой. То, что Алиса в науках не успевает, только плюс ей.

— Пока Лиса в брачный возраст войдет, ваши знакомые давно свою судьбу устроят, внучке лет пока мало.

— Самые подходящие годы! Вникните в мое предложение.

Я неотрывно смотрела на диктофон, из которого лился вкрадчивый голос Валентины Федотовны, повествующий о бале, аукционе, калыме. Галина Сергеевна молчала. Но когда директриса объявила, что после окончания учебы придется вернуть «Архимеду» значительную сумму, потраченную владельцем центра на Егора, бабушка возмутилась:

— То есть те пятьсот евро, которые по третьим числам вы перечисляете, это в долг? И кто его отдавать будет? Я?

— Конечно. Вы договор читали? Там четко указано: после того как ученик получает аттестат, он обязан возместить расход. Но у выпускника-то денег нет, поэтому их берут с того, чья подпись стоит в расписках. Она ваша. Не беспокойтесь, мы аккуратно все подсчитаем. Кроме полтыщи в валюте, вы же еще получали на одежду, обувь, компьютер... У нас строгий учет.

— Мальчик говорит, его в США зовут!

— Верно. Никита гений, за него дерется несколько колледжей.

— Там стипендию дадут?

— Да.

— Обучение бесплатное?

— Да, плюс проживание. Питание за свой счет. Думаю, у Кита проблем с деньгами не будет. Ему сразу предложат хорошую работу. Ваш внук уже сейчас выдающийся компьютерщик.

— Ну так у него и вычитайте долг. Я здесь при чем? Деньги на внука шли, не на меня. А на какой калым можно рассчитывать за Лису?

— Вот. Смотрите.

— Это ноль или девять?

— Ноль.

— Не устраивает меня это.

— Отличная цена.

— За девственницу-красавицу? Она стоит в два раза больше.

— Побойтесь бога, Галина Сергеевна!

— Лучше предложите нормальные деньги.

И начался самый настоящий базарный торг. Я, испытывая гадливость, осторожно наблюдала за присутствующими. Степан сидел спокойно, но я, находившаяся очень близко от него, видела, как у Дмитриева пару раз дернулось веко. Мой спутник, похоже, находился в таком же настроении, что и я. На хитром личике Никиты блуждала злорадная улыбка, мальчишка получал удовольствие, он видел, что диалог бабушки и директрисы шокировал отца и мать. Катя приоткрыла рот и изредка быстро крестилась, Алексей опустил голову, но его уши медленно меняли цвет от нежно-розового до багрового. Когда старуха и Валентина пришли к консенсусу, директриса деловито произнесла:

— Галина Сергеевна, убедительно вас прошу рассказать Алисе о бале и о том, что ее будет выбирать жених. Преподнесите девочке информацию позитивно, сообщите ей, что есть принц, готовый обеспечить ее по полной программе, купить жене все и даже больше. Пусть не пугается, когда узнает, что в случае удачного исхода аукциона она сразу улетит на свадьбу. Одна. Без родителей и вас. А то у нас был казус, когда одна особа, которую мать в известность не поставила, убежала... М-да!

— Не беспокойтесь, — ответила старуха, — я обработаю девчонку. И она не станет убиваться по отцу-матери, рада-радешенька будет от них избавиться. Что моя дочь, что зять Алиску терпеть не могут, девочка им той же монетой платит. А что, может быть неудачный аукцион, внучку не купят?

— Не волнуйтесь, на каждый товар найдется купец, — успокоила ее директриса, — значит, вы примете участие во втором бале, в третьем, рано или поздно все успешно уходят. И еще. После того как вы подготовите Лису, объясните ей, что надо крепко держать язык за зубами. Про бал никому ни слова, нельзя, чтобы случилось как с Егором Барским.

— А что с ним произошло? — тут же полюбопытствовала Петрова.

— Ну... э... м-да... семья Барских безответственно отнеслась к балу... э... э... Егор, э... э... один сестру воспитывал, родителей нет... он... э... э... ее не предупредил, как я его просила, — начала бубнить Валентина Федотовна, — квартиру ему жених купил, а девочка заистерила... отказалась улетать... апартаменты у Егора забрали, а он успел приятелям наболтать... в общем, вам подробности не нужны, а мне скандалы ни к чему. От Алисы требуется получить звание какой-нибудь «мисс», молчать о бале, красиво подать себя на мероприятии и спокойно улететь во дворец. Если хоть одно условие нарушится, у вас, дорогая, все отберут, как у Егора Барского.

Я чуть не заорала во все горло: «Директриса врет! У Нины была мать! Валентина заставила Ксению Михайловну отправить дочь на бал, припугнула ее отчислением Егора из «Архимеда», потребовала назад деньги, потраченные на мальчика». Потом меня осенило: так вот откуда Петрова узнала историю Егора и потом пугала ею внучку!

— Боже! — прошептала Катя. — Лиса! Ты об этом обо всем знала?

— Дурацкий вопрос, — фыркнул Кит, — Лиса дура! Бабка это понимала, уж она идиоткой не была! Сообщила сестре лишь то, что ее мотивировало на победу, пообещала дворец-платья-украшения и жизнь без родителей, которые ее не любят. Припугнула, что, в случае если где не надо рот раскроет, будет как с этим Егором, все назад отберут и ее в Москве оставят.

Я отвернулась к окну. Да, Алиса очень старалась держать язык за зубами, а он нет-нет да развязывался сам по себе.

— То-то старуха такая добрая к девчонке стала, — завопил Алексей, — начала ее в школу моделей таскать, сказала: «Пусть научится ходить красиво, спину держать правильно, я о будущем внучки беспокоюсь». На самом деле бабка...

— Решила Алиску продать, — договорил Никита, — не знаю, чего она вам наврать собиралась, спихнув сестру на аукцион, но денег бы точно не отдала.

Катя бросилась к дочери:

— Почему ничего нам с папой не сообщила?

— Бабушка велела молчать, — ответила Алиса, — объяснила: «Ты в одной комнатке со Светкой живешь, новых вещей родители тебе не покупают, ты у них на последнем месте, огрызки получаешь. Муж богатый тебя во дворце поселит, купит красивые платья, драгоценности, туфли, айпад, айфон, все, что пожелаешь. Но если жадные родители про твое будущее счастье услышат, они его порушат, начнут у твоего жениха денег требовать, он поймет, что вместе с невестой куча алчных родственников привалила, и расторгнет помолвку. Останешься у разбитого корыта».

— ...! — заматерился Алексей.— ...! Ведьма хотела одна все денежки захапать. Интересно, сколько ей предложили? Вслух цифры не назывались, они их на бумаге писали.

Никита зааплодировал:

— Папашка заволновался, понял, что можно глупую доченьку продать. Суперски! И на пятьсот евриков, которые бабка хапала, он клюв раскатал. Да только они на меня давались. Придется со мной делиться.

Алексей вскочил.

— А ну сядьте! — приказал Степан. — Алиса, что тебе известно про китайские медали?

— Они дорогие, — ответила девочка, — бабушке от покойного мужа достались, отца мамы.

Я вздохнула, Галина Сергеевна никогда не состояла в официальном браке с мужчиной, от которого родила дочь, но членам семьи, похоже, соврала.

— Алла Константиновна потребовала, чтобы я потеряла семь кило, — продолжала Лиса, — еще говорила про плохие волосы и зубы. Как все исправить за неделю? Миронова посоветовала к Кузнецовой обратиться. Мы в клинику поехали...

Никита показал на диктофон.

— А тут все есть. Чего Алиску допрашиваете? Могу включить. Не знал, что вам про фигню с килограммами и сиськами интересно знать.

— Заводи, — приказал Степан.

Глава 35

Мы прослушали беседу Галины Сергеевны с хозяйкой холдинга «Красавица».

— Во жучка, — возмутился Алексей, — небось она от этой Лауры процент за каждого присланного клиента имеет, уговорила бабку!

— ...! — разъярилась Катя. — Не копейки красота, поди, стоит!

Родители злились, а Никита, хитро улыбаясь, включил разговор Галины с владелицей клиники.

— Столько евро? — взвизгнула Катя, услышав названную сумму.— ...! Ну ваще! То-то я гляжу, Лиса на глазах расцветать стала. Мать мне сказала, что на свою пенсию внучке американские витамины купила, поэтому девка хорошеет.

— Ну мать, — заржал Никита, — ты такая ленивая, что никогда мозг не включаешь. На зубы дочери глянь! На вставную челюсть Щелкунчика! Новые клыки у нее от пищевых добавок отросли?

— А-а-а, он тоже так дразнится, — мгновенно обиделась Алиса, — сначала девочки на конкурсе про вставную челюсть Щелкунчика мне говорили, потом в школе одноклассники издевались, кричали мне в спину: «Новый год идет, Щелкунчик, нагрызи орехов». Сейчас Кит говорит про зубы... Меня все ненавидят...

— Не ной, — отмахнулся добрый брат, — не тебе я это адресовал, матери. У нее мозгов не хватило подумать, что протезы, как у Щелкунчика, ни от каких супер-пупер лекарств не прорежутся. У Алиски виниры наклеены, они не пять рублей стоят. Вот, мать, чем бабка от тебя отличалась. Она не только не ленивая, но и умная еще была. Да, жаднючая, но сообразила: если хочешь за внучку жирный калым огрести, вложиться надо, отдать китайскую медаль Лауре. Трата эта потом хорошим барышом вернется, себя оправдает и навар притянет.

— Тише, — приказал Степан, — дайте дослушать запись.

Странное дело, но старшие Горюновы заткнулись, обрели дар речи, лишь когда Никита выключил диктофон.

— Кит, сколько у бабки было медалей? — деловито осведомился Алексей. — Небось знаешь.

— Шесть, — ответил тот.

— Надо ехать к ней на квартиру и их забрать, — деловито сказал Алексей.

— Одну, как ты слышал, отдали Кузнецовой, — злорадно подчеркнул Никита.

— Две, — прошептала Алиса.

— В беседе идет речь только об одной, — встрепенулась Катя.

Девочка вздохнула:

— Бабушка в клинике Кузнецовой увидела стенд с рекламой, там говорилось, что появилась новая услуга, увеличение груди без операции. Ни шва нет, ни имплантов.

— Как это делают? — спросила Катя.

— Не знаю, — ответила Алиса, — бабка обрадовалась, сказала, что с четвертым размером я дороже буду стоить. А еще там ужимают талию, тоже без операции. Бабка побеседовала с Лаурой, та ей пообещала, что у меня грудь станет роскошной, средний объем достигнет отметки пятьдесят восемь сантиметров.

— Конец здоровью, — покачал головой Степан. — Большой бюст — это огромная нагрузка на спину, а из-за чрезмерно узкой талии пострадает желудок и все остальные органы.

— Она с Лаурой договорилась, — шептала Алиса, — но у нас времени вообще не было. Бал должен состояться через десять дней после финала конкурса. И я могла проиграть, хотя Алла Константиновна сказала бабушке, что я непременно в тройку лидеров войду, если волосы-зубы-вес исправлю, второе место мне обеспечено, на первое рассчитывать нечего.

— Вот и вся правда про эти конкурсы, — загундосила Катя, — заранее «мисс» и красавицы известны.

— Алла подсуропила клиентку Кузнецовой, получила от Лауры процент и его отрабатывала, — отреагировал Алексей, — уже ясно, что врачиха потом на сайте напишет: «Мои клиентки запросто в конкурсах побеждают».

— Сейчас говорит Алиса, — остановил взрослых Степан. — Дорогая, бабушка отдала Лауре две медали?

Девочка покраснела:

— Одну.

— Но ты только что назвала цифру «два», — возразила я.

Алиса затеребила край юбки.

— Я по приказу Аллы Константиновны сильно похудела, грудь уменьшилась, моя цена на аукционе тоже. Бабушка решила бюст...

— Уже слышали эту чушь! — заорал Алексей. — Куда второй китайский раритет подевался? Выкладывай, дура! Это же деньги! Не фантики! Говори нормально! Хотя ты, идиотка, не умеешь!

Лиса заплакала.

Справившись с желанием стукнуть папашу в лоб кулаком, я обняла ее.

— Солнышко, ты умная девочка. Прекрасно твои слова понимаю. Галина Сергеевна заплатила за твои красивые волосы-зубы и потерю веса?

— Да, — всхлипнула Лиса.

— Отлично объясняешь, — похвалила я девочку, — а потом, когда она увидела, что твоя грудь уменьшилась, договорилась с Лаурой о новой услуге?

— Да, — кивнула Алиса.

— Ты умница, — воскликнула я, — молодец. Мало кто из девочек твоего возраста так хорошо говорит. Лаура Кузнецова знала про бал?

Алиса испугалась.

— Нет, нет. Бабушка ей сказала, что есть рекламное предложение от французской фирмы нижнего белья. Они на стадии заключения договора со мной, но все может расстроиться, потому что у меня грудь уменьшилась. А если ее увеличить, да еще моя талия станет уже, тогда вдобавок предложат съемку в бикини.

— Понятно, — кивнула я. — А почему ты говорила о двух медалях?

Алиса тряхнула головой и затараторила:

— Другую надо было Лауре за грудь и талию отдать! Операцию необходимо было срочно делать, времени до бала мало. А нужно, чтобы синяки сошли в местах уколов. Бабка договорилась так: после завершения конкурса утром меня в клинику кладут, на следующий день отпускают. Медальку надо дать Лауре заранее, но мы же с бабушкой были на финале! Как отвезти в клинику медаль? Меня одну оставлять нельзя, родители других девочек злобные, обидеть могут. Лаура пошла нам навстречу, сказала: «Сама приеду в «Красавицу», заодно с Аллочкой повидаюсь».

Лиса перевела дух.

— Кузнецова с Мироновой подруги детства, они вместе в интернате жили, когда их родители в пожаре погибли. Чтобы я худеть начала, меня Лаура завернула в электрическое одеяло. Его в сеть включили, сначала мне жарко стало, потом больно, я заплакала, начала просить: «Не хочу, снимите». Кузнецова сказала: «Ради красоты можно потерпеть. И совсем не так уж тебе и больно. Вот...», она подняла кофточку, а у нее на животе и спине такие шрамы! Жесть! Она мне объяснила: «Я была совсем маленькой, первоклашкой, мы с Аллой Константиновной, которой тогда тоже семь лет было, попали в пожар. Аллочке повезло, она не обожглась, а вокруг меня обмоталась горящая скатерть. Вот что на самом деле больно! А лечить потом еще хуже. Но я все вытерпела. А это пустяк, тебе просто горячо, стыдно хныкать, потерпи, процедура короткая». И стала рассказывать, как они с Аллой Константиновной в детдом попали и с тех пор не расстаются, как в Москву приехали. Я заслушалась и про горячее одеяло забыла.

— Ага, — пробормотала я.

— Бабушка второй раритет в сумке в «Красавицу» принесла, — бубнила Алиса. — А ее Анюта отправила какой-то тест заполнять или чего-то писать, не помню. Бабка велела мне никуда из комнаты не уходить, а я в туалет побежала, дверь не заперла. Кто-то вошел и медаль украл. Бабушка меня по щекам отхлестала.

— Я б тебя за это убил, — не выдержал Алексей.

Алиса затряслась.

— Я не виновата. Попросила Веру, маму Сони, в комнате побыть, а она ушла.

— Вот кто наш раритет с... л, — взвизгнула Катя, — надо ее арестовать! Отнять медаль!

— Нет, немедленно едем к теще квартиру обыскивать! — засуетился Алексей.

Никита весело засмеялся:

— Вперед, предки! С барабаном! Тара-рара-тара! Бом-бом!

Степан, писавший в этот момент кому-то сообщение в телефоне, поморщился, но ничего не сказал.

* * *

— Хочется спешно принять душ, — призналась я, когда мы покинули квартиру Горюновых, — горячий, прямо кипяток. И мочалку пожестче взять. Возникло ощущение, что по всему телу нечто липкое, омерзительное ползает.

— Своеобразная парочка, — согласился Степан, открывая машину.

— Там все хороши, — поежилась я. — А бабка? Решила продать внучку, которой от рождения не так уж много ума досталось, пообещала ей дворец, жизнь в роскоши. Про Никиту я вообще молчу, гений страшного ума.

— Многие одаренные люди отличались не очень милыми характерами, — заметил Дмитриев, — а кое-кто из них были подлецами.

Тихо беседуя, мы доехали до моей малолитражки, мирно ожидавшей меня на парковке. Я села за руль, без приключений добралась до дома, залезла в ванну, долго плескалась в воде, потом упала под одеяло и в секунду заснула.

* * *

Будильник противно зазвенел, я, не открывая глаз, нашарила часы и стукнула по ним ладонью. Но занудный звук не прекращался. Я села, поняла, что беснуется мой мобильный, и схватила его.

— Привет! Как дела? — спросил Степан.

Я зевнула.

— Хорошо.

— Спишь? — удивился Дмитриев.

— Правда странно? — пробурчала я. — Уже семь утра натикало.

— Прости, не посмотрел, который час, — извинился Степан.

— Ерунда, кто рано встает, тому Бог подает, — вздохнула я. — Что-то случилось?

— Меня вчера зацепила фраза Алисы про дружбу Лауры Кузнецовой и Аллы Мироновой с детства... — начал Дмитриев.

— Кто-то еще упоминал об этом, — перебила я его, — вроде Анюта Королева, но точно не помню.

— И они вместе жили в интернате после того, как их родители погибли в пожаре, — продолжал Степан. — Я подумал: китайские медали демонстрировали посетителям музея Нарганска. Он сгорел вместе с городком. Погибла тьма народу, в том числе Михаил Чашкин, первый и единственный муж Галины Сергеевны. Она тогда работала журналисткой, под псевдонимом Сергеева накропала лживую статейку «Убийцы в рясах» и пошла в гору. Может, медали не уничтожило пламя? Вероятно, Петрова их украла? И Алла Константиновна и Лаура тоже имеют отношение к тому пожару? В Интернете говорится, что владелица клиники активно помогает детям, которых обезобразили ожоги, вероятно, на эту благотворительность ее толкает личный опыт.

— Знаешь, сколько пожаров случается каждый день в России? — остановила я Степана.

— Нет, но полагаю, что много, — ответил тот.

— Сомнительно, что Лаура и Алла... — завела я.

— У Константина Чашкина, директора музея, кроме проблемного сына-алкоголика, была дочь, — перебил меня Степан, — Михаил старший, девочка намного его младше. Угадай, как ее звали?

Я удивилась.

— Алла? Алла Константиновна родом из Нарганска?

— Люблю умных женщин, — воскликнул Степан.

— Но она Миронова, — пробормотала я, — а не Чашкина.

— Вилка, ты не знаешь, что многие девушки, выйдя замуж, меняют фамилию?

— Ну да, конечно, я ступила, — забубнила я, — глупость сказала.

— Надо с этой дамой по душам поговорить, — азартно воскликнул Дмитриев.

— И под каким предлогом мы отправимся к владелице холдинга? — вздохнула я.

— Я работаю над решением этой задачи, посмотри почту, я выслал то, что накопала Кларисса, — попросил Степан, — это весьма интересно.

— Твоя сотрудница когда-нибудь спит? — закряхтела я, сползая с кровати.

В ответ услышала:

— Она Терминатор, железный и беспощадный.

— К сожалению, я слабый человек, которому, чтобы очнуться, требуется холодный душ плюс кофе и булочка, — вздохнула я. — Сейчас умоюсь и сяду за компьютер.

Глава 36

Письмо оказалось длинным, я отпила капучино и погрузилась в чтение.

«Алла Константиновна Миронова, в девичестве Чашкина. Место рождения — город Нарганск. Отец — Константин Михайлович Чашкин. Прадед Чашкина Чжан Ин был выходцем из Китая, как он попал в Россию — неизвестно, но сохранилась запись о его женитьбе на Вере Ивановне Чашкиной, дочери купца из Курска. Сын Чжан Ина взял фамилию матери, его потомок переехал в Нарганск».

Я на секунду оторвалась от чтения. Значит, директор музея, рассказывая всем, что перламутровые медали являются собственностью его семьи, не врал. Это, учитывая китайского прадедушку, вполне могло быть правдой. Константин еще сообщал, что он прямой наследник одного из императоров, но ни подтвердить, ни опровергнуть сие заявление никак нельзя. Ладно, продолжу чтение.

«Мать Аллы Константиновны, Елена Федоровна Чашкина, урожденная Кузнецова, скончалась в родах. Девочку взяла на воспитание тетя Ольга Федоровна Кузнецова, жившая в соседнем доме с Константином. У Ольги была двухмесячная дочь Лавременсия, которая, получая паспорт, сменила имя на Лауру».

Я уставилась на последнюю фразу. Лаура Кузнецова? Фамилия девочки одна из самых распространенных в России, но вот имя редкое. Значит, владелица клиники, где за большие деньги из чудовища быстро сделают конфетку, и хозяйка холдинга, куда входит журнал «Красавица», не просто подруги детства, они двоюродные сестры. Посмотрим, что там дальше.

«В Клопине, городе, находящемся в нескольких километрах от Нарганска, до сих пор живет Лариса Николаевна Дубонос, первая учительница Аллы и Лауры. Она пожилая женщина, но по-прежнему преподает в местной школе, куда обе девочки пошли в первый класс. Лариса Николаевна, с которой я говорила по телефону, хорошо помнит сестер и Ольгу Федоровну. Ребятишки из Нарганска обычно прибегали на занятия пешком, родители их не сопровождали. Аллу и Лауру привозила на мотоцикле тетя. В шестидесятые годы прошлого века женщина на «Урале» с коляской была редкостью, и Лариса Николаевна обратила на Ольгу внимание. Двоюродные сестры проучились в школе до ноября, а потом в Нарганске случился пожар. Населенный пункт, состоявший из старых деревянных домов, выгорел за рекордно короткий срок. Поскольку огонь вспыхнул в четыре утра, большинство жителей спало. Поэтому спастись удалось немногим, в основном тем, кто жил возле монастыря. Монахи в предутренний час шли к молитве, увидели, как вспыхнул находившийся впритык к их обители музей, и бросились тушить огонь. К сожалению, справиться с пламенем братии не удалось, но они успели вынести кое-кого на улицу, в число избежавших смерти попали Лаура и Алла. Чашкина надышалась дымом, у Кузнецовой обнаружились ожоги, по счастью, лицо, руки-ноги остались нетронутыми, а вот спина и живот получили серьезные травмы. Все родственники девочек погибли. Малышек отправили в больницу, а когда они поправились, поселили в интернате, расположенном в Клопине, девочки снова пошли в местную школу, шефство над ними взяла Лариса Николаевна. Учительница дополнительно занималась с сиротками, и они догнали свой класс. Дубонос прекрасно помнит сестер, по ее словам, те отличались от остальных ребят. Тихие, молчаливые, всегда держались вместе, учились только на пятерки, примерно себя вели. Когда сестры перешли в восьмой класс, местный горсовет наградил лучших учеников поездкой в Москву. В число избранных попали и Кузнецова с Чашкиной. Во время посещения столицы случился неприятный казус. Группа детей с учительницами и экскурсоводом вошла в Третьяковскую галерею и двинулась по залам. Когда все очутились перед картиной Валентина Серова «Девочка с персиками», Алла села на пол, зарыдала, а потом лишилась чувств. Чашкину отправили в больницу. Врач сказал Ларисе Дубонос, что у нее сильный стресс. До отъезда в Клопин Чашкина оставалась в московской клинике. На обратной дороге Лариса Николаевна решила осторожно выяснить у девочки, что ее так напугало в Третьяковке. Аллочка сказала: «Я увидела ворону, она подожгла музей папы. Я испугалась, что злая ведьма сейчас опять пожар устроит». Дубонос поинтересовалась:

— А где была ворона? Летала под потолком?

Алла ответила:

— Нет, сидела у картины, рисовала.

Третьяковскую галерею часто посещают люди, занимающиеся живописью, многие приносят альбомы, делают копии картин. Лариса сообразила, что кто-то из посетителей произвел на восьмиклассницу сильное отрицательное впечатление, и попыталась продолжить расспросы, но Алла, прошептав: «Ворона, дочь медведя», зарыдала. Дубонос испугалась, что девочке снова станет плохо, и прекратила разговор.

После получения аттестата обе сестры уехали в Москву. Лаура, обладательница золотой медали, поступила в медицинский. Алла, имевшая в багаже серебряную награду, без проблем попала на журфак. На пятом курсе Чашкина вышла замуж за Игоря Лаврентьевича Миронова, пятидесятипятилетнего директора крупного гастронома. Брак продлился много лет. После перестройки Игорь Лаврентьевич стал частным предпринимателем, основал сеть супермаркетов «Светофор», а в двухтысячном Алла стала издавать журнал «Красавица», потом основала холдинг, в который входят и другие издания. Детей у пары нет. Сейчас Миронова вдова, более она себя брачными узами не связывала. Лаура же никогда не была замужем.

Сестры до сих пор неразлейвода, живут на одном этаже, но в разных квартирах. Думаю, из одних апартаментов можно легко пройти в другие, в них есть соединяющий коридор, но я у них в гостях не бывала, это лишь мои домыслы. Кузнецова — владелица клиники с неподъемными для простого человека ценами. Бизнес у сестер успешный, в деньгах они не нуждаются. У Мироновой дом в Италии, у Лауры большая квартира в Париже, в шестом округе, в паре шагов от Лувра. У обеих многолетние шенгенские визы, дамы часто катаются по маршруту Москва — Милан — Париж.

У Аллы был старший брат Михаил Чашкин, его можно назвать горем семьи. С двенадцати лет приводы в милицию за мелкое воровство, с четырнадцати он постоянный клиент вытрезвителя. В Советскую армию не был призван, так как имел «почетное звание» алкоголика. Отец постоянно лечил парня, помещал его в разные клиники, но никакого толка не получилось. Едва достигнув восемнадцатилетия, Михаил был вынужден жениться на Галине Петровой. Причина раннего брака банальна: беременность невесты. Молодые прожили вместе семь месяцев, семейная жизнь ознаменовалась драками и постоянными вызовами милиции. Во время очередной битвы Галина потеряла ребенка, супруги разбежались. Сразу после развода Константин определил свое неудачное чадо в местный монастырь трудником. Михаил исполнял разные работы, но жил дома, в квартире над музеем.

После пожара, унесшего много жителей Нарганска, милиция города Клопин возбудила дело и начала искать поджигателя, и почти сразу бывшая супруга Михаила Галина, работавшая в местной газете журналисткой, опубликовала статью «Убийцы в рясе», где сделала виновником трагедии своего бывшего супруга. Материал изобиловал нестыковками, в частности Михаил был трудником, а в материале он назван послушником. Но главному редактору идея объявить монахов преступниками показалась удачной.

Обличающий церковников очерк имел большой резонанс, после перепечатки его центральной прессой Петрову приглашают в Москву, ей дают квартиру, Галина получает высшее образование, работает в разных изданиях. Замуж она более не выходит, но рожает дочь Екатерину. Отец девочки трагически погиб в железнодорожной катастрофе вместе со своей законной семьей, но он малышку успел признать. Петрова после гибели любовника каждый месяц получала от адвокатской конторы чек на две тысячи евро. Эта сумма была определена в завещании бизнесмена, которое он составил, когда на свет появилась Катюша. Интересная подробность, деньги поступали до тридцатилетия Кати, переводы не прекратились, как положено по закону, когда ей стукнуло восемнадцать».

Резкий звонок телефона заставил меня вздрогнуть.

— Прочитала? — спросил Степан.

— Практически да, — ответила я. — Как Кларисса ухитрилась за одну ночь столько накопать?

— Это все, что тебя удивило? — хмыкнул Дмитриев. — Прослушай аудиофайл, он там к письму прикреплен.

— Не заметила, — призналась я.

— Посмотри в конец отправления, — посоветовал Дмитриев, — нажми на стрелку, которая выделена синим.

— Нашла, — обрадовалась я, — сверху написано: «Беседа с Мариной Григорьевой». Погоди, ты кого-то отправлял поговорить с дочкой Татьяны?

— Это же логично, пообщаться с девочкой. Разговор шел в присутствии деда и с его согласия, — ответил Степан, — весь текст тебе не прислали. Марина сначала запиралась, не хотела говорить, затем начала плести какие-то небылицы. Но когда ей сказали: «Хочешь, чтобы убийцу мамы нашли? Тогда говори правду, иначе преступника не поймают. Лгать не стоит. Чем дольше ты врешь, тем больше времени у убийцы, чтобы спрятаться. Если ты любила мать, твой долг сообщить все, что ты знаешь». Вот тогда Марина разоткровенничалась.

Она расплакалась и заговорила.

— Сейчас внимательно ее выслушаю, — пообещала я, — похоже, сотрудники «Помощи» не спят, не едят, не отдыхают, а только работают.

Минут через двадцать Степан позвонил снова.

— Ну? Твое мнение?

— Теперь мне многое стало ясно. Большая сумма в евро, которую Галина собственноручно отдала мошенникам, скорее всего составилась из сумм, которые к ней поступали по завещанию любовника, видимо, он чувствовал ответственность за незаконнорожденного ребенка. Думаю, что Петрова отнюдь не все израсходовала на Катю. Часть алиментов она потратила на жизнь, но много осталось. Дама обожала деньги и копила их, они ее единственная настоящая страсть. Галина Сергеевна точно знала Аллу Константиновну, она же младшая сестра ее мужа.

— Глагол «знала» не совсем верный в данной ситуации, — поправил меня Степан, — Алла была совсем крошкой, когда Галина на короткий срок стала ее родственницей. Но Нарганск маленький городок, конечно, все его жители общались.

— Соответственно Петрова не раз встречалась и с Лаурой, — пробормотала я, — знала, чья она двоюродная сестра. Интересная картина складывается. Галина Сергеевна...

— Может, лучше побеседуем по дороге? — предложил Дмитриев. — Нас Миронова в офисе ждет.

— Я приеду в редакцию «Красавицы» через час, на дороге пробки, — ответила я.

— Стою под твоим подъездом, давай поедем вместе, — предложил Степан. — Сколько времени тебе на сборы нужно?

— Три минуты, — ответила я, хватая джинсы и пуловер.

* * *

— Впервые вижу женщину, которая появляется в точно указанный ею час, — сказал Дмитриев, когда я вскарабкалась в его джип.

— Это хорошо или плохо? — не удержалась я.

— Это удивительно, — хмыкнул Степан, выезжая на проспект, — обычно дамы являются на встречу с большим опозданием.

— Не стану спорить, хотя все люди разные. Встречались мне представительницы слабого пола, которые считают мужчин поголовно пьяницами, но это не так, — отбила я подачу и перевела разговор в нужное русло. — Тебе не кажется странным, что Галина Сергеевна привела Алису на конкурс, познакомилась с Аллой Константиновной и не узнала сестру бывшего мужа?

Степан свернул в переулок.

— Вилка! Петрова покинула Нарганск через несколько месяцев после пожара. Аллочке тогда было семь. Больше Галина с ней не пересекалась, то есть с момента их последней встречи прошло более сорока лет. Я вот не так давно столкнулся с парнем, которого знал в юности. И не вспомнил его, когда он поздоровался. А ты можешь опознать во взрослых мужиках и бабах ребят из своего детства?

— До сих пор жизнь меня ни с кем не сводила, — пожала я плечами. — Но, если откровенно, даже имена их забыла. У меня с дворовой компанией отношения складывались трудно. Так получилось, что я была самой маленькой, мне здорово доставалось от старших ребят, в особенности от Фантомаса. Вот не помню, как подростка звали, его все именовали Фантомас. Жутко был противный.

— Чем он так тебе досадил? — заинтересовался Степан.

Я неожиданно ощутила, как обида сжимает горло.

— Деньги у меня отнимал, частенько бил, Фантомас был года на четыре старше, но в детстве это огромная разница, у него была компания, которая во всем подражала вожаку. Эту банду обходили даже взрослые, ее члены воровали на рынке кошельки, курили, пили, в общем, полный набор. Я была легкой добычей, поколотить малышку много труда не надо, но имелась одна загвоздка для Фантомаса. Я никогда не плакала. Отмутузят меня по полной, отнимут десять копеек, собранные на мороженое, а я утрусь и молча уйду. Очень Фантомасу хотелось меня до истерики довести, а я хоть и маленькая, но гордая и неглупая была, понимала, чего он добивается. Приду домой, в ванной пореву, но на улице ни-ни, не собиралась уроду радость доставлять.

278 .... Дарья Донцова

— Похоже, парень гаденышем рос, — мрачно констатировал Степан. — Идиот!

— Ну да, не очень приятный тип, — кивнула я. — Хулиган мутузил меня, но я не сдавалась, пыталась дать ему отпор, царапалась, кусалась, плевалась. Один раз на нашу драку сбежался посмотреть весь двор. Дело было осенью, только что прошел дождь, Фантомас сначала приложил меня головой о стену дома, я, ощущая звон в ушах, ухитрилась лягнуть его и случайно попала пяткой ему пониже пояса, он не устоял на ногах и шлепнулся. Его приятели заржали:

— Фантомаса малолетка уделала!

Он вскочил, скрутил меня, опустил лицом в лужу и сказал:

— Пока всю не выпьешь, не отпущу.

Грязная вода начала заливаться мне в нос, но я вывернулась и опять ударила мучителя ногой. Он, ожидавший, что я разрыдаюсь, пошатнулся и плюхнулся в тот же «водоем». Пару мгновений мы сидели молча, потом Фантомас сказал:

— Я тебя убью. Я тебя сильнее. Ты покойница.

— Как бы не так, — ответила я, — ночью из могилы вылезу, приду к тебе привидением и задушу. Я тебя не боюсь. Я тебя ненавижу.

Во дворе стало тихо, замолчала даже банда хулиганов, все поняли, что сейчас случится нечто ужасное. А я, сообразив, что через пару минут меня начнут лупить все приятели мерзавца, решила дорого продать свою жизнь и от полного отчаянья укусила успевшего встать Фантомаса за лодыжку. Он ойкнул, я вскочила, встала напротив него, подняла руки на уровень груди, сжала кулаки и крикнула:

— Десять на одного это нечестно! Деремся по очереди.

Фантомас моргнул, потом вдруг мирно сказал:

— Слышь, Вилка, крепыша согни и к остальным прижми. Ты сделала бабский кулак.

— Что? — не поняла я.

Он взял мою кисть и опустил вниз торчавший вверх большой палец.

— Вот так, иначе ты его сломаешь.

— Поняла, — кивнула я.

Фантомас взглянул на членов своей банды.

— Тараканова теперь наша. Не смейте ее трогать! Усекли?

Потом он обратился ко мне:

— Вилка, хочешь мороженое? Пошли, куплю пломбир.

— За эскимо не продаюсь, — гордо ответила я и убежала домой плакать в ванной.

После этого случая меня больше во дворе не трогали, а главарь хулиганов стал делать мне подарки: то шоколадку, то упаковку зефира, то пакет пончиков. Но я, помня слова Раисы: «Никогда ничего ни у кого не бери, если не можешь что-то подарить в ответ», отказывалась от подношений. Один раз паренек принес мне плюшевого медведя, я отказалась и его брать. Фантомас ушел, а Топтыгин остался сидеть на лестничной клетке. Я высунулась из квартиры и утащила игрушку, она мне безумно понравилась. Мне редко доставались презенты, и я мечтала об этом мишке, он сидел в витрине магазина, мимо которого я ходила в школу. Не знаю, как Фантомас догадался о моем желании. Но я поняла, что не могу расстаться с Чапой, такое имя получил медведь, и решила зарыть топор войны. На следующий день после уроков я вышла во двор, стала искать Фантомаса, хотела поблагодарить его и сказать, что оставляю Мишутку себе. А мне сообщили, что его вместе с приятелями рано утром арестовали на рынке за драку, в которой он убил человека. Все. Больше мы не виделись. Сейчас я понимаю, что Фантомаса воспитывала одинокая мама, она небось ломалась на трех работах, чтобы сына поднять. Она, как моя Раиса, считала так: ребенок одет, сыт, ну и отлично, если двойку принес, тумака ему дам. Парень шлялся без присмотра, чего с него взять? Мать Фантомаса сменила квартиру и куда-то уехала, я с ней более никогда не встречалась. А Чапа жив до сих пор.

— Да ну? — изумился Степан. — Правда?

Я засмеялась:

— Слегка потрепался, выдержал несколько операций по смене глаз, носа, набивки, но сидит в моей спальне в модном синем пуловере. Я ему пару раз в году подарки делаю, покупаю одежду в отделе для новорожденных.

— Девочки, такие девочки, — усмехнулся Степан, — возвращаясь к теме нашего разговора: ты бы сейчас узнала повзрослевшего Фантомаса?

— Он умер, — вздохнула я, — через год после его ареста во дворе стали говорить, что Фантомаса в колонии для несовершеннолетних зарезали.

— Жесть, — передернулся Дмитриев.

— Мне его было очень жалко, — призналась я, — я даже плакала, осознав, что нам никогда не встретиться в этой жизни. Но ты прав, я помню его лишь в общих чертах: тощий, темноволосый, кудрявый, волосы до плеч, челка, какие глаза — не скажу... Вот эмоции живы, ощущение обид, им нанесенных, радость от обретения медведя, горе при известии об его смерти... Но останься мальчик жив, я бы его взрослым не узнала. Снимаю свой вопрос, почему Галина не среагировала ни на Аллу, ни на Кузнецову, которая к тому же изменила имя.

— Приехали, — сказал Степан.

Глава 37

Алла Константиновна расцеловалась со мной, как с родной, и тут же зачирикала:

— Дорогая Виола, вы подумали насчет моего предложения поработать с «Красавицей»?

Я, успев забыть об идее Мироновой, быстро нашла ответ:

— Идея перспективная. Но господин Зарецкий, мой издатель, пока не вернулся в Россию, без консультации с ним я не могу принять решение.

— Конечно, конечно, — пропела Миронова. — Чем могу помочь? Степан... э...

— Валерьевич, — подсказал Дмитриев, — но можно обойтись и без отчества. Игорь Олегович, отец Марины Григорьевой, победительницы вашего недавнего конкурса, обратился в наш фонд «Помощь», он хочет найти убийцу жены.

Алла Константиновна оперлась локтями о стол.

— Боже! Татьяну насильно лишили жизни?! Ужасно! Но... полицейские, которые увозили тело, сказали, что она сама упала, много выпила и свалилась по неосторожности.

— Эксперт считает иначе, — пояснил Степан, — не стану объяснять вам подробности, но криминалисты без проблем вычисляют: сам человек рухнул с высоты или ему помогли. В случае с Григорьевой имел место сильный толчок в грудь. Специалист пришел к выводу, что в момент нападения жертва находилась спиной к перилам. И она много выпила, что сильно облегчило задачу убийце.

— Боже! — выдохнула Алла. — Кто мог совершить это преступление! Бедная Марина! Несчастный муж, дети! Такая трагедия. Но я ничего не знаю, провожала Эрика Войцеховского, главного редактора журнала «Небо», спустилась с ним на первый этаж, и там меня настигла шокирующая новость о несчастье.

— Вы очень занятой человек, поэтому я не стану тянуть и сразу спрошу: Галина Сергеевна, бабушка Алисы Горюновой, не показалась вам знакомой? — продолжал Степан.

Миронова скрестила руки на груди.

— Я впервые увидела пожилую даму во время отбора конкурсанток и не обратила на нее внимания. Вот девочка сразу задержала на себе мой взгляд. Рост, фигура, черты лица. Хороший материал. Полновата, правда, и волосы-зубы в плохом состоянии, но с ней было можно работать.

— Поэтому вы посоветовали отвести Алису в клинику своей двоюродной сестры Лауры Кузнецовой? — влезла я в разговор.

Зрачки Аллы расширились.

— Независимо от того, кто чей родственник, следует признать: Лаура лучший специалист. Галина Сергеевна после первого тура пришла ко мне с вопросом, каковы шансы Алисы на призовое место. Я ей ответила: «Девочка интересная, но никто не может гарантировать успех. Участницам требуется проявить незаурядные морально-волевые качества. И, если кто-то не попадет в тройку победителей, ему надо воспринимать произошедшее как урок. Умение правильно переносить неудачу очень полезное свойство». Галина Сергеевна занервничала.

— Нам необходим диплом. Если Лиса пролетит мимо пьедестала, можете ей дать звание, ну, допустим, «мисс очарование» или «мисс лучшая походка»?

Я ответила:

— Условиями конкурса подобные награды не предусмотрены.

Петрова принялась меня упрашивать, она оказалась очень настырной. И в конце концов заявила:

— Я заплачу вам...

В кабинет без стука вошла секретарша с подносом и начала расставлять перед нами чашки с кофе, вазочку с конфетами, сахарницу. Миронова молча ждала, пока она уйдет. Я тоже не произносила ни слова, Алла Константиновна права, Галина была упорной. Хорошо помню, как она приехала поздно вечером ко мне домой и начала просить меня помочь Лисе. Помнится, тогда я подумала, что некоторые взрослые готовы на все, чтобы сделать своих детей знаменитыми. Но сейчас-то я понимаю, не об Алисе беспокоилась милая бабуся, а о деньгах, которые получит от продажи внучки на аукционе, диплом являлся необходимым условием для поездки на бал наложниц.

Помощница Мироновой ушла, Алла заговорила снова:

— Следовало выгнать Петрову, но я знаю, что родители конкурсанток становятся невменяемыми, они переживают больше девочек, поэтому решила не реагировать на предложение взятки, сказала: «Лучше потратьте эти деньги на приведение Алисы в надлежащий вид. Ей необходимо похудеть минимум на пять, а лучше на семь кг, вылечить волосы, поставить виниры».

— За оставшийся до второго тура срок нереально все это выполнить, — опечалилась Петрова.

И тогда я рассказала ей о клинике Лауры, открыла все карты, предупредила:

— У Кузнецовой все очень дорого. Эффект стопроцентный. Но и цена велика.

Алла замолкла, вместо нее заговорил Степан:

— Галина обратилась к Лауре и в качестве гонорара предложила ей китайскую перламутровую медаль. Так?

По лицу хозяйки холдинга «Красавица» пробежала судорога.

— Откуда вы знаете?

Степан развел руками:

— От Алисы.

— Неразумно обсуждать с внучкой подобные вещи! — неодобрительно заметила Алла. — Да, Галина показала Лауре раритет. У сестры обширная коллекция китайских предметов старины, она согласилась на бартер.

— Лаура, конечно, похвасталась вам своим приобретением, — сказала я.

— Да, — после небольшой паузы согласилась Миронова.

— И кто же из вас сообразил, что видит часть коллекции вашего отца, Константина Чашкина, директора музея города Нарганска, который почти полностью уничтожил пожар? — спросил Степан. — Вы или Лаура догадались, что Галина бывшая жена Михаила, вашего старшего брата, трудника монастыря, тоже сгинувшего в огне?

— Журналистка Сергеева, написавшая, что пожар вспыхнул по вине алкоголика Михаила Чашкина, Галина Петрова, — добавила я, — Сергеева ее псевдоним. Вы же узнали медаль, да? И догадывались, кто оболгал брата!

Алла Константиновна молчала.

Степан положил на стол диктофон.

— Вчера сотрудник фонда «Помощь» беседовал с Мариной Григорьевой, давайте ее послушаем.

Дмитриев нажал на кнопку.

— Родители полгода назад сильно поругались, и мама каждый вечер пила, — раздался тихий голос. — Разводиться они не стали, просто разъехались. Причина в папе. Мамочка его застукала с любовницей. Мой старший брат совсем взрослый, он со своей девушкой в ее квартире поселился, средний учится в Питере. Бабушка и дед со стороны папы умерли, мамины живы, но у них отдельное жилье. Мамуля с отцом даже подрались. Я люблю папу, но он козел! Решил, раз меня и мамы дома нет, можно привести чужую бабу. Отец распсиховался и ушел жить на квартиру покойных родителей. А мы с мамулей остались дома. Она никому ничего не рассказала и мне велела молчать, попросила:

— Если дед начнет расспрашивать: «Где Игорь? Почему его вечно дома нет?» — отвечай: «Дедуль, разве тебе мама не объяснила? Папа в командировке, уехал зарабатывать, вернется после Нового года».

Я мамуле пыталась растолковать, что глупо себя так вести. Все равно потом придется родителям правду сообщить, но она плакала:

— Нет, не сейчас. Мне надо успокоиться. Пережить позор. Вот пройдет боль, тогда и объявлю о разрыве.

Я понимала, что мама надеется на возвращение отца, поэтому скрывает его измену. Если растреплешь, что муж урод, как потом с ним дальше жить? Но папа извиняться не спешил. Я ему позвонила, начала ругать, а он заорал:

— Не лезь не в свое дело! Танька в постели бревно с глазами, никогда мне ночью не рада. С бабой меня застукала? Сама виновата, я мужик, а не монах. От жены близости не добился, значит, к другой пошел. Отзынь! Не желаю малолеток слушать, утешай свою мать-дуру, а ко мне не лезь.

Потом мама про конкурс журнала «Красавица» узнала и начала твердить: «Доча, огребешь контракт в Нью-Йорк, уедем вместе в США. Пусть тогда Игорь локти кусает, да поздно будет. Дочь станет всемирно известной топ-моделью, а я ее пресс-агентом. Денег заработаем! По всему миру путешествовать будем, а Гарик со своей уродиной в убогой двушке стухнет. Заплачет твой отец, но нас не вернуть». Она мечтала, как маленькая, папу проучить, а у меня не хватало духа сказать: «Ма, я могу проиграть!»

Но потом все же собралась и произнесла эту фразу. Мама затряслась.

— Нет, нет, нет!

И начала каждый вечер наливаться винищем. Правда, утром огурцом вскакивала, от нее даже не пахло. Когда умерла Галина Сергеевна, я застала маму в нашей раздевалке, случайно там оказалась. У меня ключа от комнаты не было, телефона тоже, мамуля куда-то подевалась, а у моей туфли набойка отлетела. До выхода на сцену было время, я помчалась в гримерку, подумала, вдруг мама там, если ее не найду, Анюту Королеву отыщу, она мне дверь откроет, возьму другие шпильки. Но я никого не встретила, долетела до раздевалки и машинально дверь за ручку дернула. Гляжу, там мама что-то во фляжку Алисы с витаминным чаем из маленькой бутылочки наливает. Она меня увидела, пробку завинтила и говорит:

— Иди быстро в туалет. Сейчас я туда прибегу.

Я у рукомойника застыла, мама вошла и обняла меня.

— Доча! Молчи. Я обеспечила тебе первое место. Мы поедем в Нью-Йорк.

Я ничего спросить не успела, у нее телефон зазвонил, мамуля трубку взяла, улыбнулась, на громкую

связь поставила, стало слышно голос Аллы Константиновны:

— Сделала?

— Да, — ответила мама, — я выполнила вашу
просьбу. А вы меня не обманете?

— Не впадай в маразм, — сказала Миронова, —
я всегда держу слово. Верни стекляшку из-под слабительного. Заставь Галину все выпить, а потом ис-
хитрись как хочешь, но вымой фляжку. И тогда твоя
дочь стопроцентно станет победительницей.

Когда разговор закончился, я на маму с вопросами налетела, она объяснила:

— Алла попросила меня об услуге. Если все
по-ее получится, ты в короне. А если бы я отказалась,
плавать тебе за бортом, первое место получат Соня
или Алиса. Тебе даже жалкого диплома не дадут. Ну
я и согласилась. Алка попросила подлить в чай, который пьет Алиса, слабительное и сделать так, чтобы ее
бабка его выхлебала. Потом флягу вымыть.

Я удивилась:

— Зачем ей это, мама?

Она ответила:

— Не знаю, не спрашивала. Наверное, старуха
Миронову и всех тут достала, небось бегает к владелице журнала по сто раз на дню, за свою Лису ко-
собокую просит. Галина Сергеевна противная, до-
ставучая. Вот Алла и решила ее к толчку приковать,
усядется срать, мешать не будет.

Это правда. Бабушка Алисы такая вредная была,
мне ей каждый день вмазать хотелось, постоянно замечания делала, повешу на спинку своего стула колготки, она снимет их и давай зудеть: «Чулкам положено в ящике лежать». Я один раз спросила: «И кто
так велел?» Петрова чуть от злости не лопнула: «Как
я сказала, так и должно быть», в коридор выбежала,

хлобысь дверью о косяк. Алиса старухе вслед посмотрела и проговорила: «Марина, не спорь с ней. Бесполезно. Лучше промолчи». Я, когда про слабительное узнала, развеселилась. Так Галине и надо, пусть к унитазу прилипнет. А потом спросила у мамы: «Вдруг чай не бабка, а Лиса выпьет? Напиток для нее приготовлен». Мамуля меня поцеловала.

— Не переживай. Первое место наше. Я так разговор поведу, что старуха залпом запузырит свой хреновый настой.

И у мамочки получилось, она скандал устроила, Вера Яковлева его сразу подхватила. Я обрадовалась, супер, первое место мое. И... Галина Сергеевна упала...

Послышался тихий плач, потом снова прорезался голос Марины:

— Мама так испугалась... и я тоже... все подумали, что у бабки инфаркт, но в бутылочке было слабительное, так Миронова сказала... оно не могло на сердце повлиять... Мамуля дождалась, пока мне корону наденут, и... начала вино пить. Я ее останавливала, но она глушила бокал за бокалом... потом ее совсем развезло, мне стало стыдно... я пошла дедушке звонить...

— Во время разговора с полицией Татьяна сообщила, что налила слабительное и в воду Сони, — сказал незнакомый мужской голос. — Это тоже ей велела Миронова?

— Нет, — прошептала Марина, — когда полиция разрешила нам одеться для последнего конкурса, я то же самое у мамы выяснить решила. Она сказала:

— Нет, доча, ничего у Сони в воде не было. Я вспомнила, что она бутылку грохнула, и приврала. Не выяснишь теперь никак, что вода Яковлевой была чистая.

Я маму за руку схватила:

— Надо было про слабительное молчать. Не признаваться.

Она меня по голове погладила.

— А что мне делать оставалось? Ключ нашли. И в морге будут тело изучать, а в нем средства для поноса море. Лучше самой признаться. На конкурсах участницы друг другу часто гадят, соль в туфли насыпают, каблуки подпиливают. Никого слабительное не удивит. Хорошо, что у Веры Яковлевой тоже ключ нашли и она про чесоточный спрей растрепала. Я молодец, догадалась соврать, что Соньке капель подлила, а то странно получится: Алиске решила сифон организовать, а второй мымре нет. Я же не могу никому про просьбу Мироновой рассказать, у нее такие связи! Перекроет тебе кислород. А теперь все в порядке. Не волнуйся, Марина, я умная, детективные сериалы смотрю, знаю, как себя вести. И полицейские ленивые, тупые. Кому эта бабка нужна? Что она, жена олигарха? Знаменитость? Пенсионерка убогая. Никто в ее смерти копаться не станет. И я не виновата, разве кишечные капли могут сердце остановить? От инфаркта Галина на тот свет убралась. Со злюками всегда так, бац, и конец им! Давление от вредности у них шарашит.

Марина снова заплакала.

Степан выключил диктофон. Алла Константиновна молчала.

Глава 38

Я не выдержала.

— Не хотите прокомментировать услышанное? Я отлично вас понимаю, что тут сказать? Вы обманули Татьяну, поняли, как ей нужно, чтобы Марина получила корону, и сделали предложение, от которого она не могла отказаться. Вы ловко манипулировали полубезумной мамашей, обманули ее, соврали, что жидкость, которую надо подлить во фляжку, обычное слабительное. И вам удалось обмануть меня. Услышав рассказ Тани про лекарство, усиливающее перистальтику кишечника, я вычеркнула ее из списка подозреваемых в убийстве. Я решила, что мать Марины просто совершила некрасивый поступок, а потом в раздевалку вошел кто-то еще и налил во фляжку яд. Мне и в голову не пришло, что Татьяну обманули, вручили ей средство от крыс, сказав, что это простое слабительное. Одного не пойму, зачем вы на самом деле смешали «Гранат» с кишечными каплями?

— А я вот никак не возьму в толк, зачем нужно было убивать Галину во время конкурса? — подхватил Степан.

Алла Константиновна сидела, глядя перед собой.

— Вы узнали старуху, — предположила я, — поняли, что перед вами бывшая жена покойного брата. Что она вам сделала? На момент развода Михаила с Галей вы еще в школу не ходили. Чем вам Петрова досадила?

— Что она мне сделала? — повторила Алла. — Что? Лишила отца, брата, любимой тети, уютного дома. Мы с Лаурой очутились в интернате, а там у сестры даже имя отняли. Когда пришло время получать паспорт, директриса детдома заявила: «Советская девочка не может называться Лавременсией. Давай запишем тебя Леной». Целую неделю не отставала, в конце концов сестру зарегистрировали Лаурой. Директриса была страшно недовольна, ей прямо мечталось, чтобы в паспорте у Кузнецовой стояло имя Елена. Клопин не очень большой город, плюнь, попадешь в знакомого. Глава детдома дружила с начальником милиции, когда сестра пришла заполнять всякие анкеты на получение паспорта, мент ей сказал:

— Деточка, Роза Павловна настаивает, чтобы ты стала Еленой. Оборвала мне телефон с этой просьбой. Но решать тебе, если скажешь «нет», значит, нет. Редкое имя тебе мама придумала?

— Да, — ответила Лаура, — оно означает «самая счастливая и богатая». Мамочка еще в школе прочитала книгу про имена и решила: когда у нее родится девочка, она будет Лавременсией. Она говорила, что в этом имени заключена магия. Дочь будет жить лучше всех.

Мент начал сестру уговаривать:

— Какой будет жизнь, зависит от характера человека, а не от того, что у него в паспорте значится. Ну, подумай, неужели у всех Татьян или Иванов одинаковая судьба? Роза Павловна тебе добра хочет, кое в чем она права. Лавременсия звучит сильно на иностранный лад, соберешься на работу оформляться, кадровики заподозрят, что у тебя есть родственники из-за бугра, и на всякий случай откажут в приеме на приличную службу. Ты повзрослеешь, люди будут к тебе обращаться по отчеству, ну-ка попробуй, выговори с первого раза: Лавременсия Станиславовна. Язык сломаешь. Поверь, тебе будет очень неудобно. Небось в школе тебя дразнят?

— Лаврушка зовут, — призналась девочка.

— Похоже на приправу для супа, — улыбнулся начальник милиции. — Предлагаю компромиссный вариант. Ни Елена, как хочет директриса, ни Лавременсия, как в метрике записано, давай нарисуем: Лаура. Получится оригинально, как хотела твоя мама, но не вызывающе. И волки сыты, и овцы целы. Все довольны.

Алла подняла голову:

— Сестре пришлось согласиться, но она себя Лаурой не ощущает, я ее Лавриком зову. И все эти унижения из-за Галины, потому что она город сожгла и медали украла. Столько людей погибло, мои папа и тетя в их числе. Лаура замуж не вышла, она до сих пор шрамов на теле стесняется. Когда сестра в одежде, она выглядит прекрасно, а когда раздевается... жуть! Я в юном возрасте за старика выскочила, чтобы нам с Лавриком с голоду в Москве не подохнуть! И во всем виновата Галина! Статью написала! Мишу оболгала. Моего брата до сих пор люди проклинают. Мы с сестрой каждый год ездим на могилу к родным. Тьма лет после той трагедии прошла. Почти пятьдесят. Но всякий раз, когда на кладбище приходим и в конторе лейку-грабли берем, сторож говорит: «Снова прикатили? Когда сюда таскаться перестанете? Из-за Мишки-пьяницы моя доченька маленькая погибла». Каково нам это слышать? Нам, кто правду знает? Миша ни при чем. Город Петрова погубила! И мы с сестрой погибнуть могли, спаслись только благодаря волшебнице Чжу.

— Волшебница Чжу? — повторила я. — Это кто такая?

Алла Константиновна вдруг улыбнулась:

— Папа очень гордился своим китайским происхождением. Он хотел меня назвать Ксингджуан, в переводе это означает изящество. Его приятель отговорил, спасибо ему. Отец знал множество китайских сказок, в музее он создал экспозицию, посвященную Поднебесной, там хранилась главная ценность семьи: перламутровые медали. А на стене висела картина, изображающая пожилую китаянку. Константин Михайлович часто с ней разговаривал, мне он объяснял: «Доченька, это твоя прапрабабушка, волшебница Чжу. Тело ее умерло, а дух заключен в полотне. Если очень-очень о чем-то ее попросить, Чжу поможет. Только желание должно быть хорошим». В сентябре мы с Лаурой пошли в школу. Это сейчас первоклашкам отметки не ставят, хвалят их, а во времена нашего детства иначе было. Сестричке в первую неделю кучу двоек наставили. Лаврик левша, поэтому не могла писать правой рукой, но директрису это не волновало. «Советские дети не обезьяны, они работают в тетради как положено». Эту фразу я навсегда запомнила. Наша учительница Лариса Николаевна Дубонос была не злой, наоборот, она женщина добрая. Когда мы в интернате очутились, она очень нам помогла. А вот директриса оказалась монстром, велела левую руку сестры к талии привязать, пусть девочка учится правильно писать. Такие времена тогда были, не полагалось из общей массы выделяться.

Я внимательно слушала Аллу.

Красиво выводить буквы правой рукой у бедной Лауры никак не получалось, она плакала, но от слез лучше не становилось. У девочек были спальни в двух домах, и когда мама Лауры уходила в ночную смену, они укладывались у Чашкиных. В ночь пожара они лежали в мансарде над музеем. Лаура рыдала, она не хотела утром идти в школу, где ей опять привяжут руку. И тут Аллу осенило.

— Пошли в китайскую комнату, попросим волшебницу Чжу о помощи.

— Дядя Костя не разрешает ночью по залам ходить, — напомнила послушная двоюродная сестра, — если он нас поймает, в субботу не отпустит гулять!

Но Алла уже вскочила.

— Папа не узнает. Мы на цыпочках. Давай! Ха! Боишься ночью в китайский зал идти? Трусиха!

— Я храбрая, — возмутилась Лаура.

Девочки тайком прокрались на первый этаж, подошли к портрету и стали убеждать волшебницу помочь Лауре научиться красиво писать правой рукой. Минут через десять обе малышки устали.

— Как ты думаешь, она нас услышала? — спросила Лаура.

— Папа говорит: Чжу подает знак, когда мольба до нее долетает, — ответила Алла.

— Какой? — полюбопытствовала сестра.

И тут раздался скрип деревянных половиц.

— Она нам отвечает, — обрадовалась Лаура.

Алла схватила сестру за руку.

— Нет, это шаги, папа идет, лезем под стол, а то в выходные он нас из дома не выпустит.

Первоклашки нырнули под большую консоль, прикрытую до пола бархатной скатертью, легли на пол и затаились. Шаги приблизились, потом что-то заскрипело. Алла подняла край скатерти, и сестры увидели фигуру с черными крыльями.

— Ворона, — прошептала Аллочка, — ворона, дочь медведя.

Мне показалось, что я неправильно расслышала последнюю фразу.

— Ворона, дочь медведя? — повторила я.

Алла сгорбилась.

— Это китайская легенда, которую нам часто читал на ночь папа. В ней рассказывается про доброго мишку, который нашел яйцо и положил его в теплое место. Спустя день вылупился птенец вороны, который вырос и заклевал приемного отца. На самом деле это была не птица, а злая волшебница Кванг, главный враг Чжу. Мне показалось, что это она в комнате.

Не забывайте, девочкам едва исполнилось по семь лет, они росли под опекой Константина Михайловича, который постоянно рассказывал китайские сказки, легенды, основными действующими лицами которых являлись животные, птицы, драконы и волшебники всех мастей.

Алла же продолжала рассказ.

— Тише, — шикнула Лаура, — Кванг нас превратит в червей.

Перепуганные девчонки замерли, но край скатерти не опустили и увидели, как злая ворона открыла витрину, где лежали перламутровые медали, вынула коробку с ними...

— Галина! — раздался голос Михаила. — Ты как сюда попала? Что делаешь в музее ночью?

Кванг повернулась. Алла увидела ее лицо и выдохнула. Это же Галина Сергеевна, бывшая жена Миши. Девочка ее прекрасно знала.

— Эй, зачем ты взяла медали? — продолжал брат. — Воровка!

— Они мои, — сдавленным голосом ответила Галина.

— С какой стати? — вскипел Михаил. — Немедленно положи сокровище семьи Чашкиных на место и проваливай.

— Ты пропил деньги, которые мне от родителей достались, — возразила Петрова, — я их на дом копила. И где они? Ты на водку их пустил.

— Верну деньги, — насупился брат.

— Когда?

— Ну... скоро.

— Принесешь мои сбережения и получишь назад медали.

— Нет!

— Да!

Михаил кинулся на бывшую жену, ударил ее, а та что есть силы пнула его ногой в живот. Брат Аллы не удержался на ногах, упал, приложился головой о постамент статуи, изображавшей богатого китайца, и затих. Галина наклонилась над Мишей.

— Ау! Поднимайся. Эй! Не пугай меня!

Но тот не шевелился. Петрова отшатнулась и метнулась в коридор. Девочки, лежавшие под столом, окаменели от страха, их парализовало, и голос пропал. Сколько времени они так провели, Алла не знала, но потом в комнате вдруг снова появилась Галина с канистрой. Она облила тело бывшего мужа сильно пахнущей жидкостью, наплескала ее на стены, на мебель, на витрины с экспонатами, на укрытие малышек, схватила коробку с медалями и кинулась к двери.

Алла не видела, как Петрова выбежала в коридор, перед девочкой вспыхнула стена огня. Она сбросила оцепенение, выскочила из-под консоли, Лаура последовала за ней, но ей не повезло. Часть горящей скатерти упала на ее спину, Лаура закричала...

Дальнейшее Алла помнит плохо. Вроде она как-то добралась до выхода, там ее подхватил монах... Где находилась Лаура, кузина не помнила, стыдно признаться, но она совсем не думала о сестричке, потому что очень боялась сгореть.

Алла Константиновна замолчала

— Вот почему вы закричали в Третьяковке: «Ворона, ворона», — пробормотала я.

Миронова исподлобья посмотрела на меня.

— Откуда вы знаете? Был такой случай. После смерти папы я больше ни разу не ходила в музеи, в Клопине их просто нет. Поездка в Москву была подарком лучшим ученикам. В картинную галерею нас привели сразу после приезда. Я брела по залам, как в тумане, не слыша экскурсовода, вспомнила папу, Мишу, пожар. В конце концов мы вошли в просторный зал, я увидела у стены стол, тот был накрыт красной бархатной скатертью, выглядел прямо как тот, под которым мы с сестрой прятались. А чуть поодаль перед мольбертом стояла фигура во всем черном... Я подумала, что это Кванг, закричала: «Ворона, дочь медведя». Дальше ничего не помню, очнулась в машине «Скорой помощи».

— Вы были свидетельницей поджога. Почему ничего не рассказали милиции? — удивился Степан.

По лицу Аллы Константиновны скользнула кривая улыбка.

— А никто не спрашивал. Или вы полагаете, что перепуганная насмерть семилетняя девочка, которая потеряла отца, тетю, брата, могла сама броситься в милицию? В конце шестидесятых годов прошлого века дети вели себя иначе, чем сейчас. И я несколько месяцев лечилась, были большие проблемы с дыханием. Лаврик находилась в ожоговом отделении, мне не разрешали к ней зайти, я плакала постоянно. По-вашему, крошке в таком состоянии надо было грозно заявить: «Хочу дать показания! Приведите сюда министра внутренних дел!»

— Конечно нет, — остановила я Миронову, — но время шло, вы взрослели, наверное, слышали, что Михаила обвинили в поджоге, читали статью «Убийцы в рясах»...

Алла провела рукой по волосам.

— Я жила в интернате, одна по улицам не ходила, нас строем везде водили. В приюте никто ни словом о трагедии в Нарганске не упоминал. В городской школе педагоги были строгие, ребят держали в ежовых рукавицах, один раз старшеклассник толкнул меня, я расплакалась и сказала:

— Сейчас пожалуюсь Ларисе Николаевне.

А он мне затрещину отвесил и закричал:

— Я тоже ей скажу, пусть отсюда убирают сестру убийцы, который мою бабушку сжег.

Я не поняла, что он имел в виду, но его услышала Дубонос, она мигом отвела подростка к директору. И больше ни он, ни кто другой при мне про пожар не упоминал. Трудно поверить, но это так. Я уехала в Москву поступать в вуз, не задумываясь о том, что случилось в Нарганске. Нет, я знала, что мы с Лавриком сироты, папа и тетя погибли. Но кого обвинили в возникновении пожара, понятия не имела. Интернета тогда не было, «желтых» газет тоже. Истина открылась в университете: я писала диплом по истории жанра советского газетного очерка, рылась в Ленинке в каталоге и вдруг наткнулась на статью «Убийцы в рясах. Пожар в Нарганске». Я заинтересовалась, изучила пасквиль и побежала в милицию.

Алла Константиновна покачала головой:

— Оцените мою наивность! Наивная ромашка вошла в первое попавшееся отделение и заявила дежурному: «Знаю, кто на самом деле сжег моего папу и тетю». Меня отправили в какой-то кабинет, там сидел, как мне показалось, пожилой мужчина. Он выслушал меня и объяснил: дело возбуждали не в столице, москвичи никогда не станут заниматься чужим происшествием, надо ехать в Клопин, но все случилось очень давно, быльем поросло, доказательств у меня нет, одни детские воспоминания. Короче, забудь, девочка, живи счастливо. И я последовала его совету, попыталась жить счастливо, но у нас с Лавриком это не получалось. Мы последствия той истории долго кушали: мой брак по расчету, отсутствие личной жизни у сестры.

— От нелюбимого мужа, с которым не один год прожили, вы много хорошего получили, — сказала я, — благодаря его деньгам основали холдинг «Красавица», Лаура клинику, полагаю, с вашей помощью открыла.

— Вы жили одна, без родителей? — вспыхнула Алла. — Мыли полы за копейки, плакали по ночам, понимая, что помощи ждать неоткуда и любой, кто захочет, элементарно обидит вас! Хорошо вам, богатой писательнице из определенно интеллигентной семьи, рассуждать на темы морали. У вас нет моего опыта за плечами, вы не имеете права меня осуждать.

Глава 39

Я не стала рассказывать Алле о своем детстве[1] и юности, но руки на секунду ощутили тяжесть серого оцинкованного ведра с водой, в нос ударил запах хлорки, и я увидела комья окровавленной ваты... Из всех мест, где когда-то я, дочь профессионального вора, сидевшего на зоне, старательно драила за гроши пол, самым противным местом была стоматологическая поликлиника, очень мерзко было собирать там по ночам мусор.

— И вдруг к вам явилась на конкурс Алиса с бабушкой, — резко сменил тему разговора Степан, — трудно представить, что вы испытали.

— Ничего, — отрезала Алла, — я старуху не узнала. Галина Сергеевна — распространенное имя. Фамилию бывшей жены брата я давно запамятовала. А вот когда она предложила Лаврику медаль... Сестра примчалась ко мне со словами:

— Это раритет дяди! И старуху зовут Галина Сергеевна! Она та самая журналистка, которая на наших глазах убила Мишу и подожгла музей, чтобы скрыть преступление. У меня есть клиент, крупный компью-

---

[1] Детство Виолы описано в книге Дарьи Донцовой «Черт из табакерки».

терщик, я попросила его узнать все про Петрову. Вот. Читай!

И она положила передо мной айпад. А там биографическая справка. Галина Сергеевна Петрова родилась в городе Клопин, состояла в замужестве с Михаилом Константиновичем Чашкиным...

Миронова замолчала.

— И вы решили наказать Галину, — договорила я за хозяйку кабинета.

— Считаете, она должна была жить счастливо? — скривилась Алла. — Мразь подожгла Нарганск, убила много людей, испоганила имя Михаила, украла медали. Вам этого мало?

— Надо было обратиться в полицию, — буркнула я.

Миронова расхохоталась:

— Анекдот. Я уже ходила туда один раз. Кто станет спустя десятилетия после пожара заниматься его расследованием? Гадина получила по заслугам. У моего покойного мужа в подвале старой дачи, которую он не продавал из сентиментальности, еще с советских времен хранилось средство «Гранат». Я вспомнила, как супруг говорил: «Не трогай канистру, там сильнодействующий яд от грызунов. Им и человека отравить легко, хватит столовой ложки, он ни цвета, ни вкуса, ни запаха не имеет, а жизнь отнимет сразу».

Алла улыбнулась:

— Есть у меня одно качество, оно мне здорово в бизнесе помогает. Загонит меня жизнь в угол, я сразу мобилизуюсь и тут же вспоминаю то, о чем давно забыла. И что получается? Эти давние воспоминания помогают проблему решить. Стала я думать, как с Галиной поступить — и опля! Перед глазами возникла емкость оцинкованная, в ушах голоса зазвучали. Сначала мой: «Если раствор столь ядовит, надо его уничтожить». Затем бас покойного мужа прорезался: «Алчонок, это неправильное решение. «Гранат» из-за токсичности сняли с производства, сейчас, используя эту марку, выпускают фуфло, которое крысам, как шампанское, выпили — повеселились и дальше живем. Старый «Гранат» не достать, а грызуны плодятся». Запас нужен, надо лишь быть аккуратным при его применении. После смерти супруга я фазенду заперла, но не продала, муж ее очень любил. Сама я терпеть Подмосковье не могу, поэтому в поселок не ездила, сторож приходит, зимой котел топит, если где чего ломается, я даю деньги на ремонт. Видно, таинственная сила, не позволившая мне от дачи избавиться, знала: пригодится Алле «Гранат». Я поехала за город, взяла канистру, купила молока, капнула в него чуток средства и угостила бродячую кошку, та умерла сразу. Я поняла, что яд не потерял свои свойства.

— Бедное животное, — вырвалось у меня, — оно-то вам чем не угодило!

Миронова махнула рукой:

— Я вас умоляю! Этого добра навалом! Кому нужна блохастая пакость? Как еще я могла понять, что «Гранат» действует? Самой его хлебнуть?

Я открыла было рот, но меня опередил Степан:

— Слабительное-то при чем?

— Что же я могла сказать Григорьевой? — удивилась Миронова. — Налей яд? Она могла не согласиться. А капли для поноса невинны и в духе конкурсов красоты.

— Понимаю, почему вы обманули Григорьеву, не сказав ей про отраву, — остановила я владелицу холдинга, — но никак не возьму в толк, по какой причине вы налили слабительное в бутылку!

Алла Константиновна поправила волосы.

— Чтобы Григорьева не сомневалась в отношении состава содержимого данного мной ей средства, я на глазах Татьяны взяла стомиллилитровую бутылку из темного стекла, затем достала пузырек с желудочными каплями и на глазах у Григорьевой перелила слабительное в новую упаковку. Григорьева не поняла, что на дне темной склянки уже была жидкость, я наплескала туда заранее «Гранат», а ей сказала: «Ну? Видела? Там только средство, провоцирующее понос, ничего более, специально при тебе его переливала, чтобы ты поняла: никаких добавок в нем нет. Сделаешь, как я велю, обеспечишь Марине корону. Кроме того, я помещу фоторепортаж с девочкой в «Красавице», украшу ее снимком обложку следующего номера. Марина отправится в Нью-Йорк на белом коне».

Алла замолчала.

— Заманчивые перспективы вы нарисовали перед старшей Григорьевой, которая мечтала утереть нос бросившему ее мужу, хотела улететь в США, стать матерью всемирно известной топ-модели, разбогатеть, — резюмировала я, — лучшей кандидатки для выполнения вашего плана просто не найти. Татьяна понятия не имела, что убьет Галину, ведь вы на ее глазах наполнили бутылочку каплями для улучшения перистальтики. Не подумали, что Таня задаст вопрос: «Зачем лекарство переливаете? Почему не даете в оригинальной упаковке?» Я бы на ее месте поинтересовалась. И вы не боялись, что Григорьева сообразит: когда лекарство из одной тары в другую перелили, почему его вдруг больше стало?

Алла на секунду растерялась.

— Таню ничто не смутило.

— Вам повезло, — вздохнула я.

— У меня вызывает недоумение другое, — подал голос Степан. — Если во время публичного мероприятия внезапно кто-то умирает, то непременно делают вскрытие, обнаружат яд, начнется расследование, допросят Татьяну, она расскажет про капли. Почему вас такая перспектива не смутила?

— И что? — хмыкнула Алла Константиновна. — Мамаша одной участницы сделала обычную конкурсную гадость, решила вызвать понос у конкурентки дочери. Полиция подумала бы: зачем убийце лить в питье одновременно и яд, и слабительное? Если собирались лишить жизни, зачем понос? К Татьяне не возникнет никаких претензий.

Я опустила глаза. Верно, у меня в голове укоренилась именно эта мысль.

— И полиция не станет заморачиваться с выяснением причины смерти никому не нужной старухи, — продолжала Алла. — Я знаю начальника местного отделения, его дочь была у нас победительницей прошлогоднего конкурса, сейчас Лена учится бесплатно в моем агентстве, весной уедет в Париж.

— А-а-а-а, — протянула я, — то-то я не могла понять, почему вы не побоялись скандала, который неминуемо возникнет, когда пресса напишет, что за кулисами конкурса «Девочка года» обнаружили труп. Вы в дружбе с главным полицейским околотка, и, по вашему расчету, событиям следовало развиваться так: к вам в ужасе прибегает Анюта с сообщением о внезапной смерти Галины Сергеевны. Вы звоните приятелю и жалобно просите:

— Пожалуйста, помоги. Старуха от волнения за внучку окочурилась. Замни дело, мне шум не нужен. Мы уже билеты твоей красавице во Францию купили, если поднимется гвалт, девочке могут отказать в контракте. Не за себя, за нее переживаю, вдруг из-за этого происшествия Леночка в Париж не попадет? Рухнет ее карьера модели, так и не начавшись.

И конечно, заботливый любящий отец сделает все возможное. Тело увезут и признают смерть естественной, ну полает пресса недолго, и что? Кончина пожилой женщины от инфаркта совсем не редкость.

Миронова покраснела.

— Уважаемая Виола, уж вы-то должны знать: плохо от пиара не бывает. Лучше пусть гавкают, чем молчат.

И новость о смерти Петровой проживет менее одного дня, Галина не звезда шоу-бизнеса, не политик. Ну выйдет пара сообщений мелким шрифтом, и что? О них назавтра забудут, и заметки только привлекут внимание к конкурсу. Смерть всегда притягивает зевак.

— Хороший план, — кивнула я, — Татьяне вы скажете, что Петрова умерла от инсульта-инфаркта, ну совпало так: хлебнула Галина настой, и бац, мозговой удар. И все шито-крыто. Вы наказали Петрову за смерть отца, тети, убийство брата, за клевету на Михаила, за сиротство, за ожоги Лауры и свое замужество с нелюбимым. Но глупая Анюта, понятия не имевшая о сценарии начальницы, перепугалась до дрожи и стала умолять меня помочь скрыть от посторонних внезапную кончину бабушки Алисы. Мне стало жаль Королеву, которая, боясь, что вы ее уволите, билась в истерике, я позвонила Андрею Платонову. Тот прислал Владимира Савченко, и он принялся за дело, эксперт Елена сразу заподозрила отравление. Когда у Григорьевой нашли ключ от раздевалки, она не сказала: «Мне его Миронова вручила», не выложила правду про полученное от вас лекарство. Нет, Татьяна, хоть и закладывала из-за ухода мужа за воротник, пока не пропила ум вкупе с сообразительностью. Григорьева соврала про найденный в туалете ключ, про желание приковать Алису и Соню к унитазу. Мать Марины даже скумекала, что надо солгать про то, что она подлила капли Яковлевой. А то странно получится, почему заботливая мамаша не обратила внимания на вторую конкурентку? И, конечно, Григорьевой помогло то, что Сонечка на ее глазах разлила свою минералку. И вот уж удача! Вера признается в заказе копии ключа и применении чесоточного спрея. Удачно получилось. Я поверила Татьяне. Но она заподозрила неладное и напилась на банкете. Что у трезвого на уме, то у пьяного на языке. Вы не знали про увлечение Тани алкоголем. Ее родители тщательно хранили эту тайну, а мать Марины после долгих лет трезвости снова пила каждый вечер. С пьяницей опасно связываться. Набухается и распустит язык.

Я улыбнулась:

— И что сделала Григорьева? Вещала, что подлить слабительное ваша идея?

Миронова молчала.

— Виола ошибается, — подхватил Степан, — Татьяна попыталась вас шантажировать.

— Вы вывели окосевшую Григорьеву на служебную лестницу и столкнули с шестого этажа, — подала я свою реплику. — На вашей совести два убийства: Галины Сергеевны и Татьяны.

Умело накрашенное лицо Аллы стало стремительно багроветь.

— Нет! Нет! Я никого не трогала! Не приближалась к Григорьевой, видела, что она наклюкалась, но наблюдала за ней издали.

Степан поднял бровь:

— Неужели?

— Не лишала никого жизни! — закричала Миронова.

— А как же Галина Сергеевна? — спросила я.

Алла Константиновна вскочила и бросилась ко мне:

— Считаете, что нужно было оставить эту дрянь на этом свете?

— Аллуся, что происходит? — раздалось с порога, в комнату вошла стройная, элегантно одетая дама.

Я никогда не видела Лауру Кузнецову, но почему-то сразу поняла: это хозяйка клиники для богатых и знаменитых. Миронова не обратила внимания на двоюродную сестру и продолжала кричать, наступая на меня:

— Оставить Петрову наслаждаться солнцем? Она сожгла Нарганск, оклеветала Мишу, убила папу, тетю... Она зло! Монстр! Украла медали! Смотреть, как злая ворона радуется бытию?

Лаура подбежала к Алле и встряхнула ее.

— Замолчи!

Миронова всхлипнула, села на ковер и заплакала.

— Они из полиции, они все знают.

Кузнецова посмотрела на Дмитриева:

— Ваши документы, предъявите служебное удостоверение в развернутом виде. Сообщите фамилию своего начальника.

Степан вынул красную книжечку.

— Мы из общества «Помощь», муж погибшей Татьяны Григорьевой просил...

— Частные детективы, — перебила его Лаура. — Вон! Немедленно. Ваши действия незаконны. Имейте в виду, все сказанное Аллой не может быть использовано против нее. Миронова больна. У нее температура сорок, грипп. Она сейчас бредит. Немедленно позвоню нашему адвокату. Во-о-он! Во-о-он!

Мы со Степаном быстро покинули кабинет, молча дошли до джипа и сели в него. Дмитриев открыл айпад.

— Еще во время беседы с Мироновой я услышал, что почта пришла, но изучить ее недосуг было. Интересно.

— Ты о чем? — полюбопытствовала я.

Степан повернул ко мне планшет.

— Результат вскрытия Татьяны Григорьевой. Вот примечательное фото.

— Что это? — не поняла я.

— Посмертный синяк, — пояснил мой спутник. — Если травма нанесена незадолго до гибели и кровоподтека в момент обнаружения тела нет, след проявится спустя некоторое время. У Татьяны чуть пониже левой ключицы появилась необычная отметина, это ее снимок. Эксперт предположил, что убийца носил на руке украшение. Преступник что есть силы толкнул жертву, которая стояла спиной к перилам. Татьяна не удержалась на ногах и упала. А теперь внимательно изучи кровоподтек, преступник не подумал, что бижутерия, надетая на его руку, отпечатается на жертве. И тому, кто убил Таню, очень не повезло, потому что этот прибамбас легко опознать. Ну, сообразила, чей он?

— Нет, — пробормотала я, — вижу просто пятно. А украшения носили все: Анюта, Алла Миронова, Вера Яковлева. У Татьяны, помнится, было здоровенное кольцо.

— Погибшая не могла сама себя в грудь ударить и вниз спихнуть, — серьезно сказал Степан. — Присмотрись, что тебе синяки напоминают?

— Не пойму! И как только криминалисты в этом разбираются, — вздохнула я.

— Опыт не пропьешь, — протянул Степан, — вот тебе компьютерное восстановление, так, по мнению умной машины, выглядит в реальности изделие, которое оставило след на погибшей.

— О! — воскликнула я.

— Узнала, — с удовлетворением заметил Дмитриев, — оригинальная, но, на мой взгляд, совершенно не функциональная, даже неудобная штука.

— Зато беспредельно модная, — протянула я, — один из спонсоров конкурса, фирма «Доли», производитель бижутерии. В последний день конкурса девушкам, которые прошли во второй тур, преподнесли презенты. Все украшения были, как ты выразился, «не функциональны», но девицы пришли в восторг и мигом нарядились. Все цацки оказались разными, но эта вызвала приступ зависти у тех, кому она не досталась.

Степан показал пальцем на экран айпада.

— Кто хозяйка, помнишь?

— Да, — грустно ответила я, — конечно.

Эпилог

Четырнадцатого января мы с Дмитриевым сидели у меня дома в столовой.

— Вчера я потратил кучу времени, объясняя приятелю-немцу, что такое старый Новый год, почему русские люди наряжают селедку в шубу и по какой причине салат оливье надо есть две недели подряд на завтрак, обед и ужин.

— Справился с задачей? — осведомилась я.

— Плохо получилось, — засмеялся гость.

Я поставила перед Дмитриевым чашку.

— Что будет с Аллой Константиновной?

Степан отхлебнул чая.

— Пуэр? Люблю его. На следующий день после нашего с ней разговора рано утром Миронова улетела во Францию. При наличии Интернета руководить холдингом она может дистанционно. Еще через сутки Марина Григорьева отправилась в Нью-Йорк.

— Вот это оперативность, — восхитилась я, — понимаю, что у Лауры множество высокопоставленных клиентов, способных по просьбе любимого доктора, делающего их красивыми, решить практически любую проблему. Кузнецова очень хотела отослать подальше девочку, которая знает правду о том, что и по чьей просьбе сделала ее мать. Но как смогли оформить школьнице визу? Американцы большие бюрократы.

Степан потянулся к пирожку.

— Сама пекла?

— Своими ногами сходила в кондитерскую, — отозвалась я.

— Вкусно, — с набитым ртом произнес Степа, — выбрать готовое тоже не просто. У Марины уже была виза на три года. Девочка получила ее прошлым летом, в июне она, как победительница олимпиады «Лучшее сочинение по истории Америки», летала в США. Но без клиентов Лауры, похоже, тут не обошлось. Григорьева отправилась в Нью-Йорк на самолете очень богатого россиянина.

— Отлично, — протянула я. — Алла Константиновна не ответит за убийство Галины Сергеевны.

Степан вытер пальцы салфеткой.

— С делами давно минувших лет всегда сложно, свидетелей поджога музея нет. Аллочке и Лауре было тогда по семь лет, их воспоминания всего лишь слова. Вину Петровой доказать невозможно. То, что Миронова просила Татьяну подлить во флягу слабительное, которое на самом деле оказалось еще и ядом, тоже недоказуемо, Григорьева мертва. Показания ее дочери не доказательство, это просто слова. Любой адвокат быстро выведет Аллу Константиновну из-под удара. Но, знаешь, до этого самого удара не дошло, потому что Алиса Горюнова сообщила следователю, что...

Дмитриев закашлялся.

— Что? Говори скорей, — потребовала я.

— Что бабушка утром на ее глазах, готовя напиток, ошиблась. Настой показался ей очень концентрированным, она решила его разбавить минералкой без газа, но по ошибке схватила бутылочку со средством «Гранат». Девочка не знала, что это яд, исходя из названия, подумала, что бабуля подливает сок. А вот сейчас, когда ей сказали, что Галина Сергеевна отравилась, внучка сообразила и...

— Бред, — закричала я, — ерунда! Надеюсь, в это не поверили? Как Алиса могла увидеть процесс готовки? Отлично помню, как Галина сказала яростно нападавшей на нее Тане: «Каждое утро я делаю свежее питье, наливаю во фляжку и еду за Лисой, мы с ней в метро у ее дома встречаемся». Девочка не жила у бабушки, отвар та делала в отсутствие внучки. Алисе заплатили за эту чушь!

— Ее защищает Антон Барвинов, — договорил Степан. — Слышала сие имя?

— Самый дорогой адвокат, выводящий преступников из-под статьи о пожизненном заключении, — ахнула я. — У него пока не было проигранных дел. Алисе сойдет с рук убийство Татьяны. Но в этом случае есть прямая улика — синяк на теле покойной очень характерной формы: полоска, а посередине скопление крупных пятен. В подарок от фирмы бижутерии внучке Петровой досталось украшение, которое надевается на кисть руки. Последний писк моды. Штучка напоминает кастет, но надевается не на пальцы, а на ладонь у их основания. С внешней стороны идет плоская неширокая полоска, а с внутренней к ней приделаны розочки из эмали. Цветы видны только тогда, когда обладательница феньки разжимает пальчики и поворачивает руку ладошкой вверх. На мой взгляд, крайне неудобное украшение. Но среди модных аксессуаров полно таких, например, колечки, которые надеваются сразу на три пальца и практически лишают человека возможности ими двигать, или перстни для пальцев ног, с ними некомфортно ходить. Что сказала Алиса, когда ей показали фото синяка и заявили: это доказательство того, что именно ты столкнула Татьяну Григорьеву?

Степан взял заварочный чайник.

— Тебе налить? На следующий день после нашего с тобой визита к Мироновой Алиса в сопровождении адвоката по своему желанию приехала к следователю. Девочка молчала, за нее говорил юрист. Он сообщил, что его подопечная пришла в себя после стресса, вызванного смертью любимой бабушки, и вспомнила, как та утром наливала во флягу жидкость из упаковки с надписью «Гранат». Алиса подумала, что это сок или витаминная добавка, название-то фруктовое, но решила сообщить подробности полицейскому. Следователь поблагодарил Алису, выложил на стол фото синяка и сказал:

— Необычное украшение, оставившее этот след, сейчас надето на вашу руку. Оно оставило синяк на теле Татьяны Григорьевой, а это свидетельствует, что именно вы толкнули ее в грудь. Она не устояла на ногах и упала вниз с шестого этажа.

Алиса перепугалась, заплакала, адвокат сразу прекратил беседу, объявил девочку больной, вызвал «Скорую» из частной клиники.

— Ясно, — пробормотала я.

— Через два дня полицейские приехали в стационар, — продолжил Дмитриев, — Алиса в присутствии все того же юриста рассказала, что произошло.

Побывав на банкете, она уже собралась уходить, но вдруг обнаружила, что где-то оставила свою сумочку, вспомнила, как повесила ее на кресло в зале, поднялась на шестой этаж, вышла из лифта и увидела Татьяну. Мать Марины держала в руке клатч Лисы. Григорьева была пьяна в лохмотья. Горюнова попросила отдать ее вещь, Таньяна захохотала:

— Фиг тебе, она моя, — и убежала на служебную лестницу.

Внучка Галины Сергеевны бросилась за Григорьевой, та прижалась спиной к перилам и начала кривляться, напевая:

— А ну-ка, отними!

Лиса приблизилась к пьянчуге, уперлась рукой ей в грудь, вырвала свою сумку, отошла к лифту, и тут Татьяна, воскликнув:

— Сейчас назад заберу, — подпрыгнула, завалилась назад и... упала вниз.

Перепуганная Алиса уехала на первый этаж. Она побоялась кому-либо сообщить о происшествии, находилась в состоянии шока, увидеть в один день смерть двух женщин, одна из которых твоя любимая бабуля... согласитесь, это слишком. Алиса не толкала Татьяну, синяк образовался в момент схватки за клатч.

— Да, конечно, — усмехнулась я, — охотно верю, что Лиса забыла сумку и вернулась за ней. Но далее события развивались иначе. Подозреваю, что сильно выпившая Григорьева сказала сопернице Марины какую-то гадость, ну вроде: «Ты всегда будешь второй, моя дочка красивее, умнее тебя, она полетит в Нью-Йорк, а ты останешься жить в помойке». Алиса толкнула тетку, а та, на беду, стояла спиной к перилам. Увы, свидетелей происшествия нет, правды нам не узнать.

— Ошибаешься, — отрезал Степан. — Господин адвокат привел к следователю официанта Романа, который, находясь в холле у банкетного зала, видел, что происходило на площадке у служебного лифта. Обладающий прекрасными зрением и памятью Рома полностью подтверждает историю Алисы про клатч. Он все видел. Горюнова отобрала сумку и отошла, Татьяна свалилась по неосторожности, находясь в состоянии сильного алкогольного опьянения. А Галина Сергеевна погибла случайно, налив сама во фляжку по невнимательности «Гранат». Все тип-топ.

— Лиса выручает Аллу Константиновну, Миронова находит Рому, который выручает Лису, — вздохнула я, — гениально. Полагаю, в марте на конкурсе «Мисс Весна», организованном журналом «Красавица», Алиса Горюнова получит корону, гору подарков и контракт с агентством в Париже. Маленькая шероховатость в наспех срежиссированной, но неплохо поставленной пьесе: каким образом у Галины Сергеевны оказалась под рукой упаковка со средством «Гранат», причем с тем, которое давно снято с производства? И что делать с записью нашей беседы с Аллой Константиновной, во время которой она выложила всю правду?

— Есть справка от психиатра о том, что Миронова давно принимает антидепрессанты, но тем не менее находится в подавленном состоянии, — усмехнулся Степан. — Алла часто превышает дозу препаратов и поэтому иногда несет чушь. Под влиянием лекарств она могла фантазировать. В день нашего визита Алла выпила не одну, а четыре таблетки.

Я подняла руку:

— Стоп. Понятно. Не продолжай. Конец истории про вставную челюсть Щелкунчика. Не посоветуй Алла Константиновна Алисе худеть и приклеивать на зубы виниры, Галина Сергеевна не повела бы внучку к Кузнецовой, не предложила бы Лауре китайскую медаль в качестве оплаты, и двоюродные сестры никогда бы не узнали, что Петрова та самая женщина, которая убила Мишу Чашкина и сожгла Нарганск. Все стало раскручиваться из-за визита в клинику Кузнецовой, из-за вставной челюсти Щелкунчика.

Да, забыл сказать, начали расследование деятельности центра «Архимед» в отношении организации «аукциона» невест.

— С тобой приятно работать, — вдруг добавил Дмитриев.

— С вашим фондом тоже приятно дело иметь, — не осталась я в долгу, — мне хочется познакомиться с Клариссой.

— Нет проблем, прямо сегодня организую ваше свидание, — пообещал Степан. — Давай поужинаем вместе? Кларисса любит вкусно поесть.

— Только не в ресторане, где дерут деньги за «истоп» ковровой дорожки и износ официанта, — хихикнула я.

— Нет, пойдем в другое место, — пообещал Дмитриев, — по твоему выбору.

Я призадумалась.

— Пару недель назад меня пригласили в один трактирчик, там было уютно, вкусно, мало народа. Как же он назывался? Помнится, я взяла у них на ресепшен визитку и положила ее в ридикюль. Так, я была в черном платье, значит, имела при себе маленькую сумочку на цепочке. Сейчас посмотрю!

Я поспешила в спальню, открыла шкаф, стала рыться на полках и услышала голос Степана:

— Это и есть медведь Чапа? Он прекрасно выглядит для своего почтенного возраста.

Я обернулась:

— Да! Неплохо сохранился, я очень берегу Топтыгина.

— Но с голубыми глазами косолапый был оригинальнее, — воскликнул гость.

— Верно, — согласилась я, — изначально на мордочке Чапы красовались пуговицы цвета ультрамарин, их пришили черными нитками, которые выглядели как зрачки. Голубоглазый мишка! Я задохнулась от восторга, когда его впервые увидела. К сожалению, одна пуговица сломалась. Я давно ищу похожие, но пока ничего не нашла: то цвет не тот, то размер маленький или, наоборот, большой. Поэтому Чапа временно кареглазый, но я непременно найду...

Окончание фразы застряло в горле, я отложила найденный клатч на пуфик.

— Откуда ты знаешь, что у Чапы сейчас другие глаза?

Степан молчал. Я тоже, не говоря ни слова, смотрела на него, потом мысленно стала изменять его внешность: убрала небольшую седину, короткую стрижку превратила в буйные темно-каштановые кудри, стерла с лица морщины и небольшой шрам на щеке, сделала фигуру тоньше, одела Степу в клетчатую мятую рубашку, дешевые индийские джинсы, вложила в его руку пачку сигарет «Дымок» и попятилась.

— Фантомас! Но ты же умер! Погиб на зоне, куда попал за убитого в драке человека.

— Нет, — возразил Степан, — вовсе нет. Я никого не лишал жизни, нож в несчастного воткнул Коля Еремин.

— Сын нашего участкового, — подпрыгнула я, — помню и этого мальчика, и его отца, он вечно к Раисе цеплялся, делал ей, как дворничихе, замечания.

— Угу, — кивнул Дмитриев, — папаша отмазал сынка, а остальные — нас было трое — очутились на зоне. Мы дрались, не отрицаю, но финкой владел только Колька. Кто распустил слух о моей кончине, понятия не имею, мама съехала с квартиры, потому что участковый ей жить не давал, приходил домой и говорил: «Тебя весь двор из-за сына-уголовника презирает».

— Вот глупость, — вспыхнула я, — в нашем дворе почти у всех были родственники за колючей проволокой. Никто твою маму не осуждал.

— Она предпочла сменить местожительство, — продолжал Дмитриев, — я поклялся, что больше никогда не сяду, вышел, стал учиться, поднял бизнес.

— Вот почему ты сотрудничаешь с фондом «Помощь», — осенило меня, — протягиваешь руку тем, кому так же плохо, как тебе в детстве.

Степан опустился на пуфик.

— Ну... вообще-то я владелец фонда, он существует на мои деньги, я постеснялся тебе сразу это сказать, не хотел выглядеть хвастуном. Я давно твои книги читаю, сразу узнал тебя на фото на обложке. Ты мало изменилась. А вот я стал старым кабаном. Когда мы неожиданно столкнулись в поликлинике, я опешил, вошел в кабинет к психологу и уже там разозлился. Ну что я за дурак! Почему не попытался наладить с тобой отношения, вот сейчас выйду, а тебя и след простыл. Но ты по-прежнему сидела в коридоре, смотрела телик, по выражению твоего лица мне сразу стало понятно: случилось что-то нехорошее. И я решил предложить свою помощь.

— Почему не сказал, кто ты? — спросила я.

Степан пожал плечами:

— Не знал, как ты отреагируешь на встречу с хулиганом и уголовником. Вдруг не захочешь дел со мной иметь... Но, когда я узнал, что ты бережешь медведя, вот тут подумал, наверное, можно правду сказать, объяснить, что я сел по ложному обвинению и давным-давно не трудный подросток, мы можем стать друзьями. Мне этого очень хочется. Извини, что так досаждал тебе в детстве. Я был дураком, помню тот случай с лужей. Мне тогда впервые в жизни за свое поведение стыдно стало. Прости меня.

— Это было так давно, — улыбнулась я, — рада, что Фантомас жив и он стал тем, кем стал. Детство заканчивается, и перед каждым человеком встает вопрос, по какой дороге идти. Ты выбрал правильный путь, я тобой горжусь. Давай забудем про ту дурацкую лужу, и мне кажется, мы уже стали друзьями.

— У тебя ангельский характер, — воскликнул Степан.

Я усмехнулась. Чтобы иметь ангельский характер, необходимо чертовское самообладание.

Литературно-художественное издание

ИРОНИЧЕСКИЙ ДЕТЕКТИВ

Донцова Дарья Аркадьевна

ВСТАВНАЯ ЧЕЛЮСТЬ ЩЕЛКУНЧИКА

Ответственный редактор *О. Рубис*
Редакторы *И. Шведова, Т. Семенова*
Художественный редактор *В. Щербаков*
Технический редактор *И. Гришина*
Компьютерная верстка *Г. Дегтяренко*
Корректор *В. Авдеева*

ООО «Издательство «Э»
123308, Москва, ул. Зорге, д. 1. Тел. 8 (495) 411-68-86.

Өндіруші: «Э» АҚБ Баспасы, 123308, Мәскеу, Ресей, Зорге көшесі, 1 үй.
Тел. 8 (495) 411-68-86.
Тауар белгісі: «Э»
Қазақстан Республикасында дистрибьютор және өнім бойынша арыз-талаптарды қабылдаушының
өкілі «РДЦ-Алматы» ЖШС, Алматы қ., Домбровский көш., 3«а», литер Б, офис 1.
Тел.: 8 (727) 251-59-89/90/91/92, факс: 8 (727) 251 58 12 вн. 107.
Өнімнің жарамдылық мерзімі шектелмеген.
Сертификация туралы ақпарат сайтта Өндіруші «Э»

Сведения о подтверждении соответствия издания согласно законодательству РФ
о техническом регулировании можно получить на сайте Издательства «Э»

Өндірген мемлекет: Ресей
Сертификация қарастырылмаған

Подписано в печать 28.12.2015. Формат 80x100 $^1/_{32}$.
Гарнитура «Newton». Печать офсетная. Усл. печ. л. 14,81.
Тираж 20000 экз. Заказ №12282.

Отпечатано в ООО «Тульская типография».
300026, г. Тула, пр. Ленина, 109.

ISBN 978-5-699-85359-5